Collection fondée par Félix Guirand,
Agrégé des Lettres

La Princesse de Clèves

Madame de Lafayette

Roman

Édition présentée,
annotée et expliquée
par Anne Régent, ancienne élève
de l'École normale supérieure,
agrégée de lettres modernes,
docteur de l'université Paris-IV Sorbonne

ISBN : 978-2-03-584444-6

SOMMAIRE

Avant d'aborder l'œuvre

6 Fiche d'identité de l'auteur
8 Repères chronologiques
10 Fiche d'identité de l'œuvre
12 L'œuvre dans son siècle
17 Lire l'œuvre aujourd'hui

La Princesse de CLèves

Madame de Lafayette

20 Première partie
60 Deuxième partie
96 Troisième partie
133 Quatrième partie

Pour approfondir

172 Clefs de lecture
184 Genre, action, personnages
202 L'œuvre : origines et prolongements
214 L'œuvre : son courant, ses tendances
219 Vers le bac : écrit et oral
234 Outils de lecture
236 Bibliographie et filmographie

AVANT D'ABORDER L'ŒUVRE

Fiche d'identité de l'auteur

Madame de Lafayette

Nom : Mme de La Fayette, née Marie-Madeleine Pioche.

Naissance : 18 mars 1634.

Famille : fille de Marc Pioche, officier de petite noblesse, qui meurt en 1649 ; et d'Isabelle Péna, sa seconde femme, issue d'une grande famille provençale. Deux sœurs cadettes.

Enfance : à Paris puis au Havre.

Début de carrière : Marie-Madeleine s'intègre rapidement au milieu précieux parisien, et fréquente les lieux les plus prisés, tels que les salons de Mlle de Scudéry et de l'hôtel de Rambouillet. Elle est liée à la fois à des hommes et à des femmes de lettres, comme Mme de Sévigné et le poète Gilles Ménage, et à des personnalités politiques comme Anne d'Autriche. Elle fait un mariage de raison avec un veuf de grande famille, mais désargenté, François de Lafayette, dont elle aura deux fils.

Premiers succès : à partir de 1558, Marie-Madeleine devient l'une des personnalités les plus en vue des salons. Elle continue à étendre son réseau mondain, se rapprochant notamment de Henriette d'Angleterre (future Madame), de l'érudit Huet, du romancier Segrais, et bientôt du moraliste La Rochefoucauld. En 1662 paraît *La Princesse de Montpensier*, son premier roman, qu'elle ne revendique pas officiellement. En 1678 paraît *La Princesse de Clèves*, que, là encore, elle ne revendique que très indirectement ; le roman n'en est pas moins un grand succès. Suivront une courte nouvelle, *La Comtesse de Tende*, et des *Mémoires de la cour de France*.

Mort : dans les années 1680, Mme de Lafayette affronte plusieurs deuils et déceptions familiales ; elle finit sa vie dans une retraite pieuse et austère, et meurt le 26 mai 1693.

Portrait de Madame de Lafayette.
Gravure.

Repères chronologiques

Vie et œuvre de Madame de Lafayette

1634
Naissance de Marie-Madeleine Pioche.

1635
Installation à Paris de la famille Pioche.

1648
La famille Pioche réside au Havre.

1649
Mort de Marc Pioche.

1650
Isabelle, sa mère, se remarie avec le chevalier Renaud de Sévigné.

1651
Marie-Madeleine devient demoiselle d'honneur d'Anne d'Autriche ; elle se lie avec le poète Ménage.

1652
Renaud de Sévigné, compromis lors de la Fronde, doit s'exiler en Anjou avec sa famille.

1654
Marie-Madeleine lit les romans de Scudéry. Elle devient l'amie d'Henriette d'Angleterre.

1655
Mariage de Marie-Madeleine avec François de Lafayette.

1656
Mort de sa mère.

1657
Elle se lie avec Mme de Sévigné.

1658
Naissance de son fils Louis.

1659
Naissance de son fils Armand ; Mme de Lafayette ouvre un salon à Paris et se lie d'amitié avec Huet et Segrais.

Événements politiques et culturels

1607-1608
Honoré d'Urfé, *L'Astrée*.

1633
Saint-Cyran est à Port-Royal.

1643
Début de la régence d'Anne d'Autriche.

1649
Scudéry, *Le Grand Cyrus*.

1648
Début de la Fronde.

1650
Mlle de Scudéry ouvre son salon ; mort de Descartes.

1652
Fin de la Fronde ; la cour revient à Paris.

1654
Scudéry, *La Clélie*.

1656
Segrais, *Les Nouvelles françaises*.

1657
Scarron, *Le Roman comique*.

1659
Molière, *Les Précieuses ridicules* ; paix des Pyrénées.

1661
Début du règne personnel de Louis XIV ; Henriette d'Angleterre épouse Monsieur.

1662
Segrais entre à l'Académie française ; mort de Pascal ; Molière, *L'École des femmes*.

1664
La Rochefoucauld, *Les Maximes*.

1665
Molière, *Dom Juan* ; Spinoza, *L'Éthique* ; mort de Mme de Rambouillet.

Repères chronologiques

Vie et œuvre de Madame de Lafayette	*Événements politiques et culturels*
1661 Elle suit Henriette d'Angleterre, devenue Madame, à la cour ; elle assiste aux fêtes de Vaux chez Fouquet, qui sera bientôt arrêté.	**1666** Furetière, *Le Roman bourgeois* ; Molière, *Le Misanthrope*.
1662 Parution, sans nom d'auteur, de *La Princesse de Montpensier*.	**1668** La Fontaine, premier recueil des *Fables*.
1663 Avec le Roi et la cour, Mme de Lafayette va à Versailles visiter les travaux du nouveau château, commencés un an plus tôt.	**1669** Racine, *Britannicus*.
1664 **Rencontre de La Rochefoucauld.**	**1670** Mort de Henriette d'Angleterre ; Racine, *Bérénice* ; Pascal, *Pensées* ; Spinoza, *Tractatus*.
1668-1671 Rédaction de *Zaïde*, avec La Rochefoucauld et Segrais ; le roman paraîtra sous le nom de Segrais.	**1674** Corneille, *Suréna*.
1672 **Mme de Lafayette commence la rédaction d'un roman d'abord intitulé *Le Prince de Clèves*.**	**1677** Racine, *Phèdre*.
1678 **Parution, sans nom d'auteur, de *La Princesse de Clèves*.**	**1679** Mort du cardinal de Retz.
1683 Mort de François de Lafayette.	**1680** Mort de La Rochefoucauld.
1689 Mme de Lafayette se retire définitivement du monde ; elle correspond avec plusieurs directeurs de conscience proches de Port-Royal, tels que Rancé ; elle écrit les *Mémoires de la cour de France pour les années 1688 et 1689*.	**1681** Bossuet, *Discours sur l'histoire universelle*.
1693 Mort de Mme de Lafayette.	**1683** Louis XIV épouse Mme de Maintenon.
1724 Parution posthume de *La Comtesse de Tende*.	**1684** Disgrâce de la duchesse de Savoie, protectrice de Mme de Lafayette ; mort de Corneille.
	1685 Révocation de l'édit de Nantes.
	1686 La Bruyère, *Les Caractères*.
	1692 Mort de Gilles Ménage.
	1699 Mort de Racine.

Fiche d'identité de l'œuvre

La Princesse de Clèves

Genre :
forme narrative inédite se situant entre le roman précieux, la nouvelle historique, le roman d'analyse et le roman d'apprentissage.

Auteur :
Madame de Lafayette, de 1672 à 1678.

Objets d'étude : la passion à l'âge classique ; la cour ; la naissance du roman moderne.

Structure : un récit principal dans lequel viennent s'enchâsser des récits plus brefs.

Forme : récit en prose.

Registre : tragique, pathétique.

Principaux personnages : Mlle de Chartres, devenue la princesse de Clèves : jeune fille d'une quinzaine d'années ; Mme de Chartres, sa mère ; le prince de Clèves : jeune homme d'une quinzaine d'années ; le duc de Nemours : un homme d'une trentaine d'années.

Sujet : la toute jeune Mlle de Chartres épouse le prince de Clèves, qui l'aime mais qu'elle n'aime pas. Le lendemain, elle découvre l'amour en la personne du duc de Nemours, qui l'aime en retour. Voulant rester fidèle à son époux, elle lui avoue sa passion et tente de s'éloigner de la cour ; mais cet aveu ne fait qu'accélérer le cours des événements : le prince de Clèves finit par mourir de jalousie et la princesse, mue par le remords tout autant que par le sens du devoir et par le rejet de toute aliénation passionnelle, renonce à l'amour du duc et se retire du monde.

Lectures de l'œuvre : souvent donnée comme exemplaire d'un certain classicisme, l'œuvre constitue un jalon décisif dans la naissance du roman français moderne.

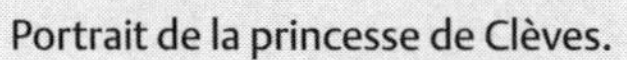
Portrait de la princesse de Clèves.

L'œuvre dans son siècle

FORTEMENT ANCRÉ dans son époque en dépit de son cadre historique et de sa prétention à l'universalité, le roman se situe au croisement de plusieurs courants de pensée. Complémentaires plus que contradictoires, trois influences principales sous-tendent la vision désenchantée qu'il propose de la cour et des passions humaines : le mouvement précieux, les moralistes et la sensibilité janséniste.

La Princesse de Clèves *au siècle des précieuses*

AU XVIIe SIÈCLE, l'aristocratie féodale française subit une profonde remise en question ; à peine sortie des carnages des guerres de Religion, qui ont remis en question ses valeurs militaires et héroïques, elle se voit progressivement privée de ses prérogatives traditionnelles par une centralisation du pouvoir de plus en plus affirmée – le règne de Louis XIV constituant une forme d'achèvement et de radicalisation de ce processus. Aussi, à défaut de régner par l'épée, l'aristocratie tentera-t-elle désormais de régner par sa culture et son intelligence. De cette recherche de l'esprit et du raffinement, la préciosité, mouvement éthique et esthétique tout autant que social, apparaît assurément comme la manifestation la plus spectaculaire et la plus novatrice. Elle se caractérise tout d'abord par l'importance du rôle qu'y jouent les femmes telles que Mlle de Scudéry, la marquise de Rambouillet, Mme de Sablé, Mme du Plessis-Guénégaud…

CETTE ÉLITE cultivée se réunit dans des « salons », c'est-à-dire le plus souvent dans des « ruelles », autour du lit où la maîtresse des lieux reçoit ses amis pour y parler de la mode, des sentiments, des beaux-arts et pour s'y adonner à divers jeux lettrés aux règles plus ou moins complexes. Car, dans l'univers précieux, tout est soigneusement codifié : la conversation a ses lois, tout comme les sentiments, dont on étudie, avant de les classer, les moindres nuances. La célèbre « Carte de Tendre » présentée par Mlle de Scudéry dans sa *Clélie* (1654) en témoigne brillamment : véritable cartographie allégorique des divers types d'émotion et d'attachement amoureux, elle exerce sur l'ensemble du mouvement précieux – et sur Mme de Lafayette en particulier – une influence considérable. Et l'on aurait bien tort de n'y voir qu'une rêverie complaisante et un peu mièvre née de l'oisiveté de « jeunes filles en fleurs » : car la vision de l'amour qui sous-tend une telle analyse est en réalité fort sombre, les précieuses manifestant une méfiance remarquable envers le mariage comme envers la passion elle-même.

La Princesse de Clèves *au siècle des moralistes*

MAIS LA PRÉCIOSITÉ n'est pas la seule source à laquelle Mme de Lafayette puise l'intense défiance qui caractérise son œuvre. Contemporaine des grands moralistes de l'âge classique, amie personnelle de La Rochefoucauld, elle partage avec ces auteurs une vision désillusionnée de l'homme et une méfiance constante envers les apparences.

La cour

OR LA COUR, cadre omniprésent et étouffant dont les héros de *La Princesse de Clèves* ne s'échappent qu'en de rares instants, est précisément le royaume de l'apparence : il s'agit désormais de « paraître », puisqu'on n'« est » plus véritablement puissant, puisqu'on n'« a » plus de pouvoir véritable. De cette cour, la première phrase du roman présente d'emblée les deux traits majeurs : « magnificence » et « galanterie ». La haute aristocratie, qui a perdu toute influence effective sur le cours des événements, en est réduite à surinvestir sur l'apparence : celle des choses (c'est la magnificence) comme celle des relations interpersonnelles, mondaines ou amoureuses (c'est la galanterie). De cette transformation de la cour en théâtre témoigne le rôle essentiel joué dans le récit par les cérémonials et par de grands divertissements collectifs et spectaculaires, tels que les bals et les tournois. Ces banquets, ces représentations théâtrales et/ou musicales, ces fêtes somptueuses, Mme de Lafayette y a assisté, comme elle a assisté aux fêtes de Vaux organisées par Fouquet (dont elle a vu ensuite la chute brutale – et elle se souviendra dans son roman de ces spectaculaires règlements de comptes). Ce que montre en outre *La Princesse de Clèves,* c'est que cette « magnificence » ne fait, au fond, que servir de décor à la « galanterie ». Comme la cour du roman, la cour de Louis XIV semble tolérer, voire favoriser toutes les relations amoureuses, y compris les plus illégitimes ; le Roi-Soleil lui-même, dès le début de son règne et de son mariage, affiche ses maîtresses, voire multiplie les amantes d'un jour. Il fréquente même volontiers les milieux libertins, particulièrement représentés à la cour, au grand dam de la composante la plus dévote de la « vieille cour », réunie autour de la reine-mère Anne d'Autriche.

L'œuvre dans son siècle

On le comprend : pour les moralistes comme pour les prédicateurs, la cour ne peut donc être conçue que comme un milieu immoral, enclin au culte des fausses valeurs, animé, plus que tout autre, par les passions les plus basses – et c'est dans cette lignée que s'inscrit Mme de Lafayette. Dans cette perspective, la cour, c'est le « monde » – en un double sens, sociologique et théologique : « milieu mondain » par opposition aux communautés rurales, voire urbaines, moins policées, mais aussi « monde terrestre » régi par des valeurs immanentes, et non par des valeurs religieuses. La « magnificence » et la « galanterie » y servent avant tout à traduire, tout en les dissimulant, l'amour-propre et la soif de domination qui s'y trouvent, plus encore qu'ailleurs, dissimulés. Car derrière tout comportement humain se tapit la première des passions humaines : l'amour-propre ; au cœur de la relation amoureuse comme des relations amicales les plus policées se cache un moi tyrannique, qui ne cherche qu'à étendre sa domination. Voilà ce que suggère Mme de Lafayette, en écho à des auteurs tels que La Bruyère, La Rochefoucauld et Pascal.

Le divertissement

L'influence de Pascal se manifeste également sur l'auteur de *La Princesse de Clèves* de manière plus spécifique et à travers une réflexion sous-jacente sur le *divertissement*. Pour l'auteur des *Pensées* en effet, l'homme, incapable de supporter l'idée de sa propre finitude, tend à se réfugier dans toute activité qui lui permettra de l'oublier, ne fût-ce qu'un instant, de s'en *divertir* (du latin *di-vertire*, « dé-tourner »). En ce sens, la cour peut apparaître comme le lieu par excellence du divertissement ; toujours occupés de paraître, de commenter l'apparence des autres ou d'asseoir leur domination symbolique, les courtisans échappent au tourment métaphysique de l'homme qui se sait mortel mais s'avère incapable d'affronter véritablement l'idée de sa mort. Et c'est pourquoi, dans le roman, la mort, souvent violente et/ou prématurée, vient ponctuer ces évocations féeriques, comme les marques du temps se glissent au cœur des vanités que les peintres de la même époque aiment à représenter. Ce *memento mori* toujours renouvelé rappelle aux courtisans comme aux lecteurs que la mort est non seulement la destination ultime de tout homme mais la vérité profonde de sa nature.

La Princesse de Clèves *au siècle de Port-Royal*

Le pessimisme augustinien

LA PRINCESSE DE CLÈVES révèle ainsi bien des points de convergence avec l'œuvre de La Rochefoucauld comme avec celle de Pascal, toutes deux se trouvant, à des degrés divers, marquées par l'influence d'un courant de pensée extrêmement puissant au XVIIe siècle : le jansénisme. S'appliquant au sens strict à la doctrine présentée par le théologien et évêque Jansenius dans son *Augustinus* (1640) et censée représenter un retour fidèle à l'enseignement de saint Augustin (354-430), le jansénisme en vient à désigner une forme de christianisme rigoriste et pessimiste qui a fortement marqué la pensée morale, religieuse et esthétique du XVIIe siècle. Réponse et contrepoint à l'optimisme humaniste de la Renaissance, il affirmait que seule la grâce divine pouvait assurer le salut de l'homme, le péché originel ayant fait de lui une créature vouée à l'amour de soi au lieu d'être tournée vers l'amour de Dieu. Le centre géographique et spirituel où s'élaborait cette doctrine était l'abbaye de Port-Royal, mais sa diffusion s'étendait bien au-delà, en particulier dans certains cercles mondains que fréquentait Mme de Lafayette, tels que le salon de Mme de Sablé – et il n'est nullement indifférent qu'à la fin de sa vie l'auteur de *La Princesse de Clèves*, comme bien d'autres femmes de son milieu, se tourne vers l'abbé de Rancé, grande figure du rigorisme. De cette affinité à la fois profonde et paradoxale entre une certaine préciosité et l'austérité du pessimisme janséniste, *La Princesse de Clèves*, déjà, porte bien des traces, au premier rang desquelles une conception de la passion comme pulsion dangereuse, incontrôlable et destructrice, et une promotion, à l'inverse, de la maîtrise de soi, de l'accomplissement du devoir, et du « repos ».

De Corneille à Racine

OR C'EST BIEN ce « repos » qu'invoque, à la fin du roman, la princesse, afin de justifier le refus définitif qu'elle oppose à Nemours ; c'est bien ce « repos » qu'elle cherche, loin du monde (au sens sociologique, mondain, du terme) et de ses passions (orgueil, vengeance, amour), dans la solitude pieuse de la retraite, puis semble trouver, loin du monde (au sens courant du terme), dans une mort prématurée. Mais ce renoncement n'est qu'une victoire en demi-teinte – si du moins c'en est bien une. On est ici bien loin de l'univers héroïque d'un Corneille, qui célébrait encore dans la plupart de ses tragédies une tradition aristocratique glorieuse, et qui voyait dans la passion l'occasion d'un triomphe héroïque du moi, d'une épiphanie spectaculaire d'un vouloir souverain. S'il y a ici dépassement des passions, ce n'est pas au profit de la « générosité » cornélienne (ou cartésienne), de la noblesse souveraine d'âmes supérieures. Le renoncement se fait ici dans une souffrance contenue et incertaine, douloureuse et inquiète, peut-être mortifère : nulle gloire éclatante ici – mais la solitude d'une conscience face à elle-même, et la lucidité d'une âme connaissant désormais sa faiblesse et sa finitude. Si l'homme peut atteindre à une certaine grandeur, ce n'est pas parce qu'il serait « maître de [lui] comme de l'univers » (Corneille), mais « en ce qu'il se connaît misérable » (Pascal). De cette grandeur toute relative naît un autre type de tragique, trouble et intime – celui-là même qu'on retrouve au théâtre chez Racine, élève des « Petites Écoles » de Port-Royal.

Le pessimisme du roman puise donc à de multiples sources, qui, du reste, entretiennent bien plus de liens qu'on ne le croit parfois : si Mme de Lafayette, comme son ami La Rochefoucauld, semble hantée par le sentiment vif de la vanité du monde, de la finitude de l'homme et de la fragilité des attachements humains, c'est qu'elle est nourrie à la fois des méditations désenchantées des précieuses, de la réflexion acérée des moralistes et de l'austère théologie de Port-Royal.

Lire l'œuvre aujourd'hui

Il faut l'avouer : l'impression première produite par l'œuvre sur le lecteur du XXIe siècle est celle de distance. La déconcertante impassibilité, l'évidente tendance à l'abstraction qui caractérisent l'écriture de Mme de Lafayette risquent d'être prises pour de la froideur, pire encore : de la fadeur. Il n'en est rien. Car ce que dit cette prose quasi blanche, parfaitement accordée à ce roman du renoncement, reste aujourd'hui d'une incandescente vérité.

Ce que raconte le roman, c'est – plus encore que l'affermissement d'une conscience morale marquée par une conception du christianisme historiquement déterminée – l'accession d'une jeune fille à sa vérité propre et à la pleine conscience d'elle-même.

Ce qu'il affirme, c'est que ce cheminement vers une sincérité existentielle passe par une progressive prise de parole, par une difficile conquête du discours, et en particulier du discours sur soi.

Et ce qu'il laisse entendre, c'est que cette identité progressivement conquise est toujours plus complexe que ce que peut en appréhender le sujet lui-même. Car il n'est guère aisé d'expliquer le « coup de foudre » ressenti par la princesse, ou plutôt trop d'explications viennent à l'esprit – mais, quoi qu'il en soit, il serait un peu court d'y voir un pur mystère : fatalité ou épreuve envoyée par Dieu ? encouragement actif de la cour, ou de certains courtisans ? rébellion inconsciente face à une éducation trop stricte ? quête psychanalytique d'une figure paternelle ? Difficile de trancher. De même, les motivations du renoncement au monde que revendique finalement la princesse – elle qui ne s'était jamais aussi clairement exprimée devant Nemours – apparaissent plus qu'ambiguës : remords causé par la mort de son mari ? par les ultimes paroles de sa mère elle aussi défunte ? peur de souffrir à nouveau et aspiration à une tranquillité quelque peu frileuse ? refus de voir l'amour se dégrader au fil du temps ? quête d'un absolu qu'aucun homme ne pourra combler ?

La princesse, pourtant, tente de voir clair : tantôt la passion se trahit par des actes involontaires et des manifestations corporelles non maîtrisées, tantôt elle se voit ressaisie dans les rêts d'un discours analytique organisé, qui se révèle pourtant faussement cohérent – car la jeune fille non seulement se trompe elle-même sur ses propres sentiments, mais trouve son compte dans cette illusion, découvrant ainsi elle-même ce que Sartre appellera plus tard la « mauvaise foi ». Pré-sartrienne, la princesse de Clèves ? Sans aucun doute, tant elle paraît expérimenter, dans la souffrance, ce que Sartre rappellera – et ce que les moralistes classiques, déjà, suggéraient : si l'amour est voué à faire souffrir, c'est que l'amant aime en l'autre une liberté irréductible, cette liberté qui, précisément, fait que l'autre lui échappera toujours.

Cette prose épurée, décidément, ne doit pas tromper : elle ne dit pas seulement les mille nuances du sentiment. Elle dit surtout la violence du désir, l'anarchie de la passion et son caractère mortifère. Elle suggère le rôle ambivalent mais décisif joué par la société et par l'éducation dans l'attirance amoureuse et sexuelle. Enfin – provocation ultime pour les post-romantiques que nous sommes, imprégnés d'une idéologie glorifiant les emballements du cœur –, elle affirme que l'individu, parfois, ne parvient vraiment à exister que dans le renoncement à la passion, qu'il ne s'affirme vraiment que dans une position de retrait. D'où la singularité paradoxale de cette écriture si douloureusement retenue mais finalement si personnelle.

La Princesse de Clèves

Madame de
Lafayette

Roman publié pour
la première fois en 1678

PREMIÈRE PARTIE

LA MAGNIFICENCE[1] et la galanterie[2] n'ont jamais paru en France avec tant d'éclat que dans les dernières années du règne de Henri second[3]. Ce prince était galant, bien fait et amoureux ; quoique sa passion pour Diane de Poitiers[4], duchesse de Valentinois, eût com-
5 mencé il y avait plus de vingt ans, elle n'en était pas moins violente, et il n'en donnait pas des témoignages moins éclatants.

Comme il réussissait admirablement dans tous les exercices du corps, il en faisait une de ses plus grandes occupations. C'étaient tous les jours des parties de chasse et de paume[5], des ballets, des
10 courses de bagues[6], ou de semblables divertissements ; les couleurs[7] et les chiffres[8] de Mme de Valentinois paraissaient partout, et elle paraissait elle-même avec tous les ajustements[9] que pouvait avoir Mlle de La Marck, sa petite-fille, qui était alors à marier.

La présence de la reine autorisait la sienne. Cette princesse était
15 belle, quoiqu'elle eût passé la première jeunesse ; elle aimait la grandeur, la magnificence et les plaisirs. Le roi l'avait épousée lorsqu'il était encore duc d'Orléans, et qu'il avait pour aîné le Dauphin, qui

---

1. **Magnificence :** faste, luxe.
2. **Galanterie :** sens très large au XVIIe siècle. Politesse des manières et raffinement des sentiments.
3. **Henri second :** fils de François Ier et de Claude de France ; roi de France à partir de 1547, il épousa Catherine de Médicis en 1533 et fut mortellement blessé par un coup de lance lors d'un tournoi en 1559.
4. **Diane de Poitiers :** maîtresse du futur Henri II depuis 1536 ; celui-ci la fera duchesse de Valentinois en 1548.
5. **Paume :** ancêtre du tennis ; jeu qui consistait à renvoyer, d'abord à la main puis à l'aide d'une sorte de raquette, une balle de part et d'autre d'un filet.
6. **Courses de bagues :** la course de bagues est un jeu dans lequel les cavaliers doivent attraper avec leur lance des anneaux suspendus à un poteau.
7. **Couleurs :** les dames de la cour choisissaient des couleurs qui les symbolisaient et que devaient arborer leurs soupirants lors des tournois.
8. **Chiffres :** initiales entrelacées.
9. **Ajustements :** parures.

mourut à Tournon, prince que sa naissance et ses grandes qualités destinaient à remplir dignement la place du roi François Ier, son père.
20 L'humeur ambitieuse de la reine lui faisait trouver une grande douceur à régner ; il semblait qu'elle souffrît[1] sans peine l'attachement du roi pour la duchesse de Valentinois, et elle n'en témoignait aucune jalousie, mais elle avait une si profonde dissimulation qu'il était difficile de juger de ses sentiments, et la politique l'obligeait
25 d'approcher cette duchesse de sa personne, afin d'en approcher aussi le roi. Ce prince aimait le commerce[2] des femmes, même de celles dont il n'était pas amoureux ; il demeurait tous les jours chez la reine à l'heure du cercle[3], où tout ce qu'il y avait de plus beau et de mieux fait, de l'un et de l'autre sexe, ne manquait pas de se trouver.
30 Jamais cour n'a eu tant de belles personnes et d'hommes admirablement bien faits et il semblait que la nature eût pris plaisir à placer ce qu'elle donne de plus beau dans les plus grandes princesses et dans les plus grands princes. Mme Élisabeth de France[4], qui fut depuis reine d'Espagne, commençait à faire paraître un esprit
35 surprenant et cette incomparable beauté qui lui a été si funeste. Marie Stuart[5], reine d'Écosse, qui venait d'épouser M. le Dauphin[6], et qu'on appelait la reine dauphine, était une personne parfaite pour l'esprit et pour le corps ; elle avait été élevée à la cour de France,

---

1. **Souffrît :** supportât.
2. **Commerce :** compagnie, fréquentation.
3. **Cercle :** réunion quotidienne des proches de la reine autour d'elle.
4. **Élisabeth de France :** fille d'Henri II et de Catherine de Médicis, elle fut obligée d'épouser Philippe II d'Espagne, alors qu'elle était initialement destinée à son fils aîné l'infant Don Carlos ; cet épisode malheureux fut notamment rapporté par Saint Réal dans son roman historique *Don Carlos* (1572), qui connut un grand succès à l'époque de Mme de Lafayette. Élisabeth mourut à 23 ans, soit en couches, soit assassinée par son mari, maladivement jaloux. Don Carlos mourut la même année en prison, peut-être empoisonné par son propre père.
5. **Marie Stuart :** fille de Marie de Lorraine (de Guise) et de Jacques V d'Écosse, elle fut élevée en France, où elle épousa François II, fils aîné d'Henri II, en 1558, devenant ainsi « reine dauphine ». Veuve deux ans plus tard, elle revint dans une Écosse déchirée par les conflits entre protestants et catholiques et fut obligée d'abdiquer en 1567 ; emprisonnée pendant 18 ans, elle fut finalement condamnée à mort en 1587.
6. **M. le Dauphin :** il s'agit de François II (1544-1560), fils aîné d'Henri II, qui ne régna qu'un an avant de mourir de maladie.

elle en avait pris toute la politesse[1], et elle était née avec tant de
40 dispositions pour toutes les belles choses, que, malgré sa grande jeunesse, elle les aimait et s'y connaissait mieux que personne. La reine, sa belle-mère, et Madame, sœur du roi, aimaient aussi les vers, la comédie[2] et la musique. Le goût que le roi François Ier avait eu pour la poésie et pour les lettres régnait encore en France, et le roi son fils
45 aimant les exercices du corps, tous les plaisirs étaient à la cour. Mais ce qui rendait cette cour belle et majestueuse était le nombre infini de princes et de grands seigneurs d'un mérite extraordinaire. Ceux que je vais nommer étaient, en des manières différentes, l'ornement et l'admiration de leur siècle.

50 Le roi de Navarre[3] attirait le respect de tout le monde par la grandeur de son rang et par celle qui paraissait en sa personne. Il excellait dans la guerre, et le duc de Guise[4] lui donnait une émulation[5] qui l'avait porté plusieurs fois à quitter sa place de général, pour aller combattre auprès de lui comme un simple soldat, dans les lieux les
55 plus périlleux. Il est vrai aussi que ce duc avait donné des marques d'une valeur si admirable et avait eu de si heureux succès qu'il n'y avait point de grand capitaine qui ne dût le regarder avec envie. Sa valeur était soutenue de toutes les autres grandes qualités, il avait un esprit vaste et profond, une âme noble et élevée, et une égale
60 capacité pour la guerre et pour les affaires. Le cardinal de Lorraine, son frère, était né avec une ambition démesurée, avec un esprit vif et une éloquence admirable, et il avait acquis une science profonde, dont il se servait pour se rendre considérable en défendant la religion catholique qui commençait d'être attaquée. Le chevalier de
65 Guise, que l'on appela depuis le grand prieur, était un prince aimé de tout le monde, bien fait, plein d'esprit, plein d'adresse, et d'une valeur célèbre par toute l'Europe. Le prince de Condé, dans un petit corps peu favorisé de la nature, avait une âme grande et hautaine, et un esprit qui le rendait aimable aux yeux même des plus belles

1. **Politesse :** bonnes manières, raffinement.
2. **La comédie :** le théâtre en général.
3. **Roi de Navarre :** Antoine de Bourbon (1518-1562), père d'Henri IV.
4. **Duc de Guise :** François Ier de Guise (1519-1563), grand homme de guerre catholique, qui mourut assassiné par un protestant.
5. **Émulation :** rivalité stimulante.

70 femmes. Le duc de Nevers, dont la vie était glorieuse par la guerre et par les grands emplois qu'il avait eus, quoique dans un âge un peu avancé, faisait les délices de la cour. Il avait trois fils parfaitement bien faits : le second, qu'on appelait le prince de Clèves, était digne de soutenir la gloire de son nom ; il était brave et magnifique,
75 et il avait une prudence[1] qui ne se trouve guère avec la jeunesse. Le vidame[2] de Chartres, descendu de cette ancienne maison de Vendôme, dont les princes du sang[3] n'ont point dédaigné de porter le nom, était également distingué dans la guerre et dans la galanterie. Il était beau, de bonne mine, vaillant, hardi, libéral[4] ; toutes
80 ces bonnes qualités étaient vives et éclatantes ; enfin, il était seul digne d'être comparé au duc de Nemours, si quelqu'un lui eût pu être comparable. Mais ce prince était un chef-d'œuvre de la nature ; ce qu'il avait de moins admirable, c'était d'être l'homme du monde le mieux fait et le plus beau. Ce qui le mettait au-dessus des autres
85 était une valeur incomparable, et un agrément[5] dans son esprit, dans son visage et dans ses actions que l'on n'a jamais vu qu'à lui seul ; il avait un enjouement[6] qui plaisait également aux hommes et aux femmes, une adresse extraordinaire dans tous ses exercices, une manière de s'habiller qui était toujours suivie de tout le monde, sans
90 pouvoir être imitée, et enfin un air dans toute sa personne qui faisait qu'on ne pouvait regarder que lui dans tous les lieux où il paraissait. Il n'y avait aucune dame dans la cour dont la gloire[7] n'eût été flattée de le voir attaché à elle ; peu de celles à qui il s'était attaché se pouvaient vanter de lui avoir résisté, et même plusieurs à qui il n'avait
95 point témoigné de passion n'avaient pas laissé d'en avoir[8] pour lui. Il avait tant de douceur et tant de disposition à la galanterie qu'il ne pouvait refuser quelques soins[9] à celles qui tâchaient de lui plaire ;

1. **Prudence :** sagesse, modération.
2. **Vidame :** titre de noblesse équivalant à « vicomte ».
3. **Princes du sang :** princes issus de la famille royale.
4. **Libéral :** généreux ; voir note 5 p. 25 « libéralité », générosité.
5. **Agrément :** charme, attrait.
6. **Enjouement :** fait d'être enjoué, gai, de bonne humeur.
7. **Gloire :** fierté.
8. **N'avaient pas laissé d'en avoir :** n'avaient pas renoncé à en avoir.
9. **Soins :** attentions qu'on a pour la personne aimée.

ainsi il avait plusieurs maîtresses[1], mais il était difficile de deviner celle qu'il aimait véritablement. Il allait souvent chez la reine dau-
100 phine ; la beauté de cette princesse, sa douceur, le soin qu'elle avait de plaire à tout le monde et l'estime particulière qu'elle témoignait à ce prince avaient souvent donné lieu de croire qu'il levait les yeux jusqu'à elle. MM. de Guise, dont elle était nièce, avaient beaucoup augmenté leur crédit et leur considération par son mariage ; leur
105 ambition les faisait aspirer à s'égaler aux princes du sang et à partager le pouvoir du connétable[2] de Montmorency. Le roi se reposait sur lui de la plus grande partie du gouvernement des affaires et traitait le duc de Guise et le maréchal de Saint-André comme ses favoris. Mais ceux que la faveur ou les affaires approchaient de sa personne
110 ne s'y pouvaient maintenir qu'en se soumettant à la duchesse de Valentinois, et, quoiqu'elle n'eût plus de jeunesse ni de beauté, elle le gouvernait avec un empire[3] si absolu que l'on peut dire qu'elle était maîtresse de sa personne et de l'État.

Le roi avait toujours aimé le connétable, et sitôt qu'il avait com-
115 mencé à régner, il l'avait rappelé de l'exil où le roi François Ier l'avait envoyé. La cour était partagée entre MM. de Guise et le connétable, qui était soutenu des princes du sang. L'un et l'autre partis avaient toujours songé à gagner[4] la duchesse de Valentinois. Le duc d'Aumale[5], frère du duc de Guise, avait épousé une de ses
120 filles ; le connétable aspirait à la même alliance. Il ne se contentait pas d'avoir marié son fils aîné avec Mme Diane, fille du roi et d'une dame de Piémont, qui se fit religieuse aussitôt qu'elle fut accouchée. Ce mariage avait eu beaucoup d'obstacles, par les promesses que M. de Montmorency[6] avait faites à Mlle de Piennes, une des filles

---

1. **Maîtresses :** femmes que l'on courtise.
2. **Connétable :** titre militaire supérieur.
3. **Empire :** autorité.
4. **Gagner :** s'assurer l'appui de.
5. **Duc d'Aumale :** Claude de Guise (1526-1573), qui épousa la fille de Diane de Poitiers ; il joua un rôle clé dans la Saint-Barthélemy (massacre de protestants perpétré par les catholiques le 24 août 1572 à Paris).
6. **M. de Montmorency :** fils du gouverneur de Paris, détesté par les Guises, il n'échappa que de justesse au massacre de la Saint-Barthélemy.

125 d'honneur[1] de la reine, et, bien que le roi les eût surmontés avec une patience et une bonté extrêmes, ce connétable ne se trouvait pas encore assez appuyé, s'il ne s'assurait de Mme de Valentinois, et s'il ne la séparait de MM. de Guise, dont la grandeur commençait à donner de l'inquiétude à cette duchesse. Elle avait retardé, autant 130 qu'elle avait pu, le mariage du Dauphin avec la reine d'Écosse : la beauté et l'esprit capable et avancé de cette jeune reine, et l'élévation que ce mariage donnait à MM. de Guise, lui étaient insupportables. Elle haïssait particulièrement le cardinal de Lorraine ; il lui avait parlé avec aigreur, et même avec mépris. Elle voyait qu'il pre- 135 nait des liaisons[2] avec la reine, de sorte que le connétable la trouva disposée à s'unir avec lui, et à entrer dans son alliance par le mariage de Mlle de La Marck, sa petite-fille, avec M. d'Anville, son second fils, qui succéda depuis à sa charge sous le règne de Charles IX. Le connétable ne crut pas trouver d'obstacles dans l'esprit de 140 M. d'Anville pour un mariage, comme il en avait trouvé dans l'esprit de M. de Montmorency, mais, quoique les raisons lui en fussent cachées, les difficultés n'en furent guère moindres. M. d'Anville était éperdument amoureux de la reine dauphine, et, quelque peu d'espérance qu'il eût[3] dans cette passion, il ne pouvait se résoudre 145 à prendre un engagement qui partagerait[4] ses soins. Le maréchal de Saint-André était le seul dans la cour qui n'eût point pris de parti. Il était un des favoris, et sa faveur ne tenait qu'à sa personne ; le roi l'avait aimé dès le temps qu'il était dauphin, et depuis, il l'avait fait maréchal de France, dans un âge où l'on n'a pas encore accoutumé 150 de prétendre aux moindres dignités. Sa faveur lui donnait un éclat qu'il soutenait par son mérite et par l'agrément de sa personne, par une grande délicatesse pour sa table et pour ses meubles, et par la plus grande magnificence qu'on eût jamais vue en un particulier. La libéralité[5] du roi fournissait à cette dépense ; ce prince allait jusqu'à 155 la prodigalité[6] pour ceux qu'il aimait, il n'avait pas toutes les grandes

1. **Filles d'honneur :** demoiselles de compagnie.
2. **Prenait des liaisons :** établissait des alliances.
3. **Quelque peu d'espérance qu'il eût :** quoiqu'il mît peu d'espoir.
4. **Partagerait :** diviserait.
5. **Libéralité :** générosité.
6. **Prodigalité :** générosité presque excessive.

qualités, mais il en avait plusieurs, et surtout celle d'aimer la guerre et de l'entendre[1] ; aussi avait-il eu d'heureux succès, et, si on en excepte la bataille de Saint-Quentin, son règne n'avait été qu'une suite de victoires. Il avait gagné en personne la bataille de Renty, le 160 Piémont avait été conquis, les Anglais avaient été chassés de France, et l'empereur Charles Quint avait vu finir sa bonne fortune devant la ville de Metz, qu'il avait assiégée inutilement avec toutes les forces de l'Empire et de l'Espagne. Néanmoins, comme le malheur de Saint-Quentin avait diminué l'espérance de nos conquêtes, et que, depuis, 165 la fortune avait semblé se partager entre les deux rois, ils se trouvèrent insensiblement disposés à la paix.

La duchesse douairière[2] de Lorraine avait commencé à en faire des propositions dans le temps du mariage de M. le Dauphin ; il y avait toujours eu depuis quelque négociation secrète. Enfin, Cercamp, 170 dans le pays d'Artois, fut choisi pour le lieu où l'on devait s'assembler. Le cardinal de Lorraine, le connétable de Montmorency et le maréchal de Saint-André s'y trouvèrent pour le roi, le duc d'Albe et le prince d'Orange, pour Philippe II, et le duc et la duchesse de Lorraine furent les médiateurs. Les principaux articles étaient 175 le mariage de Mme Élisabeth de France avec Don Carlos, infant d'Espagne, et celui de Madame, sœur du roi, avec M. de Savoie.

Le roi demeura cependant sur la frontière et il y reçut la nouvelle de la mort de Marie, reine d'Angleterre[3]. Il envoya le comte de Randan à Élisabeth, pour la complimenter sur son avènement à 180 la couronne ; elle le reçut avec joie. Ses droits étaient si mal établis qu'il lui était avantageux de se voir reconnue par le roi. Ce comte la trouva instruite des intérêts de la cour de France et du mérite de ceux qui la composaient, mais surtout il la trouva si remplie de la réputation du duc de Nemours, elle lui parla tant de fois de ce 185 prince, et avec tant d'empressement que, quand M. de Randan fut revenu, et qu'il rendit compte au roi de son voyage, il lui dit qu'il n'y avait rien que M. de Nemours ne pût prétendre auprès de cette princesse, et qu'il ne doutait point qu'elle ne fût capable de l'épouser. Le

---

1. **Entendre :** comprendre.
2. **Douairière :** veuve qui peut user des biens de son mari défunt.
3. **La mort de Marie, reine d'Angleterre :** la mort de Marie Tudor eut lieu le 17 novembre 1558.

roi en parla à ce prince dès le soir même ; il lui fit conter par M. de
190 Randan toutes ses conversations avec Élisabeth et lui conseilla de tenter cette grande fortune[1]. M. de Nemours crut d'abord que le roi ne lui parlait pas sérieusement, mais comme il vit le contraire :

« Au moins, Sire, lui dit-il, si je m'embarque dans une entreprise chimérique par le conseil et pour le service de Votre Majesté, je la
195 supplie de me garder le secret jusqu'à ce que le succès me justifie vers le public, et de vouloir bien ne me pas faire paraître rempli d'une assez grande vanité pour prétendre qu'une reine, qui ne m'a jamais vu, me veuille épouser par amour. »

Le roi lui promit de ne parler qu'au connétable de ce dessein, et
200 il jugea même le secret nécessaire pour le succès. M. de Randan conseillait à M. de Nemours d'aller en Angleterre sur le simple prétexte de voyager, mais ce prince ne put s'y résoudre. Il envoya Lignerolles qui était un jeune homme d'esprit, son favori, pour voir les sentiments de la reine, et pour tâcher de commencer quelque
205 liaison. En attendant l'événement[2] de ce voyage, il alla voir le duc de Savoie, qui était alors à Bruxelles avec le roi d'Espagne. La mort de Marie d'Angleterre apporta de grands obstacles à la paix ; l'assemblée se rompit à la fin de novembre, et le roi revint à Paris.

Il parut alors une beauté à la cour, qui attira les yeux de tout le
210 monde, et l'on doit croire que c'était une beauté parfaite, puisqu'elle donna de l'admiration dans un lieu où l'on était si accoutumé à voir de belles personnes. Elle était de la même maison que le vidame de Chartres et une des plus grandes héritières de France. Son père était mort jeune, et l'avait laissée sous la conduite de Mme de Chartres,
215 sa femme, dont le bien, la vertu et le mérite étaient extraordinaires. Après avoir perdu son mari, elle avait passé plusieurs années sans revenir à la cour. Pendant cette absence, elle avait donné ses soins à l'éducation de sa fille, mais elle ne travailla pas seulement à cultiver son esprit et sa beauté, elle songea aussi à lui donner de la vertu et
220 à la lui rendre aimable. La plupart des mères s'imaginent qu'il suffit de ne parler jamais de galanterie devant les jeunes personnes pour les en éloigner. Mme de Chartres avait une opinion opposée, elle faisait souvent à sa fille des peintures de l'amour, elle lui montrait

1. **Fortune :** réussite, en particulier d'ordre amoureux.
2. **Événement :** issue.

ce qu'il a d'agréable pour la persuader plus aisément sur ce qu'elle
225 lui en apprenait de dangereux, elle lui contait le peu de sincérité des hommes, leurs tromperies et leur infidélité, les malheurs domestiques où plongent les engagements[1], et elle lui faisait voir, d'un autre côté, quelle tranquillité suivait la vie d'une honnête femme, et combien la vertu donnait d'éclat et d'élévation à une personne
230 qui avait de la beauté et de la naissance ; mais elle lui faisait voir aussi combien il était difficile de conserver cette vertu, que par une extrême défiance de soi-même et par un grand soin de s'attacher à ce qui seul peut faire le bonheur d'une femme, qui est d'aimer son mari et d'en être aimée.

235 Cette héritière était alors un des grands partis qu'il y eût en France, et quoiqu'elle fût dans une extrême jeunesse, l'on avait déjà proposé plusieurs mariages. Mme de Chartres, qui était extrêmement glorieuse[2], ne trouvait presque rien digne de sa fille. La voyant dans sa seizième année, elle voulut la mener à la cour. Lorsqu'elle
240 arriva, le vidame alla au-devant d'elle ; il fut surpris de la grande beauté de Mlle de Chartres, et il en fut surpris avec raison. La blancheur de son teint et ses cheveux blonds lui donnaient un éclat que l'on n'a jamais vu qu'à elle ; tous ses traits étaient réguliers, et son visage et sa personne étaient pleins de grâce et de charmes.

245 Le lendemain qu'elle fut arrivée, elle alla pour assortir des pierreries chez un Italien qui en trafiquait[3] par tout le monde. Cet homme était venu de Florence avec la reine, et s'était tellement enrichi dans son trafic que sa maison paraissait plutôt celle d'un grand seigneur que d'un marchand. Comme elle y était, le prince de Clèves
250 y arriva. Il fut tellement surpris de sa beauté qu'il ne put cacher sa surprise, et Mlle de Chartres ne put s'empêcher de rougir en voyant l'étonnement qu'elle lui avait donné. Elle se remit néanmoins, sans témoigner d'autre attention aux actions de ce prince que celle que la civilité[4] lui devait donner pour un homme tel qu'il paraissait. M. de
255 Clèves la regardait avec admiration, et il ne pouvait comprendre qui était cette belle personne qu'il ne connaissait point. Il voyait bien par

1. **Engagements :** liaisons amoureuses.
2. **Glorieuse :** fière, orgueilleuse.
3. **Trafiquait :** faisait commerce.
4. **Civilité :** politesse.

« Premier coup de foudre chez le joaillier ».
Dessin de Jules Garnier.

son air, et par tout ce qui était à sa suite[1], qu'elle devait être d'une grande qualité[2]. Sa jeunesse lui faisait croire que c'était une fille, mais, ne lui voyant point de mère, et l'Italien qui ne la connaissait point l'appelant madame, il ne savait que penser, et il la regardait toujours avec étonnement. Il s'aperçut que ses regards l'embarrassaient, contre l'ordinaire[3] des jeunes personnes qui voient toujours avec plaisir l'effet de leur beauté ; il lui parut même qu'il était cause qu'elle avait de l'impatience de s'en aller, et en effet elle sortit assez promptement. M. de Clèves se consola de la perdre de vue dans l'espérance de savoir qui elle était, mais il fut bien surpris quand il sut qu'on ne la connaissait point. Il demeura si touché de sa beauté et de l'air modeste qu'il avait remarqué dans ses actions, qu'on peut dire qu'il conçut pour elle dès ce moment une passion et une estime extraordinaires. Il alla le soir chez Madame, sœur du roi.

Cette princesse était dans une grande considération par le crédit qu'elle avait sur le roi[4], son frère, et ce crédit était si grand que le roi, en faisant la paix, consentait à rendre le Piémont pour lui faire épouser le duc de Savoie. Quoiqu'elle eût désiré toute sa vie de se marier, elle n'avait jamais voulu épouser qu'un souverain, et elle avait refusé pour cette raison le roi de Navarre lorsqu'il était duc de Vendôme, et avait toujours souhaité M. de Savoie ; elle avait conservé de l'inclination[5] pour lui depuis qu'elle l'avait vu à Nice à l'entrevue du roi François Ier et du pape Paul troisième. Comme elle avait beaucoup d'esprit et un grand discernement pour les belles choses, elle attirait tous les honnêtes gens, et il y avait de certaines heures où toute la cour était chez elle.

M. de Clèves y vint comme à l'ordinaire ; il était si rempli de l'esprit et de la beauté de Mlle de Chartres qu'il ne pouvait parler d'autre chose. Il conta tout haut son aventure, et ne pouvait se lasser de donner des louanges à cette personne qu'il avait vue, qu'il ne connaissait point. Madame lui dit qu'il n'y avait point de personne

1. **Par tout ce qui était à sa suite :** par tous ceux qui l'accompagnaient, qui formaient un cortège à sa suite.
2. **Qualité :** naissance, rang social.
3. **Contre l'ordinaire :** contrairement à l'habitude.
4. **Crédit qu'elle avait sur le roi :** confiance qu'elle inspirait au roi.
5. **Inclination :** affection ou amitié.

comme celle qu'il dépeignait et que, s'il y en avait quelqu'une, elle serait connue de tout le monde. Mme de Dampierre, qui était
290 sa dame d'honneur et amie de Mme de Chartres, entendant cette conversation, s'approcha de cette princesse et lui dit tout bas que c'était sans doute Mlle de Chartres que M. de Clèves avait vue. Madame se retourna vers lui et lui dit que, s'il voulait revenir chez elle le lendemain, elle lui ferait voir cette beauté dont il était si tou-
295 ché. Mlle de Chartres parut en effet le jour suivant ; elle fut reçue des reines avec tous les agréments[1] qu'on peut s'imaginer, et avec une telle admiration de tout le monde, qu'elle n'entendait autour d'elle que des louanges. Elle les recevait avec une modestie si noble qu'il ne semblait pas qu'elle les entendît ou, du moins, qu'elle en
300 fût touchée. Elle alla ensuite chez Madame, sœur du roi. Cette princesse, après avoir loué sa beauté, lui conta l'étonnement qu'elle avait donné à M. de Clèves. Ce prince entra un moment après :

« Venez, lui dit-elle, voyez si je ne vous tiens pas ma parole et si, en vous montrant Mlle de Chartres, je ne vous fais pas voir cette
305 beauté que vous cherchiez ; remerciez-moi au moins de lui avoir appris l'admiration que vous aviez déjà pour elle. »

M. de Clèves sentit de la joie de voir que cette personne qu'il avait trouvée si aimable était d'une qualité proportionnée à sa beauté ; il s'approcha d'elle et il la supplia de se souvenir qu'il avait été le pre-
310 mier à l'admirer et que, sans la connaître, il avait eu pour elle tous les sentiments de respect et d'estime qui lui étaient dus.

Le chevalier de Guise et lui, qui étaient amis, sortirent ensemble de chez Madame. Ils louèrent d'abord Mlle de Chartres sans se contraindre. Ils trouvèrent enfin qu'ils la louaient trop, et ils ces-
315 sèrent l'un et l'autre de dire ce qu'ils en pensaient, mais ils furent contraints d'en parler les jours suivants partout où ils se rencontrèrent. Cette nouvelle beauté fut longtemps le sujet de toutes les conversations. La reine lui donna de grandes louanges et eut pour elle une considération extraordinaire ; la reine dauphine en fit une
320 de ses favorites et pria Mme de Chartres de la mener souvent chez elle. Mesdames, filles du roi, l'envoyaient chercher pour être de tous leurs divertissements. Enfin, elle était aimée et admirée de toute la cour, excepté de Mme de Valentinois. Ce n'est pas que cette beauté

1. **Agréments :** paroles ou actions visant à être agréable à quelqu'un.

lui donnât de l'ombrage ; une trop longue expérience lui avait appris
325 qu'elle n'avait rien à craindre auprès du roi, mais elle avait tant de haine pour le vidame de Chartres qu'elle avait souhaité d'attacher à elle par le mariage d'une de ses filles, et qui s'était attaché à la reine, qu'elle ne pouvait regarder favorablement une personne qui portait son nom et pour qui il faisait paraître une grande amitié.

330 Le prince de Clèves devint passionnément amoureux de Mlle de Chartres, et souhaitait ardemment de l'épouser, mais il craignait que l'orgueil de Mme de Chartres ne fût blessé de donner sa fille à un homme qui n'était pas l'aîné de sa maison. Cependant cette maison était si grande, et le comte d'Eu, qui en était l'aîné, venait
335 d'épouser une personne si proche de la maison royale que c'était plutôt la timidité que donne l'amour que de véritables raisons qui causaient les craintes de M. de Clèves. Il avait un grand nombre de rivaux : le chevalier de Guise lui paraissait le plus redoutable par sa naissance, par son mérite et par l'éclat que la faveur donnait à
340 sa maison. Ce prince était devenu amoureux de Mlle de Chartres le premier jour qu'il l'avait vue, il s'était aperçu de la passion de M. de Clèves, comme M. de Clèves s'était aperçu de la sienne. Quoiqu'ils fussent amis, l'éloignement que donnent les mêmes prétentions ne leur avait pas permis de s'expliquer ensemble,
345 et leur amitié s'était refroidie sans qu'ils eussent eu la force de s'éclaircir. L'aventure qui était arrivée à M. de Clèves, d'avoir vu le premier Mlle de Chartres, lui paraissait un heureux présage et semblait lui donner quelque avantage sur ses rivaux, mais il prévoyait de grands obstacles par le duc de Nevers, son père. Ce duc
350 avait d'étroites liaisons avec la duchesse de Valentinois, elle était ennemie du vidame, et cette raison était suffisante pour empêcher le duc de Nevers de consentir que son fils pensât à sa nièce.

Mme de Chartres, qui avait eu tant d'application pour inspirer la vertu à sa fille, ne discontinua pas de prendre les mêmes soins dans
355 un lieu où ils étaient si nécessaires et où il y avait tant d'exemples si dangereux. L'ambition et la galanterie étaient l'âme de cette cour, et occupaient également les hommes et les femmes. Il y avait tant d'intérêts et tant de cabales[1] différentes, et les dames y avaient tant de part que l'amour était toujours mêlé aux affaires, et les affaires

1. **Cabales :** une cabale est une manœuvre secrète.

360 à l'amour. Personne n'était tranquille, ni indifférent ; on songeait à s'élever, à plaire, à servir ou à nuire ; on ne connaissait ni l'ennui, ni l'oisiveté, et on était toujours occupé des plaisirs ou des intrigues. Les dames avaient des attachements particuliers[1] pour la reine, pour la reine dauphine, pour la reine de Navarre, pour Madame, sœur
365 du roi, ou pour la duchesse de Valentinois. Les inclinations, les raisons de bienséance ou le rapport d'humeur[2] faisaient ces différents attachements. Celles qui avaient passé la première jeunesse et qui faisaient profession[3] d'une vertu plus austère étaient attachées à la reine. Celles qui étaient plus jeunes et qui cherchaient la joie
370 et la galanterie faisaient leur cour à la reine dauphine. La reine de Navarre avait ses favorites ; elle était jeune et elle avait du pouvoir sur le roi son mari : il était joint au connétable, et avait par là beaucoup de crédit. Madame, sœur du roi, conservait encore de la beauté et attirait plusieurs dames auprès d'elle. La duchesse de Valentinois
375 avait toutes celles qu'elle daignait regarder, mais peu de femmes lui étaient agréables ; et excepté quelques-unes qui avaient sa familiarité[4] et sa confiance, et dont l'humeur avait du rapport avec la sienne, elle n'en recevait chez elle que les jours où elle prenait plaisir à avoir une cour comme celle de la reine.

380 Toutes ces différentes cabales avaient de l'émulation et de l'envie les unes contre les autres ; les dames qui les composaient avaient aussi de la jalousie entre elles, ou pour la faveur[5], ou pour les amants ; les intérêts de grandeur et d'élévation se trouvaient souvent joints à ces autres intérêts moins importants, mais qui n'étaient
385 pas moins sensibles. Ainsi il y avait une sorte d'agitation sans désordre dans cette cour, qui la rendait très agréable, mais aussi très dangereuse pour une jeune personne. Mme de Chartres voyait ce péril et ne songeait qu'aux moyens d'en garantir[6] sa fille. Elle la pria, non pas comme sa mère, mais comme son amie, de lui faire confi-

---

1. **Attachements particuliers :** liens d'affection ou d'intérêt.
2. **Rapport d'humeur :** proximité de caractère.
3. **Faisaient profession (de) :** revendiquaient, montraient ouvertement.
4. **Avaient sa familiarité :** étaient considérées par elle comme ses familiers.
5. **Pour la faveur :** pour être bien reçues à la cour, pour être dans les bonnes grâces du pouvoir.
6. **Garantir :** préserver.

390 dence de toutes les galanteries qu'on lui dirait, et elle lui promit de lui aider à se conduire dans des choses où l'on était souvent embarrassée quand on était jeune.

Le chevalier de Guise fit tellement paraître les sentiments et les desseins qu'il avait pour Mlle de Chartres qu'ils ne furent ignorés de 395 personne. Il ne voyait néanmoins que de l'impossibilité dans ce qu'il désirait, il savait bien qu'il n'était point un parti qui convînt à Mlle de Chartres, par le peu de biens qu'il avait pour soutenir son rang, et il savait bien aussi que ses frères n'approuveraient pas qu'il se mariât, par la crainte de l'abaissement[1] que les mariages des cadets apportent 400 d'ordinaire dans les grandes maisons. Le cardinal de Lorraine lui fit bientôt voir qu'il ne se trompait pas, il condamna l'attachement qu'il témoignait pour Mlle de Chartres avec une chaleur[2] extraordinaire, mais il ne lui en dit pas les véritables raisons. Ce cardinal avait une haine pour le vidame, qui était secrète alors, et qui éclata depuis. Il eût 405 plutôt consenti à voir son frère entrer dans toute autre alliance que dans celle de ce vidame, et il déclara si publiquement combien il en était éloigné que Mme de Chartres en fut sensiblement offensée. Elle prit de grands soins de faire voir que le cardinal de Lorraine n'avait rien à craindre, et qu'elle ne songeait pas à ce mariage. Le vidame prit 410 la même conduite et sentit[3], encore plus que Mme de Chartres, celle du cardinal de Lorraine, parce qu'il en savait mieux la cause.

Le prince de Clèves n'avait pas donné des marques moins publiques de sa passion qu'avait fait le chevalier de Guise. Le duc de Nevers apprit cet attachement avec chagrin ; il crut néanmoins qu'il n'avait 415 qu'à parler à son fils pour le faire changer de conduite, mais il fut bien surpris de trouver en lui le dessein formé d'épouser Mlle de Chartres. Il blâma ce dessein, il s'emporta, et cacha si peu son emportement que le sujet s'en répandit bientôt à la cour et alla jusqu'à Mme de Chartres. Elle n'avait pas mis en doute que M. de 420 Nevers ne regardât le mariage de sa fille comme un avantage pour

---

1. **Abaissement :** les fils cadets des grandes familles nobles avaient trop peu de bien pour prétendre à un beau parti et risquaient donc, en faisant un mariage médiocre, de diviser le patrimoine familial. C'est pourquoi ils restaient souvent célibataires ou devenaient religieux.
2. **Chaleur :** insistance passionnée.
3. **Sentit :** comprit.

son fils ; elle fut bien étonnée que la maison de Clèves et celle de Guise craignissent son alliance, au lieu de la souhaiter. Le dépit qu'elle eut lui fit penser à trouver un parti pour sa fille, qui la mît au-dessus de ceux qui se croyaient au-dessus d'elle. Après avoir tout examiné, elle s'arrêta au prince dauphin, fils du duc de Montpensier. Il était lors à marier, et c'était ce qu'il y avait de plus grand à la cour. Comme Mme de Chartres avait beaucoup d'esprit, qu'elle était aidée du vidame qui était dans une grande considération, et qu'en effet sa fille était un parti considérable, elle agit avec tant d'adresse et tant de succès, que M. de Montpensier parut souhaiter ce mariage, et il semblait qu'il ne s'y pouvait trouver de difficultés.

Le vidame, qui savait l'attachement de M. d'Anville pour la reine dauphine, crut néanmoins qu'il fallait employer le pouvoir que cette princesse avait sur lui, pour l'engager à servir Mlle de Chartres auprès du roi et auprès du prince de Montpensier, dont il était ami intime. Il en parla à cette reine, et elle entra avec joie dans une affaire où il s'agissait de l'élévation d'une personne qu'elle aimait beaucoup ; elle le témoigna au vidame, et l'assura que, quoiqu'elle sût bien qu'elle ferait une chose désagréable au cardinal de Lorraine, son oncle, elle passerait avec joie par-dessus cette considération parce qu'elle avait sujet de se plaindre de lui et qu'il prenait tous les jours les intérêts de la reine contre les siens propres.

Les personnes galantes sont toujours bien aises qu'un prétexte leur donne lieu de parler à ceux qui les aiment. Sitôt que le vidame eut quitté Mme la Dauphine, elle ordonna à Chastelart, qui était favori de M. d'Anville et qui savait la passion qu'il avait pour elle, de lui aller dire, de sa part, de se trouver le soir chez la reine. Chastelart reçut cette commission avec beaucoup de joie et de respect. Ce gentilhomme était d'une bonne maison de Dauphiné, mais son mérite et son esprit le mettaient au-dessus de sa naissance. Il était reçu et bien traité de tout ce qu'il y avait de grands seigneurs à la cour, et la faveur de la maison de Montmorency l'avait particulièrement attaché à M. d'Anville. Il était bien fait de sa personne, adroit à toutes sortes d'exercices ; il chantait agréablement, il faisait des vers, et avait un esprit galant et passionné qui plut si fort à M. d'Anville, qu'il le fit confident de l'amour qu'il avait pour la reine dauphine. Cette confidence l'approchait[1]

1. **L'approchait :** le rapprochait.

de cette princesse, et ce fut en la voyant souvent qu'il prit le commencement de cette malheureuse passion qui lui ôta la raison, et qui lui coûta enfin la vie.

460 M. d'Anville ne manqua pas d'être le soir chez la reine ; il se trouva heureux que Mme la Dauphine l'eût choisi pour travailler à une chose qu'elle désirait, et il lui promit d'obéir exactement à ses ordres, mais Mme de Valentinois, ayant été avertie du dessein de ce mariage, l'avait traversé[1] avec tant de soin, et avait tellement pré-465 venu le roi[2] que, lorsque M. d'Anville lui en parla, il lui fit paraître qu'il ne l'approuvait pas et lui ordonna même de le dire au prince de Montpensier. L'on peut juger ce que sentit Mme de Chartres par la rupture d'une chose qu'elle avait tant désirée, dont le mauvais succès[3] donnait un si grand avantage à ses ennemis et faisait un si 470 grand tort à sa fille.

La reine dauphine témoigna à Mlle de Chartres, avec beaucoup d'amitié, le déplaisir qu'elle avait de lui avoir été inutile :

« Vous voyez, lui dit-elle, que j'ai un médiocre pouvoir ; je suis si haïe de la reine et de la duchesse de Valentinois, qu'il est difficile 475 que, par elles ou par ceux qui sont dans leur dépendance, elles ne traversent toujours toutes les choses que je désire. Cependant, ajouta-t-elle, je n'ai jamais pensé qu'à leur plaire ; aussi elles ne me haïssent qu'à cause de la reine ma mère, qui leur a donné autrefois de l'inquiétude et de la jalousie. Le roi en avait été amoureux avant 480 qu'il le fût de Mme de Valentinois, et dans les premières années de son mariage, qu'il n'avait point encore d'enfants, quoiqu'il aimât cette duchesse, il parut quasi résolu de se démarier pour épouser la reine ma mère. Mme de Valentinois qui craignait une femme qu'il avait déjà aimée, et dont la beauté et l'esprit pouvaient dimi-485 nuer sa valeur, s'unit au connétable, qui ne souhaitait pas aussi que le roi épousât une sœur de MM. de Guise. Ils mirent le feu roi dans leurs sentiments, et quoiqu'il haït mortellement la duchesse de Valentinois, comme il aimait la reine, il travailla avec eux pour empêcher le roi de se démarier ; mais, pour lui ôter absolument la 490 pensée d'épouser la reine ma mère, ils firent son mariage avec le

---

1. **L'avait traversé :** lui avait fait obstacle.
2. **Avait [...] prévenu le roi :** avait disposé le roi dans un sens défavorable.
3. **Succès :** résultat, issue.

roi d'Écosse, qui était veuf de Mme Madeleine, sœur du roi, et ils le firent parce qu'il était le plus prêt à conclure, et manquèrent aux engagements qu'on avait avec le roi d'Angleterre, qui la souhaitait ardemment. Il s'en fallait peu même que ce manquement ne fît une
495 rupture entre les deux rois. Henri VIII ne pouvait se consoler de n'avoir pas épousé la reine ma mère, et, quelque autre princesse française qu'on lui proposât, il disait toujours qu'elle ne remplacerait jamais celle qu'on lui avait ôtée. Il est vrai aussi que la reine, ma mère, était une parfaite beauté, et que c'est une chose remarquable
500 que, veuve d'un duc de Longueville, trois rois aient souhaité de l'épouser ; son malheur l'a donnée au moindre et l'a mise dans un royaume où elle ne trouve que des peines. On dit que je lui ressemble ; je crains de lui ressembler aussi par sa malheureuse destinée, et, quelque bonheur qui semble se préparer pour moi, je ne
505 saurais croire que j'en jouisse. »

Mlle de Chartres dit à la reine que ces tristes pressentiments étaient si mal fondés qu'elle ne les conserverait pas longtemps, et qu'elle ne devait point douter que son bonheur ne répondît aux apparences.

Personne n'osait plus penser à Mlle de Chartres par la crainte de
510 déplaire au roi ou par la pensée de ne pas réussir auprès d'une personne qui avait espéré un prince du sang. M. de Clèves ne fut retenu par aucune de ces considérations. La mort du duc de Nevers, son père, qui arriva alors, le mit dans une entière liberté de suivre son inclination, et, sitôt que le temps de la bienséance du deuil fut passé,
515 il ne songea plus qu'aux moyens d'épouser Mlle de Chartres. Il se trouvait heureux d'en faire la proposition dans un temps où ce qui s'était passé avait éloigné les autres partis, et où il était quasi assuré qu'on ne la lui refuserait pas. Ce qui troublait sa joie était la crainte de ne lui être pas agréable, et il eût préféré le bonheur de lui plaire à
520 la certitude de l'épouser sans en être aimé.

Le chevalier de Guise lui avait donné quelque sorte de jalousie, mais comme elle était plutôt fondée sur le mérite de ce prince que sur aucune des actions de Mlle de Chartres, il songea seulement à tâcher de découvrir s'il était assez heureux pour qu'elle approuvât la
525 pensée qu'il avait pour elle. Il ne la voyait que chez les reines ou aux assemblées. Il était difficile d'avoir une conversation particulière[1] ;

1. **Conversation particulière :** conversation privée.

il en trouva pourtant les moyens et il lui parla de son dessein et de sa passion avec tout le respect imaginable ; il la pressa de lui faire connaître quels étaient les sentiments qu'elle avait pour lui, et il lui 530 dit que ceux qu'il avait pour elle étaient d'une nature qui le rendrait éternellement malheureux si elle n'obéissait que par devoir aux volontés de madame sa mère.

Comme Mlle de Chartres avait le cœur très noble et très bien fait, elle fut véritablement touchée de reconnaissance du procédé du 535 prince de Clèves. Cette reconnaissance donna à ses réponses et à ses paroles un certain air de douceur qui suffisait pour donner de l'espérance à un homme aussi éperdument amoureux que l'était ce prince, de sorte qu'il se flatta[1] d'une partie de ce qu'il souhaitait.

Elle rendit compte à sa mère de cette conversation, et Mme de 540 Chartres lui dit qu'il y avait tant de grandeur et de bonnes qualités dans M. de Clèves et qu'il faisait paraître tant de sagesse pour son âge, que, si elle sentait son inclination portée à l'épouser, elle y consentirait avec joie. Mlle de Chartres répondit qu'elle lui remarquait les mêmes bonnes qualités, qu'elle l'épouserait, même avec 545 moins de répugnance[2] qu'un autre, mais qu'elle n'avait aucune inclination particulière pour sa personne.

Dès le lendemain, ce prince fit parler à Mme de Chartres ; elle reçut la proposition qu'on lui faisait et elle ne craignit point de donner à sa fille un mari qu'elle ne pût aimer en lui donnant le prince 550 de Clèves. Les articles[3] furent conclus, on parla au roi, et ce mariage fut su de tout le monde.

M. de Clèves se trouvait heureux sans être néanmoins entièrement content[4]. Il voyait avec beaucoup de peine que les sentiments de Mlle de Chartres ne passaient pas[5] ceux de l'estime et de la 555 reconnaissance, et il ne pouvait se flatter qu'elle en cachât de plus obligeants[6], puisque l'état où ils étaient lui permettait de les faire

---

1. **Il se flatta :** il crut avoir obtenu.
2. **Répugnance :** réticence.
3. **Articles :** clauses du contrat de mariage.
4. **Heureux sans être néanmoins entièrement content :** satisfait sans être pleinement comblé.
5. **Ne passaient pas :** ne dépassaient pas.
6. **Obligeants :** agréables.

paraître sans choquer son extrême modestie[1]. Il ne se passait guère de jour qu'il ne lui en fît ses plaintes :

« Est-il possible, lui disait-il, que je puisse n'être pas heureux en 560 vous épousant ? Cependant il est vrai que je ne le suis pas. Vous n'avez pour moi qu'une sorte de bonté qui ne me peut satisfaire, vous n'avez ni impatience, ni inquiétude, ni chagrin[2], vous n'êtes pas plus touchée de ma passion que vous le seriez d'un attachement qui ne serait fondé que sur les avantages de votre fortune, et non pas 565 sur les charmes de votre personne.

– Il y a de l'injustice à vous plaindre, lui répondit-elle, je ne sais ce que vous pouvez souhaiter au-delà de ce que je fais, et il me semble que la bienséance ne permet pas que j'en fasse davantage.

– Il est vrai, lui répliqua-t-il, que vous me donnez de certaines appa- 570 rences[3] dont je serais content s'il y avait quelque chose au-delà, mais, au lieu que la bienséance vous retienne, c'est elle seule qui vous fait faire ce que vous faites. Je ne touche ni votre inclination ni votre cœur, et ma présence ne vous donne ni de plaisir ni de trouble.

575 – Vous ne sauriez douter, reprit-elle, que je n'aie de la joie de vous voir, et je rougis si souvent en vous voyant que vous ne sauriez douter aussi que votre vue ne me donne du trouble.

– Je ne me trompe pas à votre rougeur, répondit-il, c'est un sentiment de modestie, et non pas un mouvement de votre cœur, et je 580 n'en tire que l'avantage que j'en dois tirer. »

Mlle de Chartres ne savait que répondre, et ces distinctions étaient au-dessus de ses connaissances. M. de Clèves ne voyait que trop combien elle était éloignée d'avoir pour lui des sentiments qui le pouvaient satisfaire, puisqu'il lui paraissait même qu'elle ne les 585 entendait pas.

Le chevalier de Guise revint d'un voyage peu de jours avant les noces. Il avait vu tant d'obstacles insurmontables au dessein qu'il avait eu d'épouser Mlle de Chartres, qu'il n'avait pu se flatter d'y réussir, et néanmoins il fut sensiblement affligé de la voir devenir 590 la femme d'un autre. Cette douleur n'éteignit pas sa passion et il ne

1. **Modestie :** pudeur, comportement bienséant.
2. **Chagrin :** contrariété.
3. **Vous me donnez de certaines apparences :** vous avez envers moi certaines attitudes.

demeura pas moins amoureux. Mlle de Chartres n'avait pas ignoré les sentiments que ce prince avait eus pour elle. Il lui fit connaître à son retour qu'elle était cause de l'extrême tristesse qui paraissait sur son visage, et il avait tant de mérite et tant d'agréments qu'il était 595 difficile de le rendre malheureux sans en avoir quelque pitié. Aussi ne se pouvait-elle défendre d'en avoir[1], mais cette pitié ne la conduisait pas à d'autres sentiments ; elle contait à sa mère la peine que lui donnait l'affection de ce prince.

Mme de Chartres admirait la sincérité de sa fille, et elle l'admi- 600 rait avec raison, car jamais personne n'en a eu une si grande et si naturelle, mais elle n'admirait pas moins que son cœur ne fût point touché, et d'autant plus qu'elle voyait bien que le prince de Clèves ne l'avait touchée, non plus que les autres. Cela fut cause qu'elle prit de grands soins de l'attacher à son mari et de lui faire comprendre 605 ce qu'elle devait à l'inclination qu'il avait eue pour elle avant que de la connaître et à la passion qu'il lui avait témoignée en la préférant à tous les autres partis, dans un temps où personne n'osait plus penser à elle.

Ce mariage s'acheva, la cérémonie s'en fit au Louvre, et le soir, le 610 roi et les reines vinrent souper chez Mme de Chartres avec toute la cour, où ils furent reçus avec une magnificence admirable. Le chevalier de Guise n'osa se distinguer des autres et ne pas assister à cette cérémonie, mais il y fut si peu maître de sa tristesse qu'il était aisé de la remarquer.

615 M. de Clèves ne trouva pas que Mlle de Chartres eût changé de sentiment en changeant de nom. La qualité de mari lui donna de plus grands privilèges, mais elle ne lui donna pas une autre place dans le cœur de sa femme. Cela fit aussi que, pour être son mari, il ne laissa pas d'être son amant[2], parce qu'il avait toujours quelque 620 chose à souhaiter au-delà de sa possession, et, quoiqu'elle vécût parfaitement bien avec lui, il n'était pas entièrement heureux. Il conservait pour elle une passion violente et inquiète qui troublait sa joie ; la jalousie n'avait point de part à ce trouble : jamais mari n'a été si loin d'en prendre et jamais femme n'a été si loin d'en donner.

1. **Se défendre d'en avoir :** s'empêcher d'en avoir.
2. **Il ne laissa pas d'être son amant :** il ne cessa pas de l'aimer ; au XVIIe siècle, l'amant est celui qui aime (sans connotation sexuelle).

625 Elle était néanmoins exposée au milieu de la cour ; elle allait tous les jours chez les reines et chez Madame. Tout ce qu'il y avait d'hommes jeunes et galants la voyaient chez elle et chez le duc de Nevers, son beau-frère, dont la maison était ouverte à tout le monde, mais elle avait un air qui inspirait un si grand respect, et qui 630 paraissait si éloigné de la galanterie, que le maréchal de Saint-André, quoique audacieux et soutenu de la faveur du roi, était touché de sa beauté, sans oser le lui faire paraître que par des soins et des devoirs. Plusieurs autres étaient dans le même état, et Mme de Chartres joignait à la sagesse de sa fille une conduite si exacte[1] pour toutes les 635 bienséances, qu'elle achevait de la faire paraître une personne où l'on ne pouvait atteindre[2].

La duchesse de Lorraine, en travaillant à la paix, avait aussi travaillé pour le mariage du duc de Lorraine, son fils. Il avait été conclu avec Mme Claude de France, seconde fille du roi. Les noces en 640 furent résolues pour le mois de février.

Cependant le duc de Nemours était demeuré à Bruxelles, entièrement rempli et occupé de ses desseins pour l'Angleterre. Il en recevait ou y envoyait continuellement des courriers ; ses espérances augmentaient tous les jours, et enfin Lignerolles lui manda[3] 645 qu'il était temps que sa présence vînt achever ce qui était si bien commencé. Il reçut cette nouvelle avec toute la joie que peut avoir un jeune homme ambitieux qui se voit porté au trône par sa seule réputation. Son esprit s'était insensiblement accoutumé à la grandeur de cette fortune et, au lieu qu'il l'avait rejetée d'abord comme 650 une chose où il ne pouvait parvenir[4], les difficultés s'étaient effacées de son imagination et il ne voyait plus d'obstacles.

Il envoya en diligence[5] à Paris donner tous les ordres nécessaires pour faire un équipage magnifique, afin de paraître en Angleterre avec un éclat proportionné au dessein qui l'y conduisait, et il se 655 hâta lui-même de venir à la cour pour assister au mariage de M. de Lorraine.

1. **Exacte :** rigoureuse.
2. **Où l'on ne pouvait atteindre :** que l'on ne pouvait espérer toucher.
3. **Manda :** fit savoir par lettre.
4. **Une chose où il ne pouvait parvenir :** une chose qu'il ne pouvait atteindre.
5. **En diligence :** rapidement, à la hâte.

Il arriva la veille des fiançailles, et, dès le même soir qu'il fut arrivé, il alla rendre compte au roi de l'état de son dessein et recevoir ses ordres et ses conseils pour ce qu'il lui restait à faire. Il alla 660 ensuite chez les reines. Mme de Clèves n'y était pas, de sorte qu'elle ne le vit point, et ne sut pas même qu'il fût arrivé. Elle avait ouï parler de ce prince à tout le monde comme de ce qu'il y avait de mieux fait et de plus agréable à la cour, et surtout Mme la Dauphine le lui avait dépeint d'une sorte et lui en avait parlé tant de fois qu'elle lui 665 avait donné de la curiosité, et même de l'impatience de le voir.

Elle passa tout le jour des fiançailles chez elle à se parer, pour se trouver le soir au bal et au festin royal qui se faisaient au Louvre. Lorsqu'elle arriva, l'on admira sa beauté et sa parure ; le bal commença et, comme elle dansait avec M. de Guise, il se fit un assez 670 grand bruit vers la porte de la salle, comme de quelqu'un qui entrait et à qui on faisait place. Mme de Clèves acheva de danser et, pendant qu'elle cherchait des yeux quelqu'un qu'elle avait dessein de prendre[1], le roi lui cria de prendre celui qui arrivait. Elle se tourna et vit un homme qu'elle crut d'abord[2] ne pouvoir être que M. de 675 Nemours, qui passait par-dessus quelques sièges pour arriver où l'on dansait. Ce prince était fait d'une sorte qu'il était difficile de n'être pas surprise de le voir quand on ne l'avait jamais vu, surtout ce soir-là, où le soin qu'il avait pris de se parer augmentait encore l'air brillant qui était dans sa personne, mais il était difficile aussi de voir Mme de 680 Clèves pour la première fois sans avoir un grand étonnement.

M. de Nemours fut tellement surpris de sa beauté que, lorsqu'il fut proche d'elle et qu'elle lui fit la révérence, il ne put s'empêcher de donner des marques de son admiration. Quand ils commencèrent à danser, il s'éleva dans la salle un murmure de louanges. Le roi et 685 les reines se souvinrent qu'ils ne s'étaient jamais vus, et trouvèrent quelque chose de singulier de les voir danser ensemble sans se connaître. Ils les appelèrent quand ils eurent fini sans leur donner le loisir de parler à personne et leur demandèrent s'ils n'avaient pas bien envie de savoir qui ils étaient, et s'ils ne s'en doutaient point.

690 « Pour moi, madame, dit M. de Nemours, je n'ai pas d'incertitude, mais comme Mme de Clèves n'a pas les mêmes raisons pour deviner

1. **Prendre :** choisir comme cavalier.
2. **D'abord :** à première vue.

qui je suis que celles que j'ai pour la reconnaître, je voudrais bien que Votre Majesté eût la bonté de lui apprendre mon nom.
– Je crois, dit Mme la Dauphine, qu'elle le sait aussi bien que vous
695 savez le sien.
– Je vous assure, madame, reprit Mme de Clèves, qui paraissait un peu embarrassée, que je ne devine pas si bien que vous pensez.
– Vous devinez fort bien, répondit Mme la Dauphine, et il y a même quelque chose d'obligeant pour M. de Nemours à ne vouloir pas
700 avouer que vous le connaissez sans l'avoir jamais vu. »

La reine les interrompit pour faire continuer le bal, M. de Nemours prit la reine dauphine. Cette princesse était d'une parfaite beauté et avait paru telle aux yeux de M. de Nemours avant qu'il allât en Flandre, mais, de tout le soir, il ne put admirer que Mme de Clèves.
705 Le chevalier de Guise, qui l'adorait toujours, était à ses pieds, et ce qui se venait de passer lui avait donné une douleur sensible[1]. Il prit comme un présage que la fortune[2] destinait M. de Nemours à être amoureux de Mme de Clèves, et, soit qu'en effet il eût paru quelque trouble sur son visage, ou que la jalousie fît voir au chevalier de
710 Guise au-delà de la vérité, il crut qu'elle avait été touchée de la vue de ce prince, et il ne put s'empêcher de lui dire que M. de Nemours était bien heureux de commencer à être connu d'elle par une aventure qui avait quelque chose de galant et d'extraordinaire.

Mme de Clèves revint chez elle l'esprit si rempli de tout ce qui
715 s'était passé au bal, que, quoiqu'il fût fort tard, elle alla dans la chambre de sa mère pour lui en rendre compte ; et elle lui loua M. de Nemours avec un certain air, qui donna à Mme de Chartres la même pensée qu'avait eue le chevalier de Guise.

Le lendemain, la cérémonie des noces se fit. Mme de Clèves y vit
720 le duc de Nemours avec une mine et une grâce si admirables qu'elle en fut encore plus surprise.

Les jours suivants, elle le vit chez la reine dauphine, elle le vit jouer à la paume avec le roi, elle le vit courre la bague[3], elle l'entendit parler, mais elle le vit toujours surpasser de si loin tous les autres

1. **Sensible :** profonde, vive.
2. **La fortune :** le destin, le sort.
3. **Courre la bague :** courir la bague ; la bague est un jeu d'adresse consistant à enlever à l'aide d'une lance et à cheval des anneaux fixés à un poteau.

725 et se rendre tellement maître de la conversation dans tous les lieux où il était, par l'air de sa personne et par l'agrément de son esprit, qu'il fit en peu de temps une grande impression dans son cœur.

Il est vrai aussi que, comme M. de Nemours sentait pour elle une inclination violente, qui lui donnait cette douceur et cet enjouement 730 qu'inspirent les premiers désirs de plaire, il était encore plus aimable qu'il n'avait accoutumé de l'être, de sorte que, se voyant souvent, et se voyant l'un et l'autre ce qu'il y avait de plus parfait à la cour, il était difficile qu'ils ne se plussent infiniment.

La duchesse de Valentinois était de toutes les parties de plaisir, et 735 le roi avait pour elle la même vivacité et les mêmes soins que dans les commencements de sa passion. Mme de Clèves, qui était dans cet âge où l'on ne croit pas qu'une femme puisse être aimée quand elle a passé vingt-cinq ans, regardait avec un extrême étonnement l'attachement que le roi avait pour cette duchesse, qui était grand-740 mère, et qui venait de marier sa petite-fille. Elle en parlait souvent à Mme de Chartres :

« Est-il possible, madame, lui disait-elle, qu'il y ait si longtemps que le roi en soit amoureux ? Comment s'est-il pu attacher à une personne qui était beaucoup plus âgée que lui, qui avait été maî-745 tresse de son père, et qui l'est encore de beaucoup d'autres, à ce que j'ai ouï dire ?

– Il est vrai, répondit-elle, que ce n'est ni le mérite, ni la fidélité de Mme de Valentinois qui a fait naître la passion du roi, ni qui l'a conservée, et c'est aussi en quoi il n'est pas excusable ; car si cette 750 femme avait eu de la jeunesse et de la beauté jointes à sa naissance, qu'elle eût eu le mérite de n'avoir jamais rien[1] aimé, qu'elle eût aimé le roi avec une fidélité exacte, qu'elle l'eût aimé par rapport à sa seule personne sans intérêt de grandeur, ni de fortune, et sans se servir de son pouvoir que pour des choses honnêtes ou agréables au 755 roi même, il faut avouer qu'on aurait eu de la peine à s'empêcher de louer ce prince du grand attachement qu'il a pour elle. Si je ne craignais, continua Mme de Chartres, que vous dissiez de moi ce que l'on dit de toutes les femmes de mon âge, qu'elles aiment à conter les histoires de leur temps, je vous apprendrais le commencement 760 de la passion du roi pour cette duchesse, et plusieurs choses de la

1. **Rien** : personne.

cour du feu roi qui ont même beaucoup de rapport avec celles qui se passent encore présentement.

– Bien loin de vous accuser, reprit Mme de Clèves, de redire les histoires passées, je me plains, madame, que vous ne m'ayez pas 765 instruite des présentes et que vous ne m'avez point appris les divers intérêts et les diverses liaisons de la cour. Je les ignore si entièrement que je croyais, il y a peu de jours, que M. le connétable était fort bien avec la reine.

– Vous aviez une opinion bien opposée à la vérité, répondit Mme de 770 Chartres. La reine hait M. le connétable, et si elle a jamais quelque pouvoir, il ne s'en apercevra que trop. Elle sait qu'il a dit plusieurs fois au roi que, de tous ses enfants, il n'y avait que les naturels qui lui ressemblassent.

– Je n'eusse jamais soupçonné cette haine, interrompit Mme de 775 Clèves, après avoir vu le soin que la reine avait d'écrire à M. le connétable pendant sa prison, la joie qu'elle a témoignée à son retour, et comme elle l'appelle toujours *mon compère*[1], aussi bien que le roi.

– Si vous jugez sur les apparences en ce lieu-ci, répondit Mme de 780 Chartres, vous serez souvent trompée ; ce qui paraît n'est presque jamais la vérité.

Mais, pour revenir à Mme de Valentinois, vous savez qu'elle s'appelle Diane de Poitiers ; sa maison est très illustre, elle vient des anciens ducs d'Aquitaine, son aïeule était fille naturelle de Louis XI 785 et enfin il n'y a rien que de grand dans sa naissance. Saint-Vallier, son père, se trouva embarrassé[2] dans l'affaire du connétable de Bourbon, dont vous avez ouï parler. Il fut condamné à avoir la tête tranchée et conduit sur l'échafaud. Sa fille, dont la beauté était admirable, et qui avait déjà plu au feu roi, fit si bien, je ne sais par 790 quels moyens, qu'elle obtint la vie de son père. On lui porta sa grâce comme il n'attendait que le coup de la mort, mais la peur l'avait tellement saisi qu'il n'avait plus de connaissance, et il mourut peu de jours après. Sa fille parut à la cour comme la maîtresse[3] du roi. Le voyage d'Italie et la prison de ce prince interrompirent cette passion.

1. ***Compère :*** parrain.
2. **Embarrassé :** impliqué.
3. **Maîtresse :** la maîtresse est la personne aimée mais aussi la compagne illégitime.

795 Lorsqu'il revint d'Espagne et que madame la régente alla au-devant de lui à Bayonne, elle mena toutes ses filles, parmi lesquelles était Mlle de Pisseleu, qui a été depuis la duchesse d'Étampes. Le roi en devint amoureux. Elle était inférieure en naissance, en esprit et en beauté à Mme de Valentinois, et elle n'avait au-dessus d'elle que
800 l'avantage de la grande jeunesse. Je lui ai ouï dire plusieurs fois qu'elle était née le jour que Diane de Poitiers avait été mariée ; la haine le lui faisait dire, et non pas la vérité, car je suis bien trompée si la duchesse de Valentinois n'épousa M. de Brézé, grand sénéchal de Normandie, dans le même temps que le roi devint amoureux de
805 Mme d'Étampes. Jamais il n'y a eu une si grande haine que l'a été celle de ces deux femmes. La duchesse de Valentinois ne pouvait pardonner à Mme d'Étampes de lui avoir ôté le titre de maîtresse du roi. Mme d'Étampes avait une jalousie violente contre Mme de Valentinois, parce que le roi conservait un commerce[1] avec elle. Ce
810 prince n'avait pas une fidélité exacte pour ses maîtresses ; il y en avait toujours une qui avait le titre et les honneurs, mais les dames que l'on appelait de la petite bande le partageaient tour à tour. La perte du Dauphin, son fils, qui mourut à Tournon, et que l'on crut empoisonné, lui donna une sensible affliction. Il n'avait pas la même
815 tendresse, ni le même goût, pour son second fils, qui règne présentement ; il ne lui trouvait pas assez de hardiesse, ni assez de vivacité. Il s'en plaignit un jour à Mme de Valentinois, et elle lui dit qu'elle voulait le faire devenir amoureux d'elle pour le rendre plus vif et plus agréable. Elle y réussit comme vous le voyez, il y a plus de vingt ans
820 que cette passion dure sans qu'elle ait été altérée ni par le temps, ni par les obstacles.

Le feu roi s'y opposa d'abord, et soit qu'il eût encore assez d'amour pour Mme de Valentinois pour avoir de la jalousie, ou qu'il fût poussé par la duchesse d'Étampes, qui était au désespoir que M. le
825 Dauphin fût attaché à son ennemie, il est certain qu'il vit cette passion avec une colère et un chagrin dont il donnait tous les jours des marques. Son fils ne craignit ni sa colère, ni sa haine, et rien ne put l'obliger à diminuer son attachement, ni à le cacher ; il fallut que le roi s'accoutumât à le souffrir. Aussi cette opposition à ses volon-
830 tés l'éloigna encore de lui et l'attacha davantage au duc d'Orléans,

1. **Commerce** : relation qui n'est pas forcément amoureuse.

son troisième fils. C'était un prince bien fait, beau, plein de feu et d'ambition, d'une jeunesse fougueuse, qui avait besoin d'être modéré, mais qui eût fait aussi un prince d'une grande élévation, si l'âge eût mûri son esprit.

835 Le rang d'aîné qu'avait le Dauphin, et la faveur du roi qu'avait le duc d'Orléans, faisaient entre eux une sorte d'émulation qui allait jusqu'à la haine. Cette émulation avait commencé dès leur enfance et s'était toujours conservée. Lorsque l'empereur passa en France, il donna une préférence entière au duc d'Orléans sur M. le Dauphin, 840 qui la ressentit si vivement que, comme cet empereur était à Chantilly, il voulut obliger M. le connétable à l'arrêter sans attendre le commandement du roi. M. le connétable ne le voulut pas, le roi le blâma dans la suite de n'avoir pas suivi le conseil de son fils, et, lorsqu'il l'éloigna de la cour, cette raison y eut beaucoup de part.

845 La division des deux frères donna la pensée à la duchesse d'Étampes de s'appuyer de M. le duc d'Orléans pour la soutenir auprès du roi contre Mme de Valentinois. Elle y réussit ; ce prince, sans être amoureux d'elle, n'entra guère moins dans ses intérêts que le Dauphin était dans ceux de Mme de Valentinois. Cela fit deux cabales dans la 850 cour, telles que vous pouvez vous les imaginer, mais ces intrigues ne se bornèrent pas seulement à des démêlés de femmes.

L'empereur, qui avait conservé de l'amitié pour le duc d'Orléans, avait offert plusieurs fois de lui remettre le duché de Milan. Dans les propositions qui se firent depuis pour la paix, il faisait espérer de 855 lui donner les dix-sept provinces et de lui faire épouser sa fille. M. le Dauphin ne souhaitait ni la paix, ni ce mariage. Il se servit de M. le connétable, qu'il a toujours aimé, pour faire voir au roi de quelle importance il était de ne pas donner à son successeur un frère aussi puissant que le serait un duc d'Orléans avec l'alliance de l'empereur 860 et les dix-sept provinces. M. le connétable entra d'autant mieux dans les sentiments de M. le Dauphin qu'il s'opposait par là à ceux de Mme d'Étampes, qui était son ennemie déclarée, et qui souhaitait ardemment l'élévation de M. le duc d'Orléans.

M. le Dauphin commandait alors l'armée du roi en Champagne 865 et avait réduit celle de l'empereur en une telle extrémité qu'elle eût péri entièrement si la duchesse d'Étampes, craignant que de trop grands avantages ne nous fissent refuser la paix et l'alliance de l'empereur pour M. le duc d'Orléans, n'eût fait secrètement avertir

les ennemis de surprendre Épernay et Château-Thierry, qui étaient
870 pleins de vivres. Ils le firent et sauvèrent par ce moyen toute leur armée.

Cette duchesse ne jouit pas longtemps du succès de sa trahison. Peu après, M. le duc d'Orléans mourut à Farmoutier d'une espèce de maladie contagieuse. Il aimait une des plus belles femmes de la cour
875 et en était aimé. Je ne vous la nommerai pas, parce qu'elle a vécu depuis avec tant de sagesse et qu'elle a même caché avec tant de soin la passion qu'elle avait pour ce prince, qu'elle a mérité que l'on conserve sa réputation. Le hasard fit qu'elle reçut la nouvelle de la mort de son mari le même jour qu'elle apprit celle de M. d'Orléans,
880 de sorte qu'elle eut ce prétexte pour cacher sa véritable affliction, sans avoir la peine de se contraindre.

Le roi ne survécut guère au prince son fils ; il mourut deux ans après. Il recommanda à M. le Dauphin de se servir du cardinal de Tournon et de l'amiral d'Annebauld, et ne parla point de M. le
885 connétable, qui était pour lors relégué à Chantilly. Ce fut néanmoins la première chose que fit le roi, son fils, de le rappeler et de lui donner le gouvernement des affaires.

Mme d'Étampes fut chassée et reçut tous les mauvais traitements qu'elle pouvait attendre d'une ennemie toute-puissante ; la duchesse
890 de Valentinois se vengea alors pleinement, et de cette duchesse, et de tous ceux qui lui avaient déplu. Son pouvoir parut plus absolu sur l'esprit du roi, qu'il ne paraissait encore pendant qu'il était dauphin. Depuis douze ans que ce prince règne, elle est maîtresse absolue de toutes choses ; elle dispose des charges et des affaires ;
895 elle a fait chasser le cardinal de Tournon, le chancelier Olivier, et Villeroy. Ceux qui ont voulu éclairer le roi sur sa conduite ont péri dans cette entreprise. Le comte de Taix, grand maître de l'artillerie, qui ne l'aimait pas, ne put s'empêcher de parler de ses galanteries et surtout de celle du comte de Brissac, dont le roi avait déjà eu beau-
900 coup de jalousie ; néanmoins elle fit si bien que le comte de Taix fut disgracié, on lui ôta sa charge, et, ce qui est presque incroyable, elle la fit donner au comte de Brissac et l'a fait ensuite maréchal de France. La jalousie du roi augmenta néanmoins d'une telle sorte qu'il ne put souffrir que ce maréchal demeurât à la cour, mais la
905 jalousie, qui est aigre et violente en tous les autres, est douce et modérée en lui par l'extrême respect qu'il a pour sa maîtresse, en

sorte qu'il n'osa éloigner son rival que sur le prétexte de lui donner le gouvernement de Piémont. Il y a passé plusieurs années ; il revint, l'hiver dernier, sur le prétexte de demander des troupes et d'autres
910 choses nécessaires pour l'armée qu'il commande. Le désir de revoir Mme de Valentinois, et la crainte d'en être oublié avaient peut-être beaucoup de part à ce voyage. Le roi le reçut avec une grande froideur. MM. de Guise qui ne l'aiment pas, mais qui n'osent le témoigner à cause de Mme de Valentinois, se servirent de M. le vidame,
915 qui est son ennemi déclaré, pour empêcher qu'il n'obtînt aucune des choses qu'il était venu demander. Il n'était pas difficile de lui nuire ; le roi le haïssait, et sa présence lui donnait de l'inquiétude, de sorte qu'il fut contraint de s'en retourner sans remporter aucun fruit de son voyage, que d'avoir peut-être rallumé dans le cœur de Mme de
920 Valentinois des sentiments que l'absence commençait d'éteindre. Le roi a bien eu d'autres sujets de jalousie, mais ou il ne les a pas connus, ou il n'a osé s'en plaindre.

Je ne sais, ma fille, ajouta Mme de Chartres, si vous ne trouverez point que je vous ai plus appris de choses que vous n'aviez envie
925 d'en savoir.

– Je suis très éloignée, madame, de faire cette plainte, répondit Mme de Clèves, et, sans la peur de vous importuner, je vous demanderais encore plusieurs circonstances que j'ignore. »

La passion de M. de Nemours pour Mme de Clèves fut d'abord si
930 violente qu'elle lui ôta le goût et même le souvenir de toutes les personnes qu'il avait aimées et avec qui il avait conservé des commerces pendant son absence. Il ne prit pas seulement le soin de chercher des prétextes pour rompre avec elles, il ne put se donner la patience d'écouter leurs plaintes et de répondre à leurs reproches. Mme la
935 Dauphine, pour qui il avait eu des sentiments assez passionnés, ne put tenir dans son cœur contre Mme de Clèves. Son impatience pour le voyage d'Angleterre commença même à se ralentir, et il ne pressa plus avec tant d'ardeur les choses qui étaient nécessaires pour son départ. Il allait souvent chez la reine dauphine, parce que Mme de
940 Clèves y allait souvent, et il n'était pas fâché de laisser imaginer ce que l'on avait cru de ses sentiments pour cette reine. Mme de Clèves lui paraissait d'un si grand prix qu'il se résolut de manquer[1] plutôt

1. **Manquer** : renoncer.

à lui donner des marques de sa passion que de hasarder de la faire connaître au public. Il n'en parla pas même au vidame de Chartres, 945 qui était son ami intime, et pour qui il n'avait rien de caché. Il prit une conduite si sage et s'observa[1] avec tant de soin que personne ne le soupçonna d'être amoureux de Mme de Clèves, que le chevalier de Guise, et elle aurait eu peine à s'en apercevoir elle-même, si l'inclination qu'elle avait pour lui ne lui eût donné une attention 950 particulière pour ses actions, qui ne lui permît pas d'en douter.

Elle ne se trouva pas la même disposition à dire à sa mère ce qu'elle pensait des sentiments de ce prince qu'elle avait eue à lui parler de ses autres amants ; sans avoir un dessein formé de lui cacher, elle ne lui en parla point. Mais Mme de Chartres ne le voyait 955 que trop, aussi bien que le penchant que sa fille avait pour lui. Cette connaissance lui donna une douleur sensible ; elle jugeait bien le péril où était cette jeune personne, d'être aimée d'un homme fait comme M. de Nemours pour qui elle avait de l'inclination. Elle fut entièrement confirmée dans les soupçons qu'elle avait de cette incli- 960 nation par une chose qui arriva peu de jours après.

Le maréchal de Saint-André, qui cherchait toutes les occasions de faire voir sa magnificence, supplia le roi, sur le prétexte de lui montrer sa maison, qui ne venait que[2] d'être achevée, de lui vouloir faire l'honneur d'y aller souper avec les reines. Ce maréchal était 965 bien aise aussi de faire paraître aux yeux de Mme de Clèves cette dépense éclatante qui allait jusqu'à la profusion.

Quelques jours avant celui qui avait été choisi pour ce souper, le roi dauphin, dont la santé était assez mauvaise, s'était trouvé mal, et n'avait vu personne. La reine, sa femme, avait passé tout le jour 970 auprès de lui. Sur le soir, comme il se portait mieux, il fit entrer toutes les personnes de qualité qui étaient dans son antichambre. La reine dauphine s'en alla chez elle ; elle y trouva Mme de Clèves et quelques autres dames qui étaient le plus dans sa familiarité.

Comme il était déjà assez tard, et qu'elle n'était point habillée[3], elle 975 n'alla pas chez la reine ; elle fit dire qu'on ne la voyait point, et fit apporter ses pierreries afin d'en choisir pour le bal du maréchal de

1. **S'observa :** se maîtrisa.
2. **Ne venait que :** venait juste.
3. **Habillée :** en tenue pour se rendre à la cour.

Saint-André et pour en donner à Mme de Clèves, à qui elle en avait promis. Comme elles étaient dans cette occupation, le prince de Condé arriva. Sa qualité lui rendait toutes les entrées libres. La reine 980 dauphine lui dit qu'il venait sans doute de chez le roi son mari, et lui demanda ce que l'on y faisait.

« L'on dispute[1] contre M. de Nemours, madame, répondit-il, et il défend avec tant de chaleur la cause qu'il soutient qu'il faut que ce soit la sienne. Je crois qu'il a quelque maîtresse qui lui donne de 985 l'inquiétude quand elle est au bal, tant il trouve que c'est une chose fâcheuse pour un amant, que d'y voir la personne qu'il aime.

– Comment ! reprit Mme la Dauphine, M. de Nemours ne veut pas que sa maîtresse aille au bal ? J'avais bien cru que les maris pouvaient souhaiter que leurs femmes n'y allassent pas, mais pour les 990 amants, je n'avais jamais pensé qu'ils pussent être de ce sentiment.

– M. de Nemours trouve, répliqua le prince de Condé, que le bal est ce qu'il y a de plus insupportable pour les amants, soit qu'ils soient aimés ou qu'ils ne le soient pas. Il dit que, s'ils sont aimés, ils ont le chagrin de l'être moins pendant plusieurs jours ; qu'il n'y a point de 995 femme que le soin de sa parure n'empêche de songer à son amant ; qu'elles en sont entièrement occupées ; que ce soin de se parer est pour tout le monde aussi bien que pour celui qu'elles aiment ; que, lorsqu'elles sont au bal, elles veulent plaire à tous ceux qui les regardent ; que, quand elles sont contentes de leur beauté, elles en 1000 ont une joie dont leur amant ne fait pas la plus grande partie. Il dit aussi que, quand on n'est point aimé, on souffre encore davantage de voir sa maîtresse dans une assemblée ; que, plus elle est admirée du public, plus on se trouve malheureux de n'en être point aimé ; que l'on craint toujours que sa beauté ne fasse naître quelque 1005 amour plus heureux que le sien. Enfin il trouve qu'il n'y a point de souffrance pareille à celle de voir sa maîtresse au bal, si ce n'est de savoir qu'elle y est et de n'y être pas. »

Mme de Clèves ne faisait pas semblant d'entendre[2] ce que disait le prince de Condé, mais elle l'écoutait avec attention. Elle jugeait aisé- 1010 ment quelle part elle avait à l'opinion que soutenait M. de Nemours, et surtout à ce qu'il disait du chagrin de n'être pas au bal où était sa

1. **Dispute :** débat.
2. **Ne faisait pas semblant d'entendre :** faisait semblant de ne pas entendre.

maîtresse, parce qu'il ne devait pas être à celui du maréchal de Saint-André, et que le roi l'envoyait au-devant du duc de Ferrare.

La reine dauphine riait avec le prince de Condé et n'approuvait
1015 pas l'opinion de M. de Nemours.

« Il n'y a qu'une occasion, madame, lui dit ce prince, où M. de Nemours consente que sa maîtresse aille au bal, c'est alors que c'est lui qui le donne ; et il dit que, l'année passée qu'il en donna un à Votre Majesté, il trouva que sa maîtresse lui faisait une faveur d'y
1020 venir, quoiqu'elle ne semblât que vous y suivre ; que c'est toujours faire une grâce à un amant que d'aller prendre sa part à un plaisir qu'il donne ; que c'est aussi une chose agréable pour l'amant, que sa maîtresse le voie le maître d'un lieu où est toute la cour, et qu'elle le voie se bien acquitter d'en faire les honneurs.

1025 – M. de Nemours avait raison, dit la reine dauphine en souriant, d'approuver que sa maîtresse allât au bal. Il y avait alors un si grand nombre de femmes à qui il donnait cette qualité que, si elles n'y fussent point venues, il y aurait eu peu de monde. »

Sitôt que le prince de Condé avait commencé à conter les senti-
1030 ments de M. de Nemours sur le bal, Mme de Clèves avait senti une grande envie de ne point aller à celui du maréchal de Saint-André. Elle entra aisément dans l'opinion qu'il ne fallait pas aller chez un homme dont on était aimée, et elle fut bien aise d'avoir une raison de sévérité pour faire une chose qui était une faveur pour M. de
1035 Nemours ; elle emporta néanmoins la parure que lui avait donnée la reine dauphine, mais, le soir, lorsqu'elle la montra à sa mère, elle lui dit qu'elle n'avait pas dessein de s'en servir, que le maréchal de Saint-André prenait tant de soin de faire voir qu'il était attaché à elle qu'elle ne doutait point qu'il ne voulût aussi faire croire qu'elle
1040 aurait part au divertissement qu'il devait donner au roi et que, sous prétexte de faire l'honneur de chez lui, il lui rendrait des soins dont peut-être elle serait embarrassée.

Mme de Chartres combattit quelque temps l'opinion de sa fille, comme la trouvant particulière[1], mais, voyant qu'elle s'y opiniâtrait[2],
1045 elle s'y rendit[3], et lui dit qu'il fallait donc qu'elle fît la malade pour

1. **Particulière :** étrange, inhabituelle.
2. **S'y opiniâtrait :** s'y entêtait.
3. **S'y rendit :** l'accepta.

avoir un prétexte de n'y pas aller, parce que les raisons qui l'en empêchaient ne seraient pas approuvées et qu'il fallait même empêcher qu'on ne les soupçonnât. Mme de Clèves consentit volontiers à passer quelques jours chez elle pour ne point aller dans un lieu où M. de Nemours ne devait pas être, et il partit sans avoir le plaisir de savoir qu'elle n'irait pas.

Il revint le lendemain du bal, il sut qu'elle ne s'y était pas trouvée, mais comme il ne savait pas que l'on eût redit devant elle la conversation de chez le roi dauphin, il était bien éloigné de croire qu'il fût assez heureux pour l'avoir empêchée d'y aller.

Le lendemain, comme il était chez la reine et qu'il parlait à Mme la Dauphine, Mme de Chartres et Mme de Clèves y vinrent et s'approchèrent de cette princesse. Mme de Clèves était un peu négligée, comme une personne qui s'était trouvée mal, mais son visage ne répondait pas à son habillement.

« Vous voilà si belle, lui dit Mme la Dauphine, que je ne saurais croire que vous ayez été malade. Je pense que M. le prince de Condé, en vous contant l'avis de M. de Nemours sur le bal, vous a persuadée que vous feriez une faveur au maréchal de Saint-André d'aller chez lui et que c'est ce qui vous a empêchée d'y venir. »

Mme de Clèves rougit de ce que Mme la Dauphine devinait si juste, et de ce qu'elle disait devant M. de Nemours ce qu'elle avait deviné.

Mme de Chartres vit dans ce moment pourquoi sa fille n'avait pas voulu aller au bal, et, pour empêcher que M. de Nemours ne le jugeât aussi bien qu'elle, elle prit la parole avec un air qui semblait être appuyé sur la vérité.

« Je vous assure, madame, dit-elle à Mme la Dauphine, que Votre Majesté fait plus d'honneur à ma fille qu'elle n'en mérite. Elle était véritablement malade, mais je crois que, si je ne l'en eusse empêchée, elle n'eût pas laissé de vous suivre et de se montrer aussi changée[1] qu'elle était, pour avoir le plaisir de voir tout ce qu'il y a eu d'extraordinaire au divertissement d'hier au soir. »

Mme la Dauphine crut ce que disait Mme de Chartres, M. de Nemours fut bien fâché d'y trouver de l'apparence[2] ; néanmoins la rougeur de Mme de Clèves lui fit soupçonner que ce que Mme la

1. **Changée :** le visage altéré par la maladie.
2. **Apparence :** vraisemblance.

Dauphine avait dit n'était pas entièrement éloigné de la vérité. Mme de Clèves avait d'abord été fâchée que M. de Nemours eût eu lieu de croire que c'était lui qui l'avait empêchée d'aller chez le maréchal de Saint-André, mais ensuite elle sentit quelque espèce de
1085 chagrin que sa mère lui en eût entièrement ôté l'opinion.

Quoique l'assemblée de Cercamp eût été rompue, les négociations pour la paix avaient toujours continué et les choses s'y disposèrent d'une telle sorte que, sur la fin de février, on se rassembla à Cateau-Cambrésis. Les mêmes députés y retournèrent, et l'absence du
1090 maréchal de Saint-André défit M. de Nemours du rival qui lui était plus redoutable, tant par l'attention qu'il avait à observer ceux qui approchaient Mme de Clèves, que par le progrès qu'il pouvait faire auprès d'elle.

Mme de Chartres n'avait pas voulu laisser voir à sa fille qu'elle
1095 connaissait ses sentiments pour ce prince, de peur de se rendre suspecte sur les choses qu'elle avait envie de lui dire. Elle se mit un jour à parler de lui ; elle lui en dit du bien et y mêla beaucoup de louanges empoisonnées sur la sagesse qu'il avait d'être incapable de devenir amoureux et sur ce qu'il ne se faisait qu'un plaisir et non pas
1100 un attachement sérieux du commerce des femmes. « Ce n'est pas, ajouta-t-elle, que l'on ne l'ait soupçonné d'avoir une grande passion pour la reine dauphine ; je vois même qu'il y va très souvent, et je vous conseille d'éviter, autant que vous pourrez, de lui parler, et surtout en particulier, parce que, Mme la Dauphine vous traitant comme
1105 elle fait, on dirait bientôt que vous êtes leur confidente, et vous savez combien cette réputation est désagréable. Je suis d'avis, si ce bruit continue, que vous alliez un peu moins chez Mme la Dauphine, afin de ne vous pas trouver mêlée dans des aventures de galanterie. »

Mme de Clèves n'avait jamais ouï parler de M. de Nemours et de
1110 Mme la Dauphine ; elle fut si surprise de ce que lui dit sa mère, et elle crut si bien voir combien elle s'était trompée dans tout ce qu'elle avait pensé des sentiments de ce prince, qu'elle en changea de visage. Mme de Chartres s'en aperçut ; il vint du monde dans ce moment, Mme de Clèves s'en alla chez elle et s'enferma dans son cabinet[1]. L'on
1115 ne peut exprimer la douleur qu'elle sentit de connaître, par ce que lui venait de dire sa mère, l'intérêt qu'elle prenait à M. de Nemours ; elle

1. **Cabinet** : lieu où l'on se retire pour réfléchir ou travailler.

n'avait encore osé se l'avouer à elle-même. Elle vit alors que les sentiments qu'elle avait pour lui étaient ceux que M. de Clèves lui avait tant demandés ; elle trouva combien il était honteux de les avoir pour un autre que pour un mari qui les méritait. Elle se sentit blessée et embarrassée de la crainte que M. de Nemours ne la voulût faire servir de prétexte à Mme la Dauphine, et cette pensée la détermina à conter à Mme de Chartres ce qu'elle ne lui avait point encore dit.

Elle alla le lendemain matin dans sa chambre pour exécuter ce qu'elle avait résolu, mais elle trouva que Mme de Chartres avait un peu de fièvre, de sorte qu'elle ne voulut pas lui parler. Ce mal paraissait néanmoins si peu de chose que Mme de Clèves ne laissa pas d'aller l'après-dînée[1] chez Mme la Dauphine : elle était dans son cabinet avec deux ou trois dames qui étaient le plus avant dans sa familiarité.

« Nous parlions de M. de Nemours, lui dit cette reine en la voyant, et nous admirions combien il est changé depuis son retour de Bruxelles. Devant que d'y aller[2] il avait un nombre infini de maîtresses, et c'était même un défaut en lui, car il ménageait également celles qui avaient du mérite et celles qui n'en avaient pas. Depuis qu'il est revenu, il ne connaît ni les unes ni les autres ; il n'y a jamais eu un si grand changement ; je trouve même qu'il y en a dans son humeur, et qu'il est moins gai que de coutume. »

Mme de Clèves ne répondit rien, et elle pensait avec honte qu'elle aurait pris tout ce que l'on disait du changement de ce prince pour des marques de sa passion, si elle n'avait point été détrompée. Elle se sentait quelque aigreur[3] contre Mme la Dauphine de lui voir chercher des raisons et s'étonner d'une chose dont apparemment elle savait mieux la vérité que personne. Elle ne put s'empêcher de lui en témoigner quelque chose, et, comme les autres dames s'éloignèrent, elle s'approcha d'elle et lui dit tout bas :

« Est-ce aussi pour moi, madame, que vous venez de parler, et voudriez-vous me cacher que vous fussiez celle qui a fait changer de conduite à M. de Nemours ?

– Vous êtes injuste, lui dit Mme la Dauphine, vous savez que je n'ai rien de caché pour vous. Il est vrai que M. de Nemours, devant que

1. **Après-dînée :** après-midi.
2. **Devant que d'y aller :** avant d'y aller.
3. **Aigreur :** amertume, irritation.

d'aller à Bruxelles, a eu, je crois, intention de me laisser entendre qu'il ne me haïssait pas, mais, depuis qu'il est revenu, il ne m'a pas même paru qu'il se souvînt des choses qu'il avait faites, et j'avoue que j'ai de la curiosité de savoir ce qui l'a fait changer. Il sera bien difficile que je ne le démêle[1], ajouta-t-elle ; le vidame de Chartres, qui est son ami intime, est amoureux d'une personne sur qui j'ai quelque pouvoir, et je saurai par ce moyen ce qui a fait ce changement. »

Mme la Dauphine parla d'un air qui persuada Mme de Clèves, et elle se trouva, malgré elle, dans un état plus calme et plus doux que celui où elle était auparavant.

Lorsqu'elle revint chez sa mère, elle sut qu'elle était beaucoup plus mal qu'elle ne l'avait laissée. La fièvre lui avait redoublé et, les jours suivants, elle augmenta de telle sorte qu'il parut que ce serait une maladie considérable. Mme de Clèves était dans une affliction extrême, elle ne sortait point de la chambre de sa mère ; M. de Clèves y passait aussi presque tous les jours et, par l'intérêt qu'il prenait à Mme de Chartres, et pour empêcher sa femme de s'abandonner à la tristesse, mais pour avoir aussi le plaisir de la voir ; sa passion n'était point diminuée.

M. de Nemours, qui avait toujours eu beaucoup d'amitié pour lui, n'avait pas cessé de lui en témoigner depuis son retour de Bruxelles. Pendant la maladie de Mme de Chartres, ce prince trouva le moyen de voir plusieurs fois Mme de Clèves en faisant semblant de chercher son mari ou de le venir prendre pour le mener promener. Il le cherchait même à des heures où il savait bien qu'il n'y était pas et, sous le prétexte de l'attendre, il demeurait dans l'antichambre de Mme de Chartres, où il y avait toujours plusieurs personnes de qualité. Mme de Clèves y venait souvent et, pour être affligée, elle n'en paraissait pas moins belle à M. de Nemours. Il lui faisait voir combien il prenait d'intérêt à son affliction et il lui en parlait avec un air si doux et si soumis qu'il la persuadait aisément que ce n'était pas de Mme la Dauphine dont il était amoureux.

Elle ne pouvait s'empêcher d'être troublée de sa vue, et d'avoir pourtant du plaisir à le voir, mais, quand elle ne le voyait plus et qu'elle pensait que ce charme qu'elle trouvait dans sa vue était le

1. **Le démêle :** le devine, l'éclaircisse.

commencement des passions, il s'en fallait peu qu'elle ne crût le haïr par la douleur que lui donnait cette pensée.

Mme de Chartres empira si considérablement que l'on commença à désespérer de sa vie ; elle reçut ce que les médecins lui dirent du péril où elle était avec un courage digne de sa vertu et de sa piété. Après qu'ils furent sortis, elle fit retirer tout le monde et appeler Mme de Clèves.

« Il faut nous quitter, ma fille, lui dit-elle, en lui tendant la main ; le péril où je vous laisse et le besoin que vous avez de moi augmentent le déplaisir que j'ai de vous quitter. Vous avez de l'inclination pour M. de Nemours ; je ne vous demande point de me l'avouer ; je ne suis plus en état de me servir de votre sincérité pour vous conduire. Il y a déjà longtemps que je me suis aperçue de cette inclination, mais je ne vous en ai pas voulu parler d'abord, de peur de vous en faire apercevoir vous-même. Vous ne la connaissez que trop présentement, vous êtes sur le bord du précipice, il faut de grands efforts et de grandes violences pour vous retenir. Songez ce que vous devez à votre mari ; songez ce que vous vous devez à vous-même, et pensez que vous allez perdre cette réputation que vous vous êtes acquise et que je vous ai tant souhaitée. Ayez de la force et du courage, ma fille, retirez-vous de la cour, obligez votre mari de vous emmener ; ne craignez point de prendre des partis trop rudes et trop difficiles ; quelque affreux qu'ils vous paraissent d'abord, ils seront plus doux dans les suites que les malheurs d'une galanterie. Si d'autres raisons que celles de la vertu et de votre devoir vous pouvaient obliger à ce que je souhaite, je vous dirais que, si quelque chose était capable de troubler le bonheur que j'espère en sortant de ce monde, ce serait de vous voir tomber[1] comme les autres femmes[2], mais, si ce malheur vous doit arriver, je reçois la mort avec joie, pour n'en être pas le témoin. »

Mme de Clèves fondait en larmes sur la main de sa mère, qu'elle tenait serrée entre les siennes, et Mme de Chartres se sentant touchée elle-même :

« Adieu, ma fille, lui dit-elle, finissons une conversation qui nous attendrit trop l'une et l'autre, et souvenez-vous, si vous pouvez, de tout ce que je viens de vous dire. »

1. **Tomber :** tomber dans l'adultère.
2. **Comme les autres femmes :** comme de simples femmes de chambre.

Elle se tourna de l'autre côté en achevant ces paroles et commanda à sa fille d'appeler ses femmes, sans vouloir l'écouter, ni parler davantage. Mme de Clèves sortit de la chambre de sa mère en l'état que l'on peut s'imaginer, et Mme de Chartres ne songea plus qu'à se préparer à la mort. Elle vécut encore deux jours, pendant lesquels elle ne voulut plus revoir sa fille, qui était la seule chose à quoi elle se sentait attachée.

Mme de Clèves était dans une affliction extrême ; son mari ne la quittait point et, sitôt que Mme de Chartres fut expirée, il l'emmena à la campagne, pour l'éloigner d'un lieu qui ne faisait qu'aigrir[1] sa douleur. On n'en a jamais vu de pareille ; quoique la tendresse et la reconnaissance y eussent la plus grande part, le besoin qu'elle sentait qu'elle avait de sa mère, pour se défendre contre M. de Nemours, ne laissait pas d'y en avoir beaucoup. Elle se trouvait malheureuse d'être abandonnée à elle-même, dans un temps où elle était si peu maîtresse de ses sentiments et où elle eût tant souhaité d'avoir quelqu'un qui pût la plaindre et lui donner de la force. La manière dont M. de Clèves en usait pour elle[2] lui faisait souhaiter plus fortement que jamais de ne manquer à rien de ce qu'elle lui devait. Elle lui témoignait aussi plus d'amitié et plus de tendresse qu'elle n'avait encore fait ; elle ne voulait point qu'il la quittât, et il lui semblait qu'à force de s'attacher à lui, il la défendrait contre M. de Nemours.

Ce prince vint voir M. de Clèves à la campagne. Il fit ce qu'il put pour rendre aussi une visite à Mme de Clèves, mais elle ne le voulut point recevoir et, sentant bien qu'elle ne pouvait s'empêcher de le trouver aimable, elle avait fait une forte résolution de s'empêcher de le voir et d'en éviter toutes les occasions qui dépendraient d'elle.

M. de Clèves vint à Paris pour faire sa cour[3] et promit à sa femme de s'en retourner le lendemain ; il ne revint néanmoins que le jour d'après.

« Je vous attendis tout hier, lui dit Mme de Clèves, lorsqu'il arriva, et je vous dois faire des reproches de n'être pas venu comme vous me l'aviez promis. Vous savez que si je pouvais sentir une nouvelle

1. **Aigrir :** accentuer.
2. **En usait pour elle :** se comportait avec elle.
3. **Faire sa cour :** rendre ses devoirs à une ou des personnes de rang supérieur, en particulier le roi et la famille royale.

1255 affliction en l'état où je suis, ce serait la mort de Mme de Tournon, que j'ai apprise ce matin. J'en aurais été touchée quand je ne l'aurais point connue ; c'est toujours une chose digne de pitié qu'une femme jeune et belle comme celle-là soit morte en deux jours, mais, de plus, c'était une des personnes du monde qui me plaisaient davantage et
1260 qui paraissaient avoir autant de sagesse que de mérite.

– Je fus très fâché de ne pas revenir hier, répondit M. de Clèves, mais j'étais si nécessaire à la consolation d'un malheureux, qu'il m'était impossible de le quitter. Pour Mme de Tournon, je ne vous conseille pas d'en être affligée, si vous la regrettez comme une femme pleine
1265 de sagesse et digne de votre estime.

– Vous m'étonnez, reprit Mme de Clèves, et je vous ai ouï dire plusieurs fois qu'il n'y avait point de femme à la cour que vous estimassiez davantage.

– Il est vrai, répondit-il, mais les femmes sont incompréhensibles et,
1270 quand je les vois toutes, je me trouve si heureux de vous avoir, que je ne saurais assez admirer mon bonheur.

– Vous m'estimez plus que je ne vaux, répliqua Mme de Clèves en soupirant, et il n'est pas encore temps de me trouver digne de vous. Apprenez-moi, je vous en supplie, ce qui vous a détrompé de
1275 Mme de Tournon.

– Il y a longtemps que je le suis, répliqua-t-il, et que je sais qu'elle aimait le comte de Sancerre, à qui elle donnait des espérances de l'épouser.

– Je ne saurais croire, interrompit Mme de Clèves, que Mme de
1280 Tournon, après cet éloignement[1] si extraordinaire qu'elle a témoigné pour le mariage depuis qu'elle est veuve, et après les déclarations publiques qu'elle a faites de ne se remarier jamais, ait donné des espérances à Sancerre.

– Si elle n'en eût donné qu'à lui, répliqua M. de Clèves, il ne faudrait
1285 pas s'étonner, mais ce qu'il y a de surprenant, c'est qu'elle en donnait aussi à Estouteville dans le même temps, et je vais vous apprendre toute l'histoire. »

---

1. **Éloignement** : aversion.

DEUXIÈME PARTIE

« VOUS SAVEZ l'amitié qu'il y a entre Sancerre et moi ; néanmoins il devint amoureux de Mme de Tournon, il y a environ deux ans, et me le cacha avec beaucoup de soin, aussi bien qu'à tout le reste du monde. J'étais bien éloigné de le soupçonner. Mme de Tournon paraissait encore inconsolable de la mort de son mari, et vivait dans une retraite[1] austère. La sœur de Sancerre était quasi la seule personne qu'elle vît, et c'était chez elle qu'il en était devenu amoureux.

Un soir qu'il devait y avoir une comédie au Louvre, et que l'on n'attendait plus que le roi et Mme de Valentinois pour commencer, l'on vint dire qu'elle s'était trouvée mal, et que le roi ne viendrait pas. On jugea aisément que le mal de cette duchesse était quelque démêlé avec le roi. Nous savions les jalousies qu'il avait eues du maréchal de Brissac, pendant qu'il avait été à la cour ; mais il était retourné en Piémont depuis quelques jours, et nous ne pouvions imaginer le sujet de cette brouillerie.

Comme j'en parlais avec Sancerre, M. d'Anville arriva dans la salle, et me dit tout bas que le roi était dans une affliction et dans une colère qui faisaient pitié ; qu'en un raccommodement, qui s'était fait entre lui et Mme de Valentinois, il y avait quelques jours, sur des démêlés qu'ils avaient eus pour le maréchal de Brissac, le roi lui avait donné une bague, et l'avait priée de la porter ; que, pendant qu'elle s'habillait pour venir à la comédie, il avait remarqué qu'elle n'avait point cette bague, et lui en avait demandé la raison ; qu'elle avait paru étonnée de ne la pas avoir ; qu'elle l'avait demandée à ses femmes, lesquelles par malheur, ou faute d'être bien instruites, avaient répondu qu'il y avait quatre ou cinq jours qu'elles ne l'avaient vue.

Ce temps est précisément celui du départ du maréchal de Brissac, continua M. d'Anville ; le roi n'a point douté qu'elle ne lui ait donné la bague en lui disant adieu. Cette pensée a réveillé si vivement toute cette jalousie, qui n'était pas encore bien éteinte, qu'il s'est

---

1. **Retraite** : solitude, retrait de la vie mondaine.

emporté contre son ordinaire, et lui a fait mille reproches. Il vient de rentrer chez lui, très affligé, mais je ne sais s'il l'est davantage de l'opinion que Mme de Valentinois a sacrifié sa bague que de la crainte de lui avoir déplu par sa colère.

Sitôt que M. d'Anville eut achevé de me conter cette nouvelle, je me rapprochai de Sancerre pour la lui apprendre ; je la lui dis comme un secret que l'on venait de me confier et dont je lui défendais de parler.

Le lendemain matin, j'allai d'assez bonne heure chez ma belle-sœur ; je trouvai Mme de Tournon au chevet de son lit. Elle n'aimait pas Mme de Valentinois, et elle savait bien que ma belle-sœur n'avait pas sujet de s'en louer. Sancerre avait été chez elle au sortir de la comédie. Il lui avait appris la brouillerie du roi avec cette duchesse, et Mme de Tournon était venue la conter à ma belle-sœur, sans savoir ou sans faire réflexion que c'était moi qui l'avait apprise à son amant.

Sitôt que je m'approchai de ma belle-sœur, elle dit à Mme de Tournon que l'on pouvait me confier ce qu'elle venait de lui dire, et sans attendre la permission de Mme de Tournon elle me conta mot pour mot tout ce que j'avais dit à Sancerre le soir précédent. Vous pouvez juger comme j'en fus étonné. Je regardai Mme de Tournon, elle me parut embarrassée. Son embarras me donna du soupçon ; je n'avais dit la chose qu'à Sancerre, il m'avait quitté au sortir de la comédie sans m'en dire la raison ; je me souvins de lui avoir ouï extrêmement louer Mme de Tournon. Toutes ces choses m'ouvrirent les yeux, et je n'eus pas de peine à démêler qu'il avait une galanterie avec elle, et qu'il l'avait vue depuis qu'il m'avait quitté.

Je fus si piqué[1] de voir qu'il me cachait cette aventure, que je dis plusieurs choses qui firent connaître à Mme de Tournon l'imprudence qu'elle avait faite ; je la remis à son carrosse, et je l'assurai, en la quittant, que j'enviais le bonheur de celui qui lui avait appris la brouillerie du roi et de Mme de Valentinois.

Je m'en allai à l'heure même trouver Sancerre, je lui fis des reproches et je lui dis que je savais sa passion pour Mme de Tournon, sans lui dire comment je l'avais découverte. Il fut contraint de me l'avouer. Je lui contai ensuite ce qui me l'avait apprise, et il m'apprit aussi

---

1. **Piqué :** vexé.

le détail de leur aventure ; il me dit que, quoiqu'il fût cadet de sa maison, et très éloigné de pouvoir prétendre un aussi bon parti, que
70 néanmoins elle était résolue de l'épouser. L'on ne peut être plus surpris que je le fus. Je dis à Sancerre de presser la conclusion de son mariage, et qu'il n'y avait rien qu'il ne dût craindre d'une femme qui avait l'artifice de soutenir aux yeux du public un personnage[1] si éloigné de la vérité. Il me répondit qu'elle avait été véritablement affli-
75 gée, mais que l'inclination qu'elle avait eue pour lui avait surmonté cette affliction, et qu'elle n'avait pu laisser paraître tout d'un coup un si grand changement. Il me dit encore plusieurs autres raisons pour l'excuser, qui me firent voir à quel point il en était amoureux ; il m'assura qu'il la ferait consentir que je susse la passion qu'il avait
80 pour elle, puisque aussi bien c'était elle-même qui me l'avait apprise. Il l'y obligea en effet, quoique avec beaucoup de peine, et je fus ensuite très avant dans leur confidence.

Je n'ai jamais vu une femme avoir une conduite si honnête et si agréable à l'égard de son amant ; néanmoins j'étais toujours choqué
85 de son affectation à paraître encore affligée. Sancerre était si amoureux et si content de la manière dont elle en usait pour lui, qu'il n'osait quasi la presser de conclure leur mariage, de peur qu'elle ne crût qu'il le souhaitait plutôt par intérêt que par une véritable passion. Il lui en parla toutefois, et elle lui parut résolue à l'épou-
90 ser ; elle commença même à quitter cette retraite où elle vivait, et à se remettre dans le monde. Elle venait chez ma belle-sœur à des heures où une partie de la cour s'y trouvait. Sancerre n'y venait que rarement ; mais ceux qui y étaient tous les soirs, et qui l'y voyaient souvent, la trouvaient très aimable.

95 Peu de temps après qu'elle eut commencé à quitter la solitude, Sancerre crut voir quelque refroidissement dans la passion qu'elle avait pour lui. Il m'en parla plusieurs fois, sans que je fisse aucun fondement sur[2] ses plaintes ; mais à la fin, comme il me dit qu'au lieu d'achever leur mariage, elle semblait l'éloigner, je commençai
100 à croire qu'il n'avait pas de tort d'avoir de l'inquiétude. Je lui répondis que, quand la passion de Mme de Tournon diminuerait après avoir duré deux ans, il ne faudrait pas s'en étonner ; que quand

---

1. **Soutenir [...] un personnage :** jouer un rôle.
2. **Je fisse aucun fondement sur :** j'accordasse aucun crédit à.

même, sans être diminuée, elle ne serait pas assez forte pour l'obliger à l'épouser, qu'il ne devrait pas s'en plaindre ; que ce mariage, à l'égard du public, lui ferait un extrême tort, non seulement parce qu'il n'était pas un assez bon parti pour elle, mais par le préjudice qu'il apporterait à sa réputation ; qu'ainsi tout ce qu'il pouvait souhaiter était qu'elle ne le trompât point et qu'elle ne lui donnât pas de fausses espérances. Je lui dis encore que si elle n'avait pas la force de l'épouser, ou qu'elle lui avouât qu'elle en aimait quelque autre, il ne fallait point qu'il s'emportât, ni qu'il se plaignît ; mais qu'il devrait conserver pour elle de l'estime et de la reconnaissance.

Je vous donne, lui dis-je, le conseil que je prendrais pour moi-même ; car la sincérité me touche d'une telle sorte, que je crois que si ma maîtresse, et même ma femme, m'avouait que quelqu'un lui plût, j'en serais affligé sans en être aigri. Je quitterais le personnage d'amant ou de mari, pour la conseiller et pour la plaindre. »

Ces paroles firent rougir Mme de Clèves, et elle y trouva un certain rapport avec l'état où elle était, qui la surprit, et qui lui donna un trouble dont elle fut longtemps à se remettre.

« Sancerre parla à Mme de Tournon, continua M. de Clèves, il lui dit tout ce que je lui avais conseillé, mais elle le rassura avec tant de soin, et parut si offensée de ses soupçons, qu'elle les lui ôta entièrement. Elle remit néanmoins leur mariage après un voyage qu'il allait faire, et qui devait être assez long ; mais elle se conduisit si bien jusqu'à son départ, et en parut si affligée que je crus, aussi bien que lui, qu'elle l'aimait véritablement. Il partit, il y a environ trois mois ; pendant son absence, j'ai peu vu Mme de Tournon ; vous m'avez entièrement occupé, et je savais seulement qu'il devait bientôt revenir.

Avant-hier, en arrivant à Paris, j'appris qu'elle était morte ; j'envoyai savoir chez lui si on n'avait point eu de ses nouvelles. On me manda qu'il était arrivé de la veille, qui était précisément le jour de la mort de Mme de Tournon. J'allai le voir à l'heure même, me doutant bien de l'état où je le trouverais, mais son affliction passait de beaucoup ce que je m'en étais imaginé.

Je n'ai jamais vu une douleur si profonde et si tendre ; dès le moment qu'il me vit, il m'embrassa, fondant en larmes : Je ne la verrai plus, me dit-il, je ne la verrai plus, elle est morte ! je n'en étais pas digne, mais je la suivrai bientôt.

Après cela il se tut ; et puis, de temps en temps redisant toujours : Elle est morte, et je ne la verrai plus ! il revenait aux cris et aux larmes, et demeurait comme un homme qui n'avait plus de raison. Il me dit qu'il n'avait pas reçu souvent de ses lettres pendant son 145 absence, mais qu'il ne s'en était pas étonné, parce qu'il la connaissait et qu'il savait la peine qu'elle avait à hasarder de ses lettres. Il ne doutait point qu'il ne l'eût épousée à son retour ; il la regardait comme la plus aimable et la plus fidèle personne qui eût jamais été, il s'en croyait tendrement aimé ; il la perdait dans le moment qu'il 150 pensait s'attacher à elle pour jamais. Toutes ces pensées le plongeaient dans une affliction violente, dont il était entièrement accablé ; et j'avoue que je ne pouvais m'empêcher d'en être touché.

Je fus néanmoins contraint de le quitter pour aller chez le roi ; je lui promis que je reviendrais bientôt. Je revins en effet, et je ne fus 155 jamais si surpris, que de le trouver tout différent de ce que je l'avais quitté. Il était debout dans sa chambre, avec un visage furieux, marchant et s'arrêtant comme s'il eût été hors de lui-même. – Venez, venez, me dit-il, venez voir l'homme du monde le plus désespéré ; je suis plus malheureux mille fois que je n'étais tantôt, et ce que je 160 viens d'apprendre de Mme de Tournon est pire que sa mort.

Je crus que la douleur le troublait entièrement et je ne pouvais m'imaginer qu'il y eût quelque chose de pire que la mort d'une maîtresse que l'on aime et dont on est aimé. Je lui dis que tant que son affliction avait eu des bornes, je l'avais approuvée, et que j'y étais 165 entré[1] ; mais que je ne le plaindrais plus s'il s'abandonnait au désespoir et s'il perdait la raison.

Je serais trop heureux de l'avoir perdue, et la vie aussi, s'écria-t-il : Mme de Tournon m'était infidèle, et j'apprends son infidélité et sa trahison le lendemain que j'ai appris sa mort, dans un temps où mon 170 âme est remplie et pénétrée de la plus vive douleur et de la plus tendre amour[2] que l'on ait jamais senties ; dans un temps où son idée est dans mon cœur comme la plus parfaite chose qui ait jamais été, et la plus parfaite à mon égard. Je trouve que je suis trompé, et qu'elle ne mérite pas que je la pleure ; cependant j'ai la même 175 affection de sa mort que si elle m'était fidèle, et je sens son infidélité

1. **J'y étais entré :** j'y avais compati.
2. **La plus tendre amour :** le mot est féminin.

comme si elle n'était point morte. Si j'avais appris son changement avant sa mort, la jalousie, la colère, la rage m'auraient rempli, et m'auraient endurci en quelque sorte contre la douleur de sa perte ; mais je suis dans un état où je ne puis ni m'en consoler, ni la haïr.

180 Vous pouvez juger si je fus surpris de ce que me disait Sancerre ; je lui demandai comment il avait su ce qu'il venait de me dire. Il me conta qu'un moment après que j'étais sorti de sa chambre, Estouteville, qui est son ami intime, mais qui ne savait pourtant rien de son amour pour Mme de Tournon, l'était venu voir ; que d'abord 185 qu'il avait été assis, il avait commencé à pleurer et qu'il lui avait dit qu'il lui demandait pardon de lui avoir caché ce qu'il lui allait apprendre ; qu'il le priait d'avoir pitié de lui ; qu'il venait lui ouvrir son cœur et qu'il voyait l'homme du monde le plus affligé de la mort de Mme de Tournon.

190 Ce nom, me dit Sancerre, m'a tellement surpris, que, quoique mon premier mouvement ait été de lui dire que j'en étais plus affligé que lui, je n'ai pas eu néanmoins la force de parler. Il a continué, et m'a dit qu'il était amoureux d'elle depuis six mois ; qu'il avait toujours voulu me le dire, mais qu'elle le lui avait défendu expressément, et 195 avec tant d'autorité, qu'il n'avait osé lui désobéir ; qu'il lui avait plu quasi dans le même temps qu'il l'avait aimée ; qu'ils avaient caché leur passion à tout le monde ; qu'il n'avait jamais été chez elle publiquement ; qu'il avait eu le plaisir de la consoler de la mort de son mari ; et qu'enfin il l'allait épouser dans le temps qu'elle était morte ; 200 mais que ce mariage, qui était un effet de passion, aurait paru un effet de devoir et d'obéissance ; qu'elle avait gagné[1] son père pour se faire commander de l'épouser, afin qu'il n'y eût pas un trop grand changement dans sa conduite, qui avait été si éloignée de se remarier.

205 Tant qu'Estouteville m'a parlé, me dit Sancerre, j'ai ajouté foi a ses paroles, parce que j'y ai trouvé de la vraisemblance, et que le temps où il m'a dit qu'il avait commencé à aimer Mme de Tournon est précisément celui où elle m'a paru changée ; mais un moment après, je l'ai cru un menteur, ou du moins un visionnaire[2]. J'ai été prêt à le lui

1. **Gagné :** persuadé.
2. **Visionnaire :** fou.

dire ; j'ai passé ensuite à[1] vouloir m'éclaircir, je l'ai questionné, je lui ai fait paraître des doutes ; enfin j'ai tant fait pour m'assurer de mon malheur, qu'il m'a demandé si je connaissais l'écriture de Mme de Tournon. Il a mis sur mon lit quatre de ses lettres et son portrait ; mon frère est entré dans ce moment. Estouteville avait le visage si plein de larmes, qu'il a été contraint de sortir pour ne se pas laisser voir ; il m'a dit qu'il reviendrait ce soir requérir ce qu'il me laissait ; et moi je chassai mon frère, sur le prétexte de me trouver mal, par l'impatience de voir ces lettres que l'on m'avait laissées, et espérant d'y trouver quelque chose qui ne me persuaderait pas tout ce qu'Estouteville venait de me dire. Mais hélas ! que n'y ai-je point trouvé ? Quelle tendresse ! Quels serments ! Quelles assurances de l'épouser ! Quelles lettres ! Jamais elle ne m'en a écrit de semblables. Ainsi, ajouta-t-il, j'éprouve à la fois la douleur de la mort et celle de l'infidélité ; ce sont deux maux que l'on a souvent comparés, mais qui n'ont jamais été sentis en même temps par la même personne. J'avoue, à ma honte, que je sens encore plus sa perte que son changement ; je ne puis la trouver assez coupable pour consentir à sa mort. Si elle vivait, j'aurais le plaisir de lui faire des reproches, et de me venger d'elle en lui faisant connaître son injustice. Mais je ne la verrai plus, reprenait-il, je ne la verrai plus ; ce mal est le plus grand de tous les maux. Je souhaiterais de lui rendre la vie aux dépens de la mienne. Quel souhait ! Si elle revenait elle vivrait pour Estouteville. Que j'étais heureux hier ! s'écriait-il, que j'étais heureux ! J'étais l'homme du monde le plus affligé ; mais mon affliction était raisonnable, et je trouvais quelque douceur à penser que je ne devais jamais me consoler. Aujourd'hui, tous mes sentiments sont injustes. Je paye à une passion feinte qu'elle a eue pour moi le même tribut de douleur que je croyais devoir à une passion véritable. Je ne puis ni haïr, ni aimer sa mémoire ; je ne puis me consoler ni m'affliger. Du moins, me dit-il, en se retournant tout d'un coup vers moi, faites, je vous en conjure, que je ne voie jamais Estouteville ; son nom seul me fait horreur. Je sais bien que je n'ai nul sujet de m'en plaindre ; c'est ma faute de lui avoir caché que j'aimais Mme de Tournon ; s'il l'eût su il ne s'y serait peut-être pas attaché, elle ne m'aurait pas été infidèle ; il est venu me chercher pour me confier

1. **J'ai passé ensuite à :** j'en suis venu à.

sa douleur ; il me fait pitié. Et ! c'est avec raison, s'écriait-il ; il aimait Mme de Tournon, il en était aimé, et il ne la verra jamais ; je sens bien néanmoins que je ne saurais m'empêcher de le haïr. Et encore une fois, je vous conjure de faire en sorte que je ne le voie point.

250 Sancerre se remit ensuite à pleurer, à regretter Mme de Tournon, à lui parler, et à lui dire les choses du monde les plus tendres ; il repassa ensuite à la haine, aux plaintes, aux reproches et aux imprécations contre elle. Comme je le vis dans un état si violent, je connus bien qu'il me fallait quelque secours pour m'aider à calmer 255 son esprit. J'envoyai quérir son frère, que je venais de quitter chez le roi ; j'allai lui parler dans l'antichambre avant qu'il entrât, et je lui contai l'état où était Sancerre. Nous donnâmes des ordres pour empêcher qu'il ne vît Estouteville, et nous employâmes une partie de la nuit à tâcher de le rendre capable de raison. Ce matin je l'ai 260 encore trouvé plus affligé ; son frère est demeuré auprès de lui, et je suis revenu auprès de vous.

– L'on ne peut être plus surprise que je le suis, dit alors Mme de Clèves, et je croyais Mme de Tournon incapable d'amour et de tromperie.

– L'adresse et la dissimulation, reprit M. de Clèves, ne peuvent aller 265 plus loin qu'elle les a portées. Remarquez que, quand Sancerre crut qu'elle était changée pour lui, elle l'était véritablement et qu'elle commençait à aimer Estouteville. Elle disait à ce dernier qu'il la consolait de la mort de son mari et que c'était lui qui était cause qu'elle quittait cette grande retraite, et il paraissait à Sancerre que 270 c'était parce que nous avions résolu qu'elle ne témoignerait plus d'être si affligée. Elle faisait valoir à Estouteville de cacher leur intelligence[1], et de paraître obligée à l'épouser par le commandement de son père, comme un effet du soin qu'elle avait de sa réputation ; et c'était pour abandonner Sancerre sans qu'il eût sujet de s'en 275 plaindre. Il faut que je m'en retourne, continua M. de Clèves, pour voir ce malheureux et je crois qu'il faut que vous reveniez aussi à Paris. Il est temps que vous voyiez le monde, et que vous receviez ce nombre infini de visites dont aussi bien vous ne sauriez vous dispenser. »

280 Mme de Clèves consentit à son retour et elle revint le lendemain. Elle se trouva plus tranquille sur M. de Nemours qu'elle n'avait été ;

1. **Intelligence :** relation.

tout ce que lui avait dit Mme de Chartres en mourant, et la douleur de sa mort, avaient fait une suspension à ses sentiments, qui lui faisait croire qu'ils étaient entièrement effacés.

285 Dès le même soir qu'elle fut arrivée, Mme la Dauphine la vint voir, et après lui avoir témoigné la part qu'elle avait prise à son affliction, elle lui dit que, pour la détourner de ces tristes pensées, elle voulait l'instruire de tout ce qui s'était passé à la cour en son absence ; elle lui conta ensuite plusieurs choses particulières.

290 « Mais ce que j'ai le plus d'envie de vous apprendre, ajouta-t-elle, c'est qu'il est certain que M. de Nemours est passionnément amoureux, et que ses amis les plus intimes non seulement ne sont point dans sa confidence, mais qu'ils ne peuvent deviner qui est la personne qu'il aime. Cependant cet amour est assez fort pour lui 295 faire négliger ou abandonner, pour mieux dire, les espérances d'une couronne. »

Mme la Dauphine conta ensuite tout ce qui s'était passé sur l'Angleterre.

« J'ai appris ce que je viens de vous dire, continua-t-elle, de 300 M. d'Anville, et il m'a dit ce matin que le roi envoya quérir, hier au soir, M. de Nemours, sur des lettres de Lignerolles, qui demande à revenir, et qui écrit au roi qu'il ne peut plus soutenir auprès de la reine d'Angleterre les retardements de M. de Nemours ; qu'elle commence à s'en offenser, et qu'encore qu'elle n'eût point donné de 305 parole positive, elle en avait assez dit pour faire hasarder un voyage. Le roi lut cette lettre à M. de Nemours, qui, au lieu de parler sérieusement, comme il avait fait dans les commencements, ne fit que rire, que badiner[1], et se moquer des espérances de Lignerolles. Il dit que toute l'Europe condamnerait son imprudence, s'il hasardait d'aller 310 en Angleterre comme un prétendu mari de la reine, sans être assuré du succès. "Il me semble aussi, ajouta-t-il, que je prendrais mal mon temps, de faire ce voyage présentement que le roi d'Espagne fait de si grandes instances[2] pour épouser cette reine. Ce ne serait peut-être pas un rival bien redoutable dans une galanterie, mais je pense 315 que dans un mariage Votre Majesté ne me conseillerait pas de lui disputer quelque chose. – Je vous le conseillerais en cette occasion,

1. **Badiner** : plaisanter avec légèreté.
2. **Instances** : démarches.

reprit le roi ; mais vous n'aurez rien à lui disputer ; je sais qu'il a d'autres pensées ; et, quand il n'en aurait pas, la reine Marie s'est trop mal trouvée du joug de l'Espagne pour croire que sa sœur le
320 veuille reprendre, et qu'elle se laisse éblouir à l'éclat de tant de couronnes jointes ensemble. – Si elle ne s'en laisse pas éblouir, repartit M. de Nemours, il y a apparence qu'elle voudra se rendre heureuse par l'amour. Elle a aimé le milord Courtenay, il y a déjà quelques années ; il était aussi aimé de la reine Marie, qui l'aurait épousé du
325 consentement de toute l'Angleterre, sans qu'elle connût que la jeunesse et la beauté de sa sœur Élisabeth le touchaient davantage que l'espérance de régner. Votre Majesté sait que les violentes jalousies qu'elle en eut la portèrent à les mettre l'un et l'autre en prison, à exiler ensuite le milord Courtenay, et la déterminèrent enfin à épouser
330 le roi d'Espagne. Je crois qu'Élisabeth, qui est présentement sur le trône, rappellera bientôt ce milord, et qu'elle choisira un homme qu'elle a aimé, qui est fort aimable, qui a tant souffert pour elle, plutôt qu'un autre qu'elle n'a jamais vu.

– Je serais de votre avis, repartit le roi, si Courtenay vivait encore,
335 mais j'ai su, depuis quelques jours, qu'il est mort à Padoue, où il était relégué[1]. Je vois bien, ajouta-t-il, en quittant M. de Nemours, qu'il faudrait faire votre mariage comme on ferait celui de M. le Dauphin, et envoyer épouser la reine d'Angleterre par des ambassadeurs. »

M. d'Anville et M. le vidame, qui étaient chez le roi avec M. de
340 Nemours, sont persuadés que c'est cette même passion dont il est occupé, qui le détourne d'un si grand dessein. Le vidame, qui le voit de plus près que personne, a dit à Mme de Martigues que ce prince est tellement changé qu'il ne le reconnaît plus, et ce qui l'étonne davantage, c'est qu'il ne lui voit aucun commerce, ni aucunes
345 heures particulières où il se dérobe, en sorte qu'il croit qu'il n'a point d'intelligence avec la personne qu'il aime ; et c'est ce qui fait méconnaître[2] M. de Nemours de lui voir aimer une femme qui ne répond point à son amour. »

Quel poison, pour Mme de Clèves, que le discours de Mme la
350 Dauphine ! Le moyen de ne se pas reconnaître pour cette personne dont on ne savait point le nom et le moyen de n'être pas pénétrée

1. **Relégué :** en exil.
2. **Méconnaître :** ne pas reconnaître.

de reconnaissance et de tendresse, en apprenant, par une voie qui ne lui pouvait être suspecte, que ce prince, qui touchait déjà son cœur, cachait sa passion à tout le monde et négligeait pour l'amour
355 d'elle les espérances d'une couronne ? Aussi ne peut-on représenter ce qu'elle sentit, et le trouble qui s'éleva dans son âme. Si Mme la Dauphine l'eût regardée avec attention, elle eût aisément remarqué que les choses qu'elle venait de dire ne lui étaient pas indifférentes ; mais, comme elle n'avait aucun soupçon de la vérité, elle continua
360 de parler, sans y faire de réflexion.

« M. d'Anville, ajouta-t-elle, qui, comme je vous viens de dire, m'a appris tout ce détail, m'en croit mieux instruite que lui ; et il a une si grande opinion de mes charmes qu'il est persuadé que je suis la seule personne qui puisse faire de si grands changements en M. de
365 Nemours. »

Ces dernières paroles de Mme la Dauphine donnèrent une autre sorte de trouble à Mme de Clèves que celui qu'elle avait eu quelques moments auparavant.

« Je serais aisément de l'avis de M. d'Anville, répondit-elle, et il y
370 a beaucoup d'apparence, madame, qu'il ne faut pas moins qu'une princesse telle que vous pour faire mépriser la reine d'Angleterre.

– Je vous l'avouerais si je le savais, repartit Mme la Dauphine, et je le saurais s'il était véritable. Ces sortes de passions n'échappent point à la vue de celles qui les causent ; elles s'en aperçoivent les
375 premières. M. de Nemours ne m'a jamais témoigné que de légères complaisances ; mais il y a néanmoins une si grande différence de la manière dont il a vécu avec moi à celle dont il y vit présentement que je puis vous répondre que je ne suis pas la cause de l'indifférence qu'il a pour la couronne d'Angleterre.

380 Je m'oublie avec vous, ajouta Mme la Dauphine, et je ne me souviens pas qu'il faut que j'aille voir Madame. Vous savez que la paix est quasi conclue, mais vous ne savez pas que le roi d'Espagne n'a voulu passer aucun article qu'à condition d'épouser cette princesse, au lieu du prince don Carlos, son fils. Le roi a eu beaucoup de peine
385 à s'y résoudre ; enfin il y a consenti, et il est allé tantôt annoncer cette nouvelle à Madame. Je crois qu'elle sera inconsolable ; ce n'est pas une chose qui puisse plaire d'épouser un homme de l'âge et de l'humeur du roi d'Espagne, surtout à elle qui a toute la joie que donne la première jeunesse jointe à la beauté, et qui s'attendait d'épouser un

390 jeune prince pour qui elle a de l'inclination sans l'avoir vu. Je ne sais si le roi en elle trouvera toute l'obéissance qu'il désire ; il m'a chargée de la voir parce qu'il sait qu'elle m'aime et qu'il croit que j'aurai quelque pouvoir sur son esprit. Je ferai ensuite une autre visite bien différente ; j'irai me réjouir avec Madame, sœur du roi. Tout est arrêté pour son 395 mariage avec M. de Savoie, et il sera ici dans peu de temps. Jamais personne de l'âge de cette princesse n'a eu une joie si entière de se marier. La cour va être plus belle et plus grosse qu'on ne l'a jamais vue, et, malgré votre affliction, il faut que vous veniez nous aider à faire voir aux étrangers que nous n'avons pas de médiocres[1] beautés. »

400 Après ces paroles, Mme la Dauphine quitta Mme de Clèves, et, le lendemain, le mariage de Madame fut su de tout le monde. Les jours suivants, le roi et les reines allèrent voir Mme de Clèves. M. de Nemours, qui avait attendu son retour avec une extrême impatience et qui souhaitait ardemment de lui pouvoir parler sans témoins, 405 attendit pour aller chez elle l'heure que tout le monde en sortirait et qu'apparemment il ne reviendrait plus personne. Il réussit dans son dessein, et il arriva comme les dernières visites en sortaient.

Cette princesse était sur son lit ; il faisait chaud, et la vue de M. de Nemours acheva de lui donner une rougeur, qui ne diminuait pas 410 sa beauté. Il s'assit vis-à-vis d'elle, avec cette crainte et cette timidité que donnent les véritables passions. Il demeura quelque temps sans pouvoir parler. Mme de Clèves n'était pas moins interdite, de sorte qu'ils gardèrent assez longtemps le silence. Enfin M. de Nemours prit la parole et lui fit des compliments[2] sur son affliction ; Mme de 415 Clèves, étant bien aise de continuer la conversation sur ce sujet, parla assez longtemps de la perte qu'elle avait faite, et enfin, elle dit que, quand le temps aurait diminué la violence de sa douleur, il lui en demeurerait toujours une si forte impression que son humeur en serait changée.

420 « Les grandes afflictions et les passions violentes, repartit M. de Nemours, font de grands changements dans l'esprit, et, pour moi, je ne me reconnais pas depuis que je suis revenu de Flandre. Beaucoup de gens ont remarqué ce changement, et même Mme la Dauphine m'en parlait encore hier.

---

1. **Médiocres :** communes.
2. **Des compliments :** des paroles de politesse.

425 – Il est vrai, repartit Mme de Clèves, qu'elle l'a remarqué, et je crois lui en avoir ouï dire quelque chose.

– Je ne suis pas fâché, madame, répliqua M. de Nemours, qu'elle s'en soit aperçue, mais je voudrais qu'elle ne fût pas seule à s'en apercevoir. Il y a des personnes à qui on n'ose donner d'autres marques de 430 la passion qu'on a pour elles que par les choses qui ne les regardent point ; et, n'osant leur faire paraître qu'on les aime, on voudrait du moins qu'elles vissent que l'on ne veut être aimé de personne. L'on voudrait qu'elles sussent qu'il n'y a point de beauté, dans quelque rang qu'elle pût être, que l'on ne regardât avec indifférence, et qu'il 435 n'y a point de couronne que l'on voulût acheter au prix de ne les voir jamais. Les femmes jugent d'ordinaire de la passion qu'on a pour elles, continua-t-il, par le soin qu'on prend de leur plaire et de les chercher, mais ce n'est pas une chose difficile pour peu qu'elles soient aimables ; ce qui est difficile, c'est de ne s'abandonner pas au 440 plaisir de les suivre, c'est de les éviter, par la peur de laisser paraître au public, et quasi à elles-mêmes, les sentiments que l'on a pour elles. Et ce qui marque encore mieux un véritable attachement, c'est de devenir entièrement opposé à ce que l'on était, et de n'avoir plus d'ambition, ni de plaisir, après avoir été toute sa vie occupé de l'un 445 et de l'autre. »

Mme de Clèves entendait aisément la part qu'elle avait à ces paroles. Il lui semblait qu'elle devait y répondre et ne les pas souffrir. Il lui semblait aussi qu'elle ne devait pas les entendre, ni témoigner qu'elle les prît pour elle. Elle croyait devoir parler et croyait ne 450 devoir rien dire. Le discours de M. de Nemours lui plaisait et l'offensait quasi également ; elle y voyait la confirmation de tout ce que lui avait fait penser Mme la Dauphine ; elle y trouvait quelque chose de galant et de respectueux, mais aussi quelque chose de hardi et de trop intelligible. L'inclination qu'elle avait pour ce prince lui donnait 455 un trouble dont elle n'était pas maîtresse. Les paroles les plus obscures d'un homme qui plaît donnent plus d'agitation que les déclarations ouvertes d'un homme qui ne plaît pas. Elle demeurait donc sans répondre et M. de Nemours se fût aperçu de son silence, dont il n'aurait peut-être pas tiré de mauvais présages, si l'arrivée de M. de 460 Clèves n'eût fini la conversation et sa visite.

Ce prince venait conter à sa femme des nouvelles de Sancerre, mais elle n'avait pas une grande curiosité pour la suite de cette aventure. Elle était si occupée de ce qui venait de se passer, qu'à peine pouvait-elle cacher la distraction de son esprit. Quand elle fut en liberté de rêver, elle connut bien qu'elle s'était trompée lorsqu'elle avait cru n'avoir plus que de l'indifférence pour M. de Nemours. Ce qu'il lui avait dit avait fait toute l'impression qu'il pouvait souhaiter et l'avait entièrement persuadée de sa passion. Les actions de ce prince s'accordaient trop bien avec ses paroles pour laisser quelque doute à cette princesse. Elle ne se flatta plus de l'espérance de ne le pas aimer, elle songea seulement à ne lui en donner jamais aucune marque. C'était une entreprise difficile dont elle connaissait déjà les peines ; elle savait que le seul moyen d'y réussir était d'éviter la présence de ce prince, et comme son deuil lui donnait lieu d'être plus retirée que de coutume, elle se servit de ce prétexte pour n'aller plus dans les lieux où il la pouvait voir. Elle était dans une tristesse profonde ; la mort de sa mère en paraissait la cause, et l'on n'en cherchait point d'autre.

M. de Nemours était désespéré de ne la voir presque plus, et, sachant qu'il ne la trouverait dans aucune assemblée et dans aucun des divertissements où était toute la cour, il ne pouvait se résoudre d'y paraître ; il feignit une passion grande pour la chasse, et il en faisait des parties les mêmes jours qu'il y avait des assemblées chez les reines. Une légère maladie lui servit longtemps de prétexte pour demeurer chez lui et pour éviter d'aller dans tous les lieux où il savait bien que Mme de Clèves ne serait pas.

M. de Clèves fut malade à peu près dans le même temps. Mme de Clèves ne sortit point de sa chambre pendant son mal, mais quand il se porta mieux, qu'il vit du monde, et entre autres M. de Nemours qui, sur le prétexte d'être encore faible, y passait la plus grande partie du jour, elle trouva qu'elle n'y pouvait plus demeurer ; elle n'eut pas néanmoins la force d'en sortir les premières fois qu'il y vint. Il y avait trop longtemps qu'elle ne l'avait vu, pour se résoudre à ne le voir pas. Ce prince trouva le moyen de lui faire entendre par des discours qui ne semblaient que généraux, mais qu'elle entendait néanmoins parce qu'ils avaient du rapport à ce qu'il lui avait dit chez elle, qu'il allait à la chasse pour rêver et qu'il n'allait point aux assemblées parce qu'elle n'y était pas.

Elle exécuta enfin la résolution qu'elle avait prise de sortir de chez son mari lorsqu'il y serait ; ce fut toutefois en se faisant une extrême violence. Ce prince vit bien qu'elle le fuyait, et en fut sensiblement touché.

M. de Clèves ne prit pas garde d'abord à la conduite de sa femme, mais enfin il s'aperçut qu'elle ne voulait pas être dans sa chambre
505 lorsqu'il y avait du monde. Il lui en parla, et elle lui répondit qu'elle ne croyait pas que la bienséance voulût qu'elle fût tous les soirs avec ce qu'il y avait de plus jeune à la cour ; qu'elle le suppliait de trouver bon qu'elle fît une vie plus retirée qu'elle n'avait accoutumé ; que la vertu et la présence de sa mère autorisaient beaucoup de choses
510 qu'une femme de son âge ne pouvait soutenir.

M. de Clèves, qui avait naturellement beaucoup de douceur et de complaisance pour sa femme, n'en eut pas en cette occasion, et il lui dit qu'il ne voulait pas absolument qu'elle changeât de conduite. Elle fut prête de lui dire que le bruit était[1] dans le monde que M. de
515 Nemours était amoureux d'elle, mais elle n'eut pas la force de le nommer. Elle sentit aussi de la honte de se vouloir servir d'une fausse raison et de déguiser la vérité à un homme qui avait si bonne opinion d'elle.

Quelques jours après, le roi était chez la reine à l'heure du cercle ;
520 l'on parla des horoscopes et des prédictions. Les opinions étaient partagées sur la croyance que l'on y devait donner. La reine y ajoutait beaucoup de foi ; elle soutint qu'après tant de choses qui avaient été prédites, et que l'on avait vu arriver, on ne pouvait douter qu'il n'y eût quelque certitude dans cette science. D'autres soutenaient
525 que, parmi ce nombre infini de prédictions, le peu qui se trouvait véritable faisait bien voir que ce n'était qu'un effet du hasard.

« J'ai eu autrefois beaucoup de curiosité pour l'avenir, dit le roi ; mais on m'a dit tant de choses fausses et si peu vraisemblables, que je suis demeuré convaincu que l'on ne peut rien savoir de véritable.
530 Il y a quelques années qu'il vint ici un homme d'une grande réputation dans l'astrologie. Tout le monde l'alla voir ; j'y allai comme les autres, mais sans lui dire qui j'étais, et je menai MM. de Guise et d'Escars ; je les fis passer les premiers. L'astrologue néanmoins s'adressa d'abord à moi, comme s'il m'eût jugé le maître des autres.
535 Peut-être qu'il me connaissait ; cependant il me dit une chose qui ne me convenait pas, s'il m'eût connu. Il me prédit que je serais tué

1. **Le bruit était :** la rumeur courait.

en duel. Il dit ensuite à M. de Guise qu'il serait tué par derrière et à d'Escars qu'il aurait la tête cassée d'un coup de pied de cheval. M. de Guise s'offensa quasi de cette prédiction, comme si on l'eût accusé de devoir fuir. D'Escars ne fut guère satisfait de trouver qu'il devait finir par un accident si malheureux. Enfin nous sortîmes tous très mal contents de l'astrologue. Je ne sais ce qui arrivera à M. de Guise et à d'Escars, mais il n'y a guère d'apparence que je sois tué en duel. Nous venons de faire la paix, le roi d'Espagne et moi, et, quand nous ne l'aurions pas faite, je doute que nous nous battions, et que je le fisse appeler comme le roi mon père fit appeler Charles Quint. »

Après le malheur que le roi conta qu'on lui avait prédit, ceux qui avaient soutenu l'astrologie en abandonnèrent le parti et tombèrent d'accord qu'il n'y fallait donner aucune croyance.

« Pour moi, dit tout haut M. de Nemours, je suis l'homme du monde qui dois le moins y en avoir[1], et, se tournant vers Mme de Clèves, auprès de qui il était : On m'a prédit, lui dit-il tout bas, que je serais heureux par les bontés de la personne du monde pour qui j'aurais la plus violente et la plus respectueuse passion. Vous pouvez juger, madame, si je dois croire aux prédictions. »

Mme la Dauphine qui crut, par ce que M. de Nemours avait dit tout haut, que ce qu'il disait tout bas était quelque fausse prédiction qu'on lui avait faite, demanda à ce prince ce qu'il disait à Mme de Clèves. S'il eût eu moins de présence d'esprit, il eût été surpris de cette demande. Mais prenant la parole sans hésiter :

« Je lui disais, madame, répondit-il, que l'on m'a prédit que je serais élevé à une si haute fortune, que je n'oserais même y prétendre.

– Si l'on ne vous a fait que cette prédiction, repartit Mme la Dauphine en souriant, et pensant à l'affaire d'Angleterre, je ne vous conseille pas de décrier l'astrologie, et vous pourriez trouver des raisons pour la soutenir. »

Mme de Clèves comprit bien ce que voulait dire Mme la Dauphine ; mais elle entendait bien aussi que la fortune dont M. de Nemours voulait parler n'était pas d'être roi d'Angleterre.

Comme il y avait déjà assez longtemps de la mort de sa mère, il fallait qu'elle commençât à paraître dans le monde et à faire sa cour comme elle avait accoutumé. Elle voyait M. de Nemours chez

1. **Le moins y en avoir :** le moins y porter foi.

Mme la Dauphine, elle le voyait chez M. de Clèves, où il venait souvent avec d'autres personnes de qualité de son âge, afin de ne se pas faire remarquer ; mais elle ne le voyait plus qu'avec un trouble dont il s'apercevait aisément.

Quelque application qu'elle eût à éviter ses regards, et à lui parler moins qu'à un autre, il lui échappait de certaines choses qui partaient d'un premier mouvement, qui faisaient juger à ce prince qu'il ne lui était pas indifférent. Un homme moins pénétrant que lui ne s'en fût peut-être pas aperçu, mais il avait déjà été aimé tant de fois qu'il était difficile qu'il ne connût pas quand on l'aimait. Il voyait bien que le chevalier de Guise était son rival, et ce prince connaissait que M. de Nemours était le sien. Il était le seul homme de la cour qui eût démêlé cette vérité ; son intérêt l'avait rendu plus clairvoyant que les autres ; la connaissance qu'ils avaient de leurs sentiments leur donnait une aigreur qui paraissait en toutes choses, sans éclater néanmoins par aucun démêlé, mais ils étaient opposés en tout. Ils étaient toujours de différent parti dans les courses de bague, dans les combats, à la barrière et dans tous les divertissements où le roi s'occupait, et leur émulation était si grande qu'elle ne se pouvait cacher.

L'affaire d'Angleterre revenait souvent dans l'esprit de Mme de Clèves ; il lui semblait que M. de Nemours ne résisterait point aux conseils du roi et aux instances de Lignerolles. Elle voyait avec peine que ce dernier n'était point encore de retour, et elle l'attendait avec impatience. Si elle eût suivi ses mouvements, elle se serait informée avec soin de l'état de cette affaire, mais le même sentiment qui lui donnait de la curiosité, l'obligeait à la cacher et elle s'enquérait seulement de la beauté, de l'esprit et de l'humeur de la reine Élisabeth. On apporta un de ses portraits chez le roi, qu'elle trouva plus beau qu'elle n'avait envie de le trouver, et elle ne put s'empêcher de dire qu'il était flatté[1].

« Je ne le crois pas, reprit Mme la Dauphine, qui était présente ; cette princesse a la réputation d'être belle, et d'avoir un esprit fort au-dessus du commun, et je sais bien qu'on me l'a proposée toute ma vie pour exemple. Elle doit être aimable, si elle ressemble à Anne de Boulen, sa mère. Jamais femme n'a eu tant de charmes et

---

1. **Flatté :** flatteur.

tant d'agrément dans sa personne et dans son humeur. J'ai ouï dire
610 que son visage avait quelque chose de vif et de singulier, et qu'elle n'avait aucune ressemblance avec les autres beautés anglaises.

– Il me semble aussi, reprit Mme de Clèves, que l'on dit qu'elle était née en France.

– Ceux qui l'ont cru se sont trompés, répondit Mme la Dauphine, et
615 je vais vous conter son histoire en peu de mots.

Elle était d'une bonne maison d'Angleterre. Henri VIII avait été amoureux de sa sœur et de sa mère, et l'on a même soupçonné qu'elle était sa fille. Elle vint ici avec la sœur de Henri VII, qui épousa le roi Louis XII. Cette princesse, qui était jeune et galante,
620 eut beaucoup de peine à quitter la cour de France après la mort de son mari, mais Anne de Boulen, qui avait les mêmes inclinations que sa maîtresse, ne se put résoudre à en partir. Le feu roi en était amoureux, et elle demeura fille d'honneur de la reine Claude. Cette reine mourut, et Mme Marguerite sœur du roi, duchesse d'Alençon,
625 et depuis reine de Navarre, dont vous avez vu les contes[1], la prit auprès d'elle, et elle prit auprès de cette princesse les teintures de la religion nouvelle. Elle retourna ensuite en Angleterre et y charma tout le monde ; elle avait les manières de France qui plaisent à toutes les nations ; elle chantait bien, elle dansait admirablement ;
630 on la mit fille de la reine Catherine d'Aragon, et le roi Henri VIII en devint éperdument amoureux.

Le cardinal de Wolsey, son favori et son premier ministre, avait prétendu au pontificat, et mal satisfait de l'Empereur, qui ne l'avait pas soutenu dans cette prétention, il résolut de s'en venger, et d'unir
635 le roi, son maître, à la France. Il mit dans l'esprit de Henri VIII que son mariage avec la tante de l'Empereur était nul et lui proposa d'épouser la duchesse d'Alençon, dont le mari venait de mourir. Anne de Boulen, qui avait de l'ambition, regarda ce divorce comme un chemin qui la pouvait conduire au trône. Elle commença à don-
640 ner au roi d'Angleterre des impressions de la religion de Luther et engagea le feu roi à favoriser à Rome le divorce de Henri, sur l'espérance du mariage de Mme d'Alençon. Le cardinal de Wolsey se fit

---

1. **Les contes :** Marguerite de Navarre est l'auteur de l'*Heptaméron*, célèbre recueil de contes publié en 1559.

députer[1] en France sur d'autres prétextes pour traiter cette affaire, mais son maître ne put se résoudre à souffrir qu'on en fît seulement 645 la proposition et il lui envoya un ordre, à Calais, de ne point parler de ce mariage.

Au retour de France, le cardinal de Wolsey fut reçu avec des honneurs pareils à ceux que l'on rendait au roi même ; jamais favori n'a porté l'orgueil et la vanité à un si haut point. Il ménagea une entre- 650 vue entre les deux rois, qui se fit à Boulogne. François Ier donna la main à Henri VIII, qui ne la voulait point recevoir. Ils se traitèrent tour à tour avec une magnificence extraordinaire, et se donnèrent des habits pareils à ceux qu'ils avaient fait faire pour eux-mêmes. Je me souviens d'avoir ouï dire que ceux que le feu roi envoya au 655 roi d'Angleterre étaient de satin cramoisi[2], chamarré en triangle, avec des perles et des diamants, et la robe de velours blanc bordé d'or. Après avoir été quelques jours à Boulogne, ils allèrent encore à Calais. Anne de Boulen était logée chez Henri VIII avec le train d'une reine, et François Ier lui fit les mêmes présents et lui rendit 660 les mêmes honneurs que si elle l'eût été. Enfin, après une passion de neuf années, Henri l'épousa sans attendre la dissolution de son premier mariage, qu'il demandait à Rome depuis longtemps. Le pape prononça les fulminations[3] contre lui avec précipitation et Henri en fut tellement irrité, qu'il se déclara chef de la religion, et entraîna 665 toute l'Angleterre dans le malheureux changement[4] où vous la voyez.

Anne de Boulen ne jouit pas longtemps de sa grandeur ; car, lorsqu'elle la croyait plus assurée par la mort de Catherine d'Aragon, un jour qu'elle assistait avec toute la cour à des courses de bague 670 que faisait le vicomte de Rochefort, son frère, le roi en fut frappé d'une telle jalousie, qu'il quitta brusquement le spectacle, s'en vint à Londres, et laissa ordre d'arrêter la reine, le vicomte de Rochefort et plusieurs autres, qu'il croyait amants ou confidents de cette princesse. Quoique cette jalousie parût née dans ce moment, il y avait

1. **Députer :** déléguer.
2. **Cramoisi :** rouge foncé.
3. **Fulminations :** dans le droit ecclésiastique, condamnations prononcées par le pape.
4. **Malheureux changement :** allusion au schisme anglican.

déjà quelque temps qu'elle lui avait été inspirée par la vicomtesse de Rochefort, qui, ne pouvant souffrir la liaison étroite de son mari avec la reine, la fit regarder au roi comme une amitié criminelle ; en sorte que ce prince, qui d'ailleurs était amoureux de Jeanne Seymour, ne songea qu'à se défaire d'Anne de Boulen. En moins de trois semaines, il fit faire le procès à cette reine et à son frère, leur fit couper la tête, et épousa Jeanne Seymour. Il eut ensuite plusieurs femmes, qu'il répudia, ou qu'il fit mourir, et entre autres Catherine Howard, dont la vicomtesse de Rochefort était confidente, et qui eut la tête coupée avec elle. Elle fut ainsi punie des crimes qu'elle avait supposés à[1] Anne de Boulen, et Henri VIII[2] mourut étant devenu d'une grosseur prodigieuse. »

Toutes les dames qui étaient présentes au récit de Mme la Dauphine, la remercièrent de les avoir si bien instruites de la cour d'Angleterre, et entre autres Mme de Clèves, qui ne put s'empêcher de lui faire encore plusieurs questions sur la reine Élisabeth.

La reine dauphine faisait faire des portraits en petit de toutes les belles personnes de la cour, pour les envoyer à la reine sa mère. Le jour qu'on achevait celui de Mme de Clèves, Mme la Dauphine vint passer l'après-dînée chez elle. M. de Nemours ne manqua pas de s'y trouver ; il ne laissait échapper aucune occasion de voir Mme de Clèves, sans laisser paraître néanmoins qu'il les cherchât. Elle était si belle, ce jour-là, qu'il en serait devenu amoureux quand il ne l'aurait pas été. Il n'osait pourtant avoir les yeux attachés sur elle pendant qu'on la peignait, et il craignait de laisser trop voir le plaisir qu'il avait à la regarder.

Mme la Dauphine demanda à M. de Clèves un petit portrait qu'il avait de sa femme, pour le voir auprès de celui que l'on achevait ; tout le monde dit son sentiment de l'un et de l'autre, et Mme de Clèves ordonna au peintre de raccommoder quelque chose à la coiffure de celui que l'on venait d'apporter. Le peintre, pour lui obéir, ôta le portrait de la boîte où il était, et, après y avoir travaillé, il le remit sur la table.

Il y avait longtemps que M. de Nemours souhaitait d'avoir le portrait de Mme de Clèves. Lorsqu'il vit celui qui était à M. de Clèves,

1. **Supposés à :** imputés calomnieusement à.
2. **Henri VIII :** Henri VIII est la source historique du personnage de Barbe-Bleue. Il eut huit épouses successives, qu'il répudia ou fit exécuter l'une après l'autre.

il ne put résister à l'envie de le dérober à un mari qu'il croyait ten-
710 drement aimé ; et il pensa que, parmi tant de personnes qui étaient dans ce même lieu, il ne serait pas soupçonné plutôt qu'un autre.

Mme la Dauphine était assise sur le lit, et parlait bas à Mme de Clèves, qui était debout devant elle. Mme de Clèves aperçut, par un des rideaux qui n'était qu'à demi fermé, M. de Nemours, le dos
715 contre la table, qui était au pied du lit, et elle vit que, sans tourner la tête, il prenait adroitement quelque chose sur cette table. Elle n'eut pas de peine à deviner que c'était son portrait, et elle en fut si troublée, que Mme la Dauphine remarqua qu'elle ne l'écoutait pas, et lui demanda tout haut ce qu'elle regardait. M. de Nemours se tourna
720 à ces paroles, il rencontra les yeux de Mme de Clèves, qui étaient encore attachés sur lui, et il pensa qu'il n'était pas impossible qu'elle eût vu ce qu'il venait de faire.

Mme de Clèves n'était pas peu embarrassée. La raison voulait qu'elle demandât son portrait, mais, en le demandant publiquement,
725 c'était apprendre à tout le monde les sentiments que ce prince avait pour elle, et, en le lui demandant en particulier, c'était quasi l'engager à lui parler de sa passion. Enfin elle jugea qu'il valait mieux le lui laisser, et elle fut bien aise de lui accorder une faveur qu'elle lui pouvait faire, sans qu'il sût même qu'elle la lui faisait. M. de
730 Nemours, qui remarquait son embarras, et qui en devinait quasi la cause s'approcha d'elle, et lui dit tout bas :

« Si vous avez vu ce que j'ai osé faire, ayez la bonté, madame, de me laisser croire que vous l'ignorez, je n'ose vous en demander davantage. » Et il se retira après ces paroles, et n'attendit point sa
735 réponse.

Mme la Dauphine sortit pour s'aller promener, suivie de toutes les dames, et M. de Nemours alla se renfermer chez lui, ne pouvant soutenir en public la joie d'avoir un portrait de Mme de Clèves. Il sentait tout ce que la passion peut faire sentir de plus agréable ; il aimait la
740 plus aimable personne de la cour, il s'en faisait aimer malgré elle, et il voyait dans toutes ses actions cette sorte de trouble et d'embarras que cause l'amour dans l'innocence de la première jeunesse.

Le soir, on chercha ce portrait avec beaucoup de soin ; comme on trouvait la boîte où il devait être, l'on ne soupçonna point qu'il eût
745 été dérobé, et l'on crut qu'il était tombé par hasard. M. de Clèves était affligé de cette perte, et, après qu'on eut encore cherché inutilement,

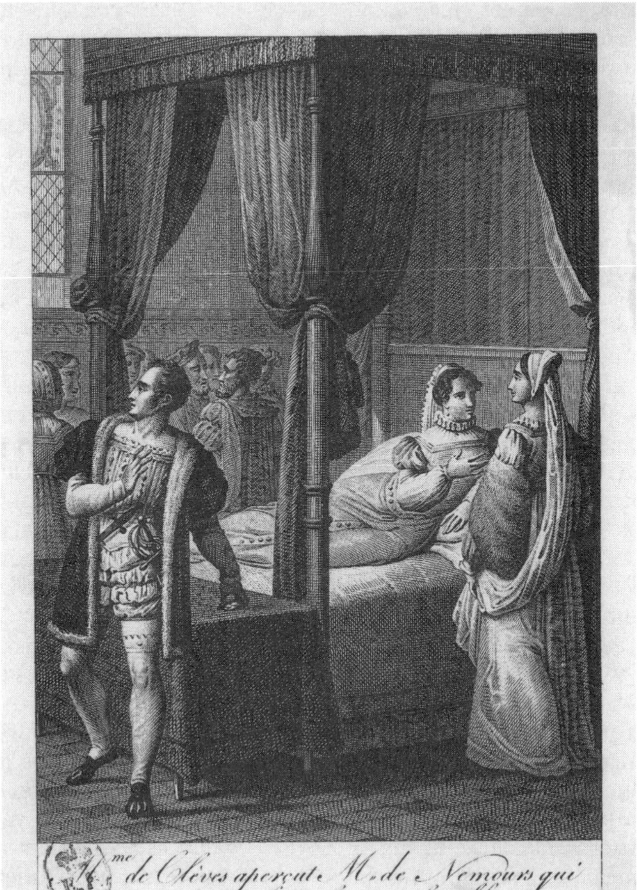

Mme de Clèves aperçut M. de Nemours qui
prenait quelque chose sur la table.

Dessiné par Choquet. Gravé par Bovinet.

« Madame de Clèves aperçut Monsieur de Nemours
qui prenait quelque chose sur la table. »
Gravure.

il dit à sa femme, mais d'une manière qui faisait voir qu'il ne le pensait pas, qu'elle avait sans doute quelque amant caché à qui elle avait donné ce portrait ou qui l'avait dérobé, et qu'un autre qu'un
750 amant ne se serait pas contenté de la peinture sans la boîte.

Ces paroles, quoique dites en riant, firent une vive impression dans l'esprit de Mme de Clèves. Elles lui donnèrent des remords, elle fit réflexion à la violence de l'inclination qui l'entraînait vers M. de Nemours, elle trouva qu'elle n'était plus maîtresse de ses paroles
755 et de son visage ; elle pensa que Lignerolles était revenu ; qu'elle ne craignait plus l'affaire d'Angleterre ; qu'elle n'avait plus de soupçons sur Mme la Dauphine ; qu'enfin il n'y avait plus rien qui la pût défendre et qu'il n'y avait de sûreté pour elle qu'en s'éloignant. Mais comme elle n'était pas maîtresse de s'éloigner, elle se trouvait dans
760 une grande extrémité et prête à tomber dans ce qui lui paraissait le plus grand des malheurs, qui était de laisser voir à M. de Nemours l'inclination qu'elle avait pour lui. Elle se souvenait de tout ce que Mme de Chartres lui avait dit en mourant et des conseils qu'elle lui avait donnés de prendre toutes sortes de partis, quelque difficiles
765 qu'ils pussent être, plutôt que de s'embarquer dans une galanterie. Ce que M. de Clèves lui avait dit sur la sincérité, en parlant de Mme de Tournon, lui revint dans l'esprit ; il lui sembla qu'elle lui devait avouer l'inclination qu'elle avait pour M. de Nemours. Cette pensée l'occupa longtemps ; ensuite elle fut étonnée de l'avoir eue,
770 elle y trouva de la folie, et retomba dans l'embarras de ne savoir quel parti prendre.

La paix était signée[1] ; Mme Élisabeth, après beaucoup de répugnance, s'était résolue à obéir au roi son père. Le duc d'Albe avait été nommé pour venir l'épouser au nom du roi catholique, et il
775 devait bientôt arriver. L'on attendait le duc de Savoie, qui venait épouser Madame, sœur du roi, et dont les noces se devaient faire en même temps. Le roi ne songeait qu'à rendre ces noces célèbres par des divertissements où il pût faire paraître l'adresse et la magnificence de sa cour. On proposa tout ce qui se pouvait faire de plus
780 grand pour des ballets et des comédies, mais le roi trouva ces diver-

1. **La paix était signée** : il s'agit de la paix de Cateau-Cambrésis, signée le 3 avril 1659.

tissements trop particuliers[1], et il en voulut d'un plus grand éclat. Il résolut de faire un tournoi, où les étrangers seraient reçus, et dont le peuple pourrait être spectateur. Tous les princes et les jeunes seigneurs entrèrent avec joie dans le dessein du roi, et surtout le duc 785 de Ferrare, M. de Guise et M. de Nemours, qui surpassaient tous les autres dans ces sortes d'exercices. Le roi les choisit pour être avec lui les quatre tenants du tournoi.

L'on fit publier par tout le royaume, qu'en la ville de Paris le pas était ouvert[2] au quinzième juin, par Sa Majesté Très-Chrétienne, et 790 par les princes Alphonse d'Este, duc de Ferrare, François de Lorraine, duc de Guise, et Jacques de Savoie, duc de Nemours pour être tenu contre tous venants[3], à commencer le premier combat, à cheval en lice[4], en double pièce[5], quatre coups de lance et un pour les dames ; le deuxième combat, à coups d'épée, un à un, ou deux à deux, à 795 la volonté des maîtres du camp ; le troisième combat à pied, trois coups de pique et six coups d'épée ; que les tenants[6] fourniraient de lances, d'épées et de piques, au choix des assaillants ; et que, si en courant on donnait au cheval[7], on serait mis hors des rangs ; qu'il y aurait quatre maîtres de camp[8] pour donner les ordres, et que ceux 800 des assaillants qui auraient le plus rompu[9] et le mieux fait, auraient un prix dont la valeur serait à la discrétion des juges ; que tous les assaillants, tant français qu'étrangers, seraient tenus de venir toucher à l'un des écus qui seraient pendus au perron au bout de la lice, ou à plusieurs, selon leur choix ; que là ils trouveraient un officier 805 d'armes, qui les recevrait pour les enrôler selon leur rang et selon les écus[10] qu'ils auraient touchés ; que les assaillants seraient tenus de

1. **Particuliers :** modestes.
2. **Le pas était ouvert :** le pas est un lieu de passage défendu par un chevalier (« tenant », voir ligne *796*) et que son adversaire (« venant », voir ligne *792*) doit essayer de prendre.
3. **Venants :** voir note précédente.
4. **Lice :** le champ clos du tournoi.
5. **Double pièce :** armure en deux parties.
6. **Tenants :** voir note 2 ci-dessus.
7. **On donnait au cheval :** on piquait le cheval avec l'éperon.
8. **Maîtres de camp :** personnes qui dirigent le tournoi.
9. **Rompu :** rompu une lance, d'où : affronté un adversaire en combat singulier.
10. **Écus :** boucliers.

faire apporter par un gentilhomme leur écu, avec leurs armes, pour le pendre au perron trois jours avant le commencement du tournoi ; qu'autrement, ils n'y seraient point reçus sans le congé[1] des tenants.

810 On fit faire une grande lice proche de la Bastille, qui venait du château des Tournelles, qui traversait la rue Saint-Antoine, et qui allait rendre aux écuries royales. Il y avait des deux côtés des échafauds[2] et des amphithéâtres, avec des loges couvertes qui formaient des espèces de galeries qui faisaient un très bel effet à la vue et qui 815 pouvaient contenir un nombre infini de personnes. Tous les princes et seigneurs ne furent plus occupés que du soin d'ordonner ce qui leur était nécessaire pour paraître avec éclat et pour mêler, dans leurs chiffres ou dans leurs devises, quelque chose de galant qui eût rapport aux personnes qu'ils aimaient.

820 Peu de jours avant l'arrivée du duc d'Albe, le roi fit une partie de paume avec M. de Nemours, le chevalier de Guise et le vidame de Chartres. Les reines les allèrent voir jouer, suivies de toutes les dames, et entre autres, de Mme de Clèves. Après que la partie fut finie, comme l'on sortait du jeu de paume, Chastelart s'approcha de 825 la reine dauphine, et lui dit que le hasard lui venait de mettre entre les mains une lettre de galanterie qui était tombée de la poche de M. de Nemours. Cette reine, qui avait toujours de la curiosité pour ce qui regardait ce prince, dit à Chastelart de la lui donner ; elle la prit et suivit la reine sa belle-mère, qui s'en allait avec le roi voir 830 travailler à la lice. Après que l'on y eût été quelque temps, le roi fit amener des chevaux qu'il avait fait venir depuis peu. Quoiqu'ils ne fussent pas encore dressés, il les voulut monter, et en fit donner à tous ceux qui l'avaient suivi. Le roi et M. de Nemours se trouvèrent sur les plus fougueux ; ces chevaux se voulurent jeter l'un à l'autre. 835 M. de Nemours, par la crainte de blesser le roi, recula brusquement et porta son cheval contre un pilier du manège, avec tant de violence que la secousse le fit chanceler. On courut à lui, et on le crut considérablement blessé. Mme de Clèves le crut encore plus blessé que les autres. L'intérêt qu'elle y prenait lui donna une appréhen-840 sion et un trouble qu'elle ne songea pas à cacher ; elle s'approcha

1. **Congé :** permission.
2. **Échafauds :** gradins en bois dressés pour permettre aux spectateurs d'assister à une cérémonie.

de lui avec les reines, et avec un visage si changé, qu'un homme moins intéressé que le chevalier de Guise s'en fût aperçu ; aussi le remarqua-t-il aisément, et il eut bien plus d'attention à l'état où était Mme de Clèves qu'à celui où était M. de Nemours. Le coup que 845 ce prince s'était donné lui causa un si grand éblouissement[1], qu'il demeura quelque temps la tête penchée sur ceux qui le soutenaient. Quand il la releva, il vit d'abord Mme de Clèves ; il connut sur son visage la pitié qu'elle avait de lui, et il la regarda d'une sorte qui put lui faire juger combien il en était touché. Il fit ensuite des remer- 850 ciements aux reines de la bonté qu'elles lui témoignaient, et des excuses de l'état où il avait été devant elles. Le roi lui ordonna de s'aller reposer.

Mme de Clèves, après s'être remise de la frayeur qu'elle avait eue, fit bientôt réflexion aux marques qu'elle en avait données. Le che- 855 valier de Guise ne la laissa pas longtemps dans l'espérance que personne ne s'en serait aperçu ; il lui donna la main pour la conduire hors de la lice.

« Je suis plus à plaindre que M. de Nemours, madame, lui dit-il ; pardonnez-moi si je sors de ce profond respect que j'ai toujours eu 860 pour vous, et si je vous fais paraître la vive douleur que je sens de ce que je viens de voir ; c'est la première fois que j'ai été assez hardi pour vous parler, et ce sera aussi la dernière. La mort, ou du moins un éloignement éternel, m'ôteront d'un lieu où je ne puis plus vivre, puisque je viens de perdre la triste consolation de croire que tous 865 ceux qui osent vous regarder sont aussi malheureux que moi. »

Mme de Clèves ne répondit que quelques paroles mal arrangées, comme si elle n'eût pas entendu ce que signifiaient celles du chevalier de Guise. Dans un autre temps elle aurait été offensée qu'il lui eût parlé des sentiments qu'il avait pour elle, mais dans ce moment 870 elle ne sentit que l'affliction de voir qu'il s'était aperçu de ceux qu'elle avait pour M. de Nemours. Le chevalier de Guise en fut si convaincu et si pénétré de douleur que, dès ce jour, il prit la résolution de ne penser jamais à être aimé de Mme de Clèves. Mais pour quitter cette entreprise, qui lui avait paru si difficile et si glorieuse, il 875 en fallait quelque autre dont la grandeur pût l'occuper. Il se mit dans l'esprit de prendre Rhodes, dont il avait déjà eu quelque pensée, et,

1. **Éblouissement :** étourdissement.

quand la mort l'ôta du monde dans la fleur de sa jeunesse et dans le temps qu'il avait acquis la réputation d'un des plus grands princes de son siècle, le seul regret qu'il témoigna de quitter la vie, fut de
880 n'avoir pu exécuter une si belle résolution, dont il croyait le succès infaillible par tous les soins qu'il en avait pris.

Mme de Clèves, en sortant de la lice, alla chez la reine, l'esprit bien occupé de ce qui s'était passé. M. de Nemours y vint peu de temps après, habillé magnifiquement, et comme un homme qui ne
885 se sentait pas de[1] l'accident qui lui était arrivé. Il paraissait même plus gai que de coutume ; et la joie de ce qu'il croyait avoir vu lui donnait un air qui augmentait encore son agrément. Tout le monde fut surpris lorsqu'il entra, et il n'y eut personne qui ne lui demandât de ses nouvelles, excepté Mme de Clèves, qui demeura auprès de la
890 cheminée sans faire semblant de le voir. Le roi sortit d'un cabinet où il était et, le voyant parmi les autres, il l'appela pour lui parler de son aventure. M. de Nemours passa auprès de Mme de Clèves et lui dit tout bas :

« J'ai reçu aujourd'hui des marques de votre pitié, madame ; mais
895 ce n'est pas de celles dont je suis le plus digne. »

Mme de Clèves s'était bien doutée que ce prince s'était aperçu de la sensibilité qu'elle avait eue pour lui, et ses paroles lui firent voir qu'elle ne s'était pas trompée. Ce lui était une grande douleur de voir qu'elle n'était plus maîtresse de cacher ses sentiments et de les
900 avoir laissé paraître au chevalier de Guise. Elle en avait aussi beaucoup que M. de Nemours les connût ; mais cette dernière douleur n'était pas si entière, et elle était mêlée de quelque sorte de douceur.

La reine dauphine, qui avait une extrême impatience de savoir ce qu'il y avait dans la lettre que Chastelart lui avait donnée, s'appro-
905 cha de Mme de Clèves :

« Allez lire cette lettre, lui dit-elle, elle s'adresse à M. de Nemours et, selon les apparences, elle est de cette maîtresse pour qui il a quitté toutes les autres. Si vous ne la pouvez lire présentement, gardez-la ; venez ce soir à mon coucher pour me la rendre et pour me dire
910 si vous en connaissez l'écriture. »

Mme la Dauphine quitta Mme de Clèves après ces paroles et la laissa si étonnée et dans un si grand saisissement qu'elle fut quelque

1. **Ne se sentait pas de :** ne souffrait pas de.

temps sans pouvoir sortir de sa place. L'impatience et le trouble où elle était ne lui permirent pas de demeurer chez la reine ; elle s'en
915 alla chez elle ; quoiqu'il ne fût pas l'heure où elle avait accoutumé de se retirer. Elle tenait cette lettre avec une main tremblante ; ses pensées étaient si confuses, qu'elle n'en avait aucune distincte, et elle se trouvait dans une sorte de douleur insupportable, qu'elle ne connaissait point et qu'elle n'avait jamais sentie. Sitôt qu'elle fut dans
920 son cabinet, elle ouvrit cette lettre, et la trouva telle :

LETTRE

Je vous ai trop aimé pour vous laisser croire que le changement qui vous paraît en moi soit un effet de ma légèreté ; je veux vous apprendre que votre infidélité en est la cause. Vous êtes bien surpris
925 *que je vous parle de votre infidélité ; vous me l'aviez cachée avec tant d'adresse, et j'ai pris tant de soin de vous cacher que je la savais, que vous avez raison d'être étonné qu'elle me soit connue. Je suis surprise moi-même, que j'aie pu ne vous en rien faire paraître. Jamais douleur n'a été pareille à la mienne. Je croyais que vous aviez pour moi une*
930 *passion violente ; je ne vous cachais plus celle que j'avais pour vous, et dans le temps que je vous la laissais voir tout entière, j'appris que vous me trompiez, que vous en aimiez une autre, et que, selon toutes les apparences, vous me sacrifiez à cette nouvelle maîtresse. Je le sus le jour de la course de bague ; c'est ce qui fit que je n'y allai point. Je*
935 *feignis d'être malade pour cacher le désordre de mon esprit, mais je le devins en effet, et mon corps ne put supporter une si violente agitation. Quand je commençai à me porter mieux, je feignis encore d'être fort mal, afin d'avoir un prétexte de ne vous point voir et de ne vous point écrire. Je voulus avoir du temps pour résoudre de quelle sorte j'en*
940 *devais user avec vous ; je pris et je quittai vingt fois les mêmes résolutions, mais enfin je vous trouvai indigne de voir ma douleur, et je résolus de ne vous la point faire paraître. Je voulus blesser votre orgueil en vous faisant voir que ma passion s'affaiblissait d'elle-même. Je crus diminuer par là le prix du sacrifice que vous en faisiez, je ne voulus*
945 *pas que vous eussiez le plaisir de montrer combien je vous aimais pour en paraître plus aimable. Je résolus de vous écrire des lettres tièdes et languissantes pour jeter dans l'esprit de celle à qui vous les donniez que l'on cessait de vous aimer. Je ne voulus pas qu'elle eût le plaisir d'apprendre que je savais qu'elle triomphait de moi, ni augmenter son*

triomphe par mon désespoir et par mes reproches. Je pensai que je ne vous punirais pas assez en rompant avec vous et que je ne vous donnerais qu'une légère douleur si je cessais de vous aimer lorsque vous ne m'aimiez plus. Je trouvai qu'il fallait que vous m'aimassiez pour sentir le mal de n'être point aimé, que j'éprouvais si cruellement. Je crus que, si quelque chose pouvait rallumer les sentiments que vous aviez eus pour moi, c'était de vous faire voir que les miens étaient changés, mais de vous le faire voir en feignant de vous le cacher, et comme si je n'eusse pas eu la force de vous l'avouer. Je m'arrêtai à cette résolution, mais qu'elle me fut difficile à prendre, et qu'en vous revoyant elle me parut impossible à exécuter ! Je fus prête cent fois à éclater par mes reproches et par mes pleurs ; l'état où j'étais encore par ma santé me servit à vous déguiser mon trouble et mon affliction. Je fus soutenue ensuite par le plaisir de dissimuler avec vous, comme vous dissimuliez avec moi ; néanmoins, je me faisais une si grande violence pour vous dire et pour vous écrire que je vous aimais, que vous vîtes plus tôt que je n'avais eu dessein de vous laisser voir, que mes sentiments étaient changés. Vous en fûtes blessé ; vous vous en plaignîtes. Je tâchai de vous rassurer, mais c'était d'une manière si forcée, que vous en étiez encore mieux persuadé que je ne vous aimais plus. Enfin, je fis tout ce que j'avais eu intention de faire. La bizarrerie de votre cœur vous fit revenir vers moi, à mesure que vous voyiez que je m'éloignais de vous. J'ai joui de tout le plaisir que peut donner la vengeance ; il m'a paru que vous m'aimiez mieux que vous n'aviez jamais fait, et je vous ai fait voir que je ne vous aimais plus. J'ai eu lieu de croire que vous aviez entièrement abandonné celle pour qui vous m'aviez quittée. J'ai eu aussi des raisons pour être persuadée que vous ne lui aviez jamais parlé de moi, mais votre retour et votre discrétion n'ont pu réparer votre légèreté. Votre cœur a été partagé entre moi et une autre, vous m'avez trompée ; cela suffit pour m'ôter le plaisir d'être aimée de vous, comme je croyais mériter de l'être, et pour me laisser dans cette résolution que j'ai prise de ne vous voir jamais, et dont vous êtes si surpris.

Mme de Clèves lut cette lettre et la relut plusieurs fois, sans savoir néanmoins ce qu'elle avait lu. Elle voyait seulement que M. de Nemours ne l'aimait pas comme elle l'avait pensé, et qu'il en aimait d'autres qu'il trompait comme elle. Quelle vue et quelle connaissance pour une personne de son humeur, qui avait une passion violente, qui venait d'en donner des marques à un homme qu'elle en jugeait indigne, et à un autre qu'elle maltraitait pour l'amour de lui ! Jamais affliction n'a été si piquante et si vive ; il lui semblait que ce qui faisait l'aigreur de cette affliction était ce qui s'était passé dans cette journée et que, si M. de Nemours n'eût point eu lieu de croire qu'elle l'aimait, elle ne se fût pas souciée qu'il en eût aimé une autre. Mais elle se trompait elle-même ; et ce mal, qu'elle trouvait si insupportable, était la jalousie avec toutes les horreurs dont elle peut être accompagnée. Elle voyait par cette lettre que M. de Nemours avait une galanterie depuis longtemps. Elle trouvait que celle qui avait écrit la lettre avait de l'esprit et du mérite ; elle lui paraissait digne d'être aimée ; elle lui trouvait plus de courage qu'elle ne s'en trouvait à elle-même et elle enviait la force qu'elle avait eue de cacher ses sentiments à M. de Nemours. Elle voyait, par la fin de la lettre, que cette personne se croyait aimée ; elle pensait que la discrétion que ce prince lui avait fait paraître, et dont elle avait été si touchée, n'était peut-être que l'effet de la passion qu'il avait pour cette autre personne à qui il craignait de déplaire. Enfin elle pensait tout ce qui pouvait augmenter son affliction et son désespoir. Quels retours ne fit-elle point sur elle-même ! Quelles réflexions sur les conseils que sa mère lui avait donnés ! Combien se repentit-elle de ne s'être pas opiniâtrée à se séparer du commerce du monde, malgré M. de Clèves, ou de n'avoir pas suivi la pensée qu'elle avait eue de lui avouer l'inclination qu'elle avait pour M. de Nemours ! Elle trouvait qu'elle aurait mieux fait de la découvrir à un mari dont elle connaissait la bonté, et qui aurait eu intérêt à la cacher, que de la laisser voir à un homme qui en était indigne, qui la trompait, qui la sacrifiait peut-être, et qui ne pensait à être aimé d'elle que par un sentiment d'orgueil et de vanité. Enfin, elle trouva que tous les maux qui lui pouvaient arriver, et toutes les extrémités où elle se pouvait porter étaient moindres que d'avoir laissé voir à M. de Nemours qu'elle l'aimait et de connaître qu'il en aimait une autre. Tout ce qui la consolait était de penser au moins, qu'après cette connaissance, elle n'avait plus rien à craindre d'elle-même, et qu'elle serait entièrement guérie de l'inclination qu'elle avait pour ce prince.

Elle ne pensa guère à l'ordre que Mme la Dauphine lui avait donné de se trouver à son coucher ; elle se mit au lit et feignit de se trouver mal, en sorte que, quand M. de Clèves revint de chez le roi, on lui dit qu'elle était endormie ; mais elle était bien éloignée de la tranquillité qui conduit au sommeil. Elle passa la nuit sans faire autre chose que s'affliger et relire la lettre qu'elle avait entre les mains.

Mme de Clèves n'était pas la seule personne dont cette lettre troublait le repos. Le vidame de Chartres, qui l'avait perdue, et non pas M. de Nemours, en était dans une extrême inquiétude ; il avait passé tout le soir chez M. de Guise, qui avait donné un grand souper au duc de Ferrare, son beau-frère, et à toute la jeunesse de la cour. Le hasard fit qu'en soupant on parla de jolies lettres. Le vidame de Chartres dit qu'il en avait une sur lui, plus jolie que toutes celles qui avaient jamais été écrites. On le pressa de la montrer, il s'en défendit. M. de Nemours lui soutint qu'il n'en avait point et qu'il ne parlait que par vanité. Le vidame lui répondit qu'il poussait sa discrétion à bout, que néanmoins il ne montrerait pas la lettre, mais qu'il en lirait quelques endroits, qui feraient juger que peu d'hommes en recevaient de pareilles. En même temps, il voulut prendre cette lettre, et ne la trouva point ; il la chercha inutilement, on lui en fit la guerre[1], mais il parut si inquiet, que l'on cessa de lui en parler. Il se retira plus tôt que les autres, et s'en alla chez lui avec impatience, pour voir s'il n'y avait point laissé la lettre qui lui manquait. Comme il la cherchait encore, un premier valet de chambre de la reine le vint trouver pour lui dire que la vicomtesse d'Uzès avait cru nécessaire de l'avertir en diligence que l'on avait dit chez la reine qu'il était tombé une lettre de galanterie de sa poche pendant qu'il était au jeu de paume ; que l'on avait raconté une grande partie de ce qui était dans la lettre ; que la reine avait témoigné beaucoup de curiosité de la voir ; qu'elle l'avait envoyé demander à un de ses gentilshommes servants, mais qu'il avait répondu qu'il l'avait laissée entre les mains de Chastelart.

Le premier valet de chambre dit encore beaucoup d'autres choses au vidame de Chartres, qui achevèrent de lui donner un grand trouble. Il sortit à l'heure même pour aller chez un gentilhomme qui était ami intime de Chastelart ; il le fit lever, quoique l'heure fût extraordinaire, pour aller demander cette lettre, sans dire qui était celui qui la demandait et qui l'avait perdue. Chastelart, qui avait l'esprit prévenu qu'elle était à M. de Nemours, et que ce prince était amoureux de Mme la Dauphine, ne douta point que ce ne fût lui qui la faisait redemander. Il répondit, avec une maligne joie, qu'il avait remis la

1. **On lui en fit la guerre :** on le lui reprocha.

lettre entre les mains de la reine dauphine. Le gentilhomme vint faire cette réponse au vidame de Chartres. Elle augmenta l'inquiétude qu'il avait déjà, et y en joignit encore de nouvelles ; après avoir été
1065 longtemps irrésolu sur ce qu'il devait faire, il trouva qu'il n'y avait que M. de Nemours qui pût lui aider à sortir de l'embarras où il était.

Il s'en alla chez lui et entra dans sa chambre que le jour ne commençait qu'à paraître. Ce prince dormait d'un sommeil tranquille ; ce qu'il avait vu, le jour précédent, de Mme de Clèves, ne lui avait
1070 donné que des idées agréables. Il fut bien surpris de se voir éveillé par le vidame de Chartres ; et il lui demanda si c'était pour se venger de ce qu'il lui avait dit pendant le souper, qu'il venait troubler son repos. Le vidame lui fit bien juger par son visage qu'il n'y avait rien que de sérieux au sujet qui l'amenait.

1075 « Je viens vous confier la plus importante affaire de ma vie, lui dit-il. Je sais bien que vous ne m'en devez pas être obligé, puisque c'est dans un temps où j'ai besoin de votre secours, mais je sais bien aussi que j'aurais perdu de votre estime si je vous avais appris tout ce que je vais vous dire, sans que la nécessité m'y eût contraint. J'ai
1080 laissé tomber cette lettre dont je parlais hier au soir ; il m'est d'une conséquence extrême que personne ne sache qu'elle s'adresse à moi. Elle a été vue de beaucoup de gens qui étaient dans le jeu de paume où elle tomba hier ; vous y étiez aussi et je vous demande en grâce de vouloir bien dire que c'est vous qui l'avez perdue.

1085 – Il faut que vous croyiez que je n'ai point de maîtresse, reprit M. de Nemours en souriant, pour me faire une pareille proposition et pour vous imaginer qu'il n'y ait personne avec qui je me puisse brouiller en laissant croire que je reçois de pareilles lettres.

– Je vous prie, dit le vidame, écoutez-moi sérieusement. Si vous avez
1090 une maîtresse, comme je n'en doute point, quoique je ne sache pas qui elle est, il vous sera aisé de vous justifier, et je vous en donnerai les moyens infaillibles ; quand vous ne vous justifieriez pas auprès d'elle, il ne vous en peut coûter que d'être brouillé pour quelques moments. Mais moi, par cette aventure, je déshonore une personne
1095 qui m'a passionnément aimé, et qui est une des plus estimables femmes du monde, et, d'un autre côté, je m'attire une haine implacable, qui me coûtera ma fortune, et peut-être quelque chose de plus.

– Je ne puis entendre tout ce que vous me dites répondit M. de Nemours ; mais vous me faites entrevoir que les bruits qui ont couru de l'intérêt qu'une grande princesse prenait à vous ne sont pas entièrement faux.

– Ils ne le sont pas aussi, repartit le vidame de Chartres ; et plût à Dieu qu'ils le fussent, je ne me trouverais pas dans l'embarras où je me trouve, mais il faut vous raconter tout ce qui s'est passé, pour vous faire voir tout ce que j'ai à craindre.

Depuis que je suis à la cour, la reine m'a toujours traité avec beaucoup de distinction et d'agrément, et j'avais eu lieu de croire qu'elle avait de la bonté pour moi[1] ; néanmoins, il n'y avait rien de particulier, et je n'avais jamais songé à avoir d'autres sentiments pour elle que ceux du respect. J'étais même fort amoureux de Mme de Thémines ; il est aisé de juger en la voyant, qu'on peut avoir beaucoup d'amour pour elle quand on en est aimé ; et je l'étais. Il y a près de deux ans que, comme la cour était à Fontainebleau, je me trouvai deux ou trois fois en conversation avec la reine, à des heures où il y avait très peu de monde. Il me parut que mon esprit lui plaisait, et qu'elle entrait dans tout ce que je disais. Un jour, entre autres, on se mit à parler de la confiance. Je dis qu'il n'y avait personne en qui j'en eusse une entière ; que je trouvais que l'on se repentait toujours d'en avoir, et que je savais beaucoup de choses dont je n'avais jamais parlé. La reine me dit qu'elle m'en estimait davantage, qu'elle n'avait trouvé personne en France qui eût du secret, et que c'était ce qui l'avait le plus embarrassée, parce que cela lui avait ôté le plaisir de donner sa confiance ; que c'était une chose nécessaire dans la vie, que d'avoir quelqu'un à qui on pût parler, et surtout pour les per- sonnes de son rang. Les jours suivants, elle reprit encore plusieurs fois la même conversation, elle m'apprit même des choses assez particulières[2] qui se passaient. Enfin, il me sembla qu'elle souhaitait de s'assurer de mon secret[3], et qu'elle avait envie de me confier les siens. Cette pensée m'attacha à elle, je fus touché de cette distinction, et je lui fis ma cour avec beaucoup plus d'assiduité que je n'avais accoutumé. Un soir que le roi et toutes les dames s'étaient allés promener à cheval dans la forêt, où elle n'avait pas voulu aller parce qu'elle s'était trouvée un peu mal, je demeurai auprès d'elle ; elle descen-

---

1. **Elle avait de la bonté pour moi :** elle était envers moi dans de bonnes dispositions.
2. **Particulières :** privées.
3. **Secret :** discrétion.

dit au bord de l'étang, et quitta la main de ses écuyers[1] pour mar-
1135 cher avec plus de liberté. Après qu'elle eut fait quelques tours, elle s'approcha de moi, et m'ordonna de la suivre. "Je veux vous parler, me dit-elle ; et vous verrez par ce que je veux vous dire, que je suis de vos amies." Elle s'arrêta à ces paroles, et me regardant fixement : "Vous êtes amoureux, continua-t-elle, et parce que vous ne vous
1140 fiez peut-être à personne, vous croyez que votre amour n'est pas su ; mais il est connu, et même des personnes intéressées. On vous observe, on sait les lieux où vous voyez votre maîtresse, on a dessein de vous y surprendre. Je ne sais qui elle est ; je ne vous le demande point, et je veux seulement vous garantir des malheurs où vous
1145 pouvez tomber." Voyez, je vous prie, quel piège me tendait la reine, et combien il était difficile de n'y pas tomber. Elle voulait savoir si j'étais amoureux ; et en ne me demandant point de qui je l'étais, et en ne me laissant voir que la seule intention de me faire plaisir, elle m'ôtait la pensée qu'elle me parlât par curiosité ou par dessein[2].
1150 Cependant, contre toutes sortes d'apparences, je démêlai la vérité. J'étais amoureux de Mme de Thémines ; mais quoiqu'elle m'aimât, je n'étais pas assez heureux pour avoir des lieux particuliers à la voir, et pour craindre d'y être surpris ; et ainsi je vis bien que ce ne pouvait être elle dont la reine voulait parler. Je savais bien aussi que
1155 j'avais un commerce de galanterie avec une autre femme moins belle et moins sévère[3] que Mme de Thémines, et qu'il n'était pas impossible que l'on eût découvert le lieu où je la voyais ; mais comme je m'en souciais peu, il m'était aisé de me mettre à couvert de toutes sortes de périls en cessant de la voir. Ainsi je pris le parti de ne rien
1160 avouer à la reine et de l'assurer, au contraire, qu'il y avait très longtemps que j'avais abandonné le désir de me faire aimer des femmes dont je pouvais espérer de l'être, parce que je les trouvais quasi toutes indignes d'attacher un honnête homme, et qu'il n'y avait que quelque chose fort au-dessus d'elles qui pût m'engager. "Vous ne me
1165 répondez pas sincèrement, répliqua la reine ; je sais le contraire de ce que vous me dites. La manière dont je vous parle vous doit obliger à ne me rien cacher. Je veux que vous soyez de mes amis, continua-t-

---

1. **Quitta la main de ses écuyers :** quitta le cortège mené par ses écuyers.
2. **Par dessein :** avec une arrière-pensée, dans un but particulier.
3. **Moins sévère :** plus facile, de morale moins stricte.

elle, mais je ne veux pas, en vous donnant cette place, ignorer quels sont vos attachements. Voyez si vous la voulez acheter au prix de
1170 me les apprendre ; je vous donne deux jours pour y penser ; mais après ce temps-là, songez bien à ce que vous me direz, et souvenez-vous que si, dans la suite, je trouve que vous m'ayez trompée, je ne vous le pardonnerai de ma vie."

La reine me quitta après m'avoir dit ces paroles, sans attendre ma
1175 réponse. Vous pouvez croire que je demeurai l'esprit bien rempli de ce qu'elle me venait de dire. Les deux jours qu'elle m'avait donnés pour y penser ne me parurent pas trop longs pour me déterminer[1]. Je voyais qu'elle voulait savoir si j'étais amoureux et qu'elle ne souhaitait pas que je le fusse. Je voyais les suites et les conséquences
1180 du parti que j'allais prendre ; ma vanité n'était pas peu flattée d'une liaison particulière avec une reine, et une reine dont la personne est encore extrêmement aimable. D'un autre côté, j'aimais Mme de Thémines, et quoique je lui fisse une espèce d'infidélité pour cette autre femme dont je vous ai parlé, je ne me pouvais résoudre à
1185 rompre avec elle. Je voyais aussi le péril où je m'exposais en trompant la reine et combien il était difficile de la tromper ; néanmoins, je ne pus me résoudre à refuser ce que la fortune m'offrait, et je pris le hasard[2] de tout ce que ma mauvaise conduite pouvait m'attirer. Je rompis avec cette femme dont on pouvait découvrir le commerce, et
1190 j'espérai de cacher celui que j'avais avec Mme de Thémines.

Au bout des deux jours que la reine m'avait donnés, comme j'entrais dans la chambre où toutes les dames étaient au cercle, elle me dit tout haut, avec un air grave qui me surprit : "Avez-vous pensé à cette affaire dont je vous ai chargé, et en savez-vous la
1195 vérité ? – Oui, madame, lui répondis-je, et elle est comme je l'ai dite à Votre Majesté. – Venez ce soir à l'heure que je dois écrire, répliqua-t-elle, et j'achèverai de vous donner mes ordres." Je fis une profonde révérence sans rien répondre, et ne manquai pas de me trouver à l'heure qu'elle m'avait marquée. Je la trouvai dans la gale-
1200 rie où était son secrétaire et quelqu'une de ses femmes. Sitôt qu'elle me vit, elle vint à moi, et me mena à l'autre bout de la galerie. "Eh bien ! me dit-elle, est-ce après y avoir bien pensé que vous n'avez

1. **Me déterminer :** me décider.
2. **Le hasard :** le risque.

rien à me dire ? et la manière dont j'en use avec vous ne mérite-t-elle pas que vous me parliez sincèrement ? – C'est parce que je vous parle sincèrement, madame, lui répondis-je, que je n'ai rien à vous dire, et je jure à Votre Majesté, avec tout le respect que je lui dois, que je n'ai d'attachement pour aucune femme de la cour. – Je le veux croire, repartit la reine, parce que je le souhaite ; et je le souhaite, parce que je désire que vous soyez entièrement attaché à moi, et qu'il serait impossible que je fusse contente de votre amitié si vous étiez amoureux. On ne peut se fier à ceux qui le sont, on ne peut s'assurer de leur secret. Ils sont trop distraits et trop partagés, et leur maîtresse leur fait une première occupation qui ne s'accorde point avec la manière dont je veux que vous soyez attaché à moi. Souvenez-vous donc que c'est sur la parole que vous me donnez, que vous n'avez aucun engagement, que je vous choisis pour vous donner toute ma confiance. Souvenez-vous que je veux la vôtre tout entière ; que je veux que vous n'ayez ni ami, ni amie, que ceux qui me seront agréables, et que vous abandonniez tout autre soin que celui de me plaire. Je ne vous ferai pas perdre celui de votre fortune ; je la conduirai avec plus d'application que vous-même, et, quoi que je fasse pour vous, je m'en tiendrai trop bien récompensée, si je vous trouve pour moi tel que je l'espère. Je vous choisis pour vous confier tous mes chagrins, et pour m'aider à les adoucir. Vous pouvez juger qu'ils ne sont pas médiocres. Je souffre en apparence, sans beaucoup de peine, l'attachement du roi pour la duchesse de Valentinois ; mais il m'est insupportable. Elle gouverne le roi, elle le trompe, elle me méprise, tous mes gens sont à elle. La reine, ma belle-fille, fière de sa beauté et du crédit de ses oncles, ne me rend aucun devoir. Le connétable de Montmorency est maître du roi et du royaume ; il me hait, et m'a donné des marques de sa haine que je ne puis oublier. Le maréchal de Saint-André est un jeune favori audacieux, qui n'en use pas mieux avec moi que les autres. Le détail de mes malheurs vous ferait pitié ; je n'ai osé jusqu'ici me fier à personne, je me fie à vous, faites que je ne m'en repente point, et soyez ma seule consolation." Les yeux de la reine rougirent en achevant ces paroles ; je pensai me jeter à ses pieds, tant je fus véritablement touché de la bonté qu'elle me témoignait. Depuis ce jour-là, elle eut en moi une entière confiance, elle ne fit plus rien sans m'en parler, et j'ai conservé une liaison qui dure encore. »

TROISIÈME PARTIE

« CEPENDANT, QUELQUE rempli et quelque occupé que je fusse de cette nouvelle liaison avec la reine, je tenais à Mme de Thémines par une inclination naturelle que je ne pouvais vaincre. Il me parut qu'elle cessait de m'aimer et, au lieu que, si j'eusse été sage, je me fusse servi du changement qui paraissait en elle pour aider à me guérir, mon amour en redoubla et je me conduisais si mal, que la reine eut quelque connaissance de cet attachement. La jalousie est naturelle aux personnes de sa nation[1], et peut-être que cette princesse a pour moi des sentiments plus vifs qu'elle ne pense elle-même. Mais enfin le bruit que j'étais amoureux lui donna de si grandes inquiétudes et de si grands chagrins que je me crus cent fois perdu auprès d'elle. Je la rassurai enfin à force de soins, de soumissions et de faux serments, mais je n'aurais pu la tromper longtemps si le changement de Mme de Thémines ne m'avait détaché d'elle malgré moi. Elle me fit voir qu'elle ne m'aimait plus et j'en fus si persuadé que je fus contraint de ne la pas tourmenter davantage et de la laisser en repos. Quelque temps après, elle m'écrivit cette lettre que j'ai perdue. J'appris par là qu'elle avait su le commerce que j'avais eu avec cette autre femme dont je vous ai parlé et que c'était la cause de son changement. Comme je n'avais plus rien alors qui me partageât, la reine était assez contente de moi ; mais comme les sentiments que j'ai pour elle ne sont pas d'une nature à me rendre incapable de tout autre attachement et que l'on n'est pas amoureux par sa volonté, je le suis devenu de Mme de Martigues, pour qui j'avais déjà eu beaucoup d'inclination pendant qu'elle était Villemontais, fille de la reine dauphine. J'ai lieu de croire que je n'en suis pas haï[2], la discrétion que je lui fais paraître, et dont elle ne sait pas toutes les raisons, lui est agréable. La reine n'a aucun soupçon sur son sujet, mais elle en a un autre qui n'est guère moins fâcheux.

1. **De sa nation :** la jalousie était alors considérée comme un trait de caractère particulièrement développé chez les Italiens.

2. **Je n'en suis pas haï :** j'en suis aimé (litote fréquemment employée à l'âge classique).

30 Comme Mme de Martigues est toujours chez la reine dauphine, j'y vais aussi beaucoup plus souvent que de coutume. La reine s'est imaginé que c'est de cette princesse que je suis amoureux. Le rang de la reine dauphine, qui est égal au sien, et la beauté et la jeunesse qu'elle a au-dessus d'elle, lui donnent une jalousie qui va jusques 35 à la fureur, et une haine contre sa belle-fille qu'elle ne saurait plus cacher. Le cardinal de Lorraine, qui me paraît depuis longtemps aspirer aux bonnes grâces de la reine et qui voit bien que j'occupe une place qu'il voudrait remplir, sous prétexte de raccommoder Mme la Dauphine avec elle, est entré dans les différends qu'elles 40 ont eu ensemble. Je ne doute pas qu'il n'ait démêlé le véritable sujet de l'aigreur de la reine, et je crois qu'il me rend toutes sortes de mauvais offices[1], sans lui laisser voir qu'il a dessein de me les rendre. Voilà l'état où sont les choses à l'heure que je vous parle. Jugez quel effet peut produire la lettre que j'ai perdue, et que mon 45 malheur m'a fait mettre dans ma poche pour la rendre à Mme de Thémines. Si la reine voit cette lettre, elle connaîtra que je l'ai trompée et que presque dans le temps que je la trompais pour Mme de Thémines, je trompais Mme de Thémines pour une autre ; jugez quelle idée cela lui peut donner de moi et si elle peut jamais se fier 50 à mes paroles. Si elle ne voit point cette lettre, que lui dirai-je ? Elle sait qu'on l'a remise entre les mains de Mme la Dauphine, elle croira que Chastelart a reconnu l'écriture de cette reine et que la lettre est d'elle, elle s'imaginera que la personne dont on témoigne de la jalousie est peut-être elle-même ; enfin, il n'y a rien qu'elle n'ait lieu 55 de penser, et il n'y a rien que je ne doive craindre de ses pensées. Ajoutez à cela que je suis vivement touché de Mme de Martigues, qu'assurément Mme la Dauphine lui montrera cette lettre qu'elle croira écrite depuis peu ; ainsi je serai également brouillé, et avec la personne du monde que j'aime le plus, et avec la personne du 60 monde que je dois le plus craindre. Voyez après cela si je n'ai pas raison de vous conjurer de dire que la lettre est à vous, et de vous demander en grâce de l'aller retirer des mains de Mme la Dauphine.

– Je vois bien, dit M. de Nemours, que l'on ne peut être dans un plus grand embarras que celui où vous êtes, et il faut avouer que vous 65 le méritez. On m'a accusé de n'être pas un amant fidèle et d'avoir

---

1. **Mauvais offices :** actions ou paroles destinées à nuire à quelqu'un.

plusieurs galanteries à la fois, mais vous me passez de si loin, que je n'aurais seulement osé imaginer les choses que vous avez entreprises. Pouviez-vous prétendre de conserver Mme de Thémines en vous engageant avec la reine, et espériez-vous de vous engager
70 avec la reine et de la pouvoir tromper ? Elle est italienne et reine, et par conséquent pleine de soupçon, de jalousie et d'orgueil ; quand votre bonne fortune, plutôt que votre bonne conduite, vous a ôté des engagements où vous étiez, vous en avez pris de nouveaux et vous vous êtes imaginé qu'au milieu de la cour, vous pourriez aimer
75 Mme de Martigues sans que la reine s'en aperçût. Vous ne pouviez prendre trop de soin de lui ôter la honte d'avoir fait les premiers pas. Elle a pour vous une passion violente, votre discrétion vous empêche de me le dire et la mienne de vous le demander, mais enfin elle vous aime, elle a de la défiance, et la vérité est contre vous.
80 – Est-ce à vous à m'accabler de réprimandes, interrompit le vidame, et votre expérience ne vous doit-elle pas donner de l'indulgence pour mes fautes ? Je veux pourtant bien convenir que j'ai tort, mais songez, je vous conjure, à me tirer de l'abîme où je suis. Il me paraît qu'il faudrait que vous vissiez la reine dauphine, sitôt qu'elle sera
85 éveillée, pour lui redemander cette lettre, comme l'ayant perdue.
– Je vous ai déjà dit, reprit M. de Nemours, que la proposition que vous me faites est un peu extraordinaire et que mon intérêt particulier m'y peut faire trouver des difficultés, mais, de plus, si l'on a vu tomber cette lettre de votre poche, il me paraît difficile de persuader
90 qu'elle soit tombée de la mienne.
– Je croyais vous avoir appris, répondit le vidame, que l'on a dit à la reine dauphine que c'était de la vôtre qu'elle était tombée.
– Comment ! reprit brusquement M. de Nemours, qui vit dans ce moment les mauvais offices que cette méprise lui pouvait faire
95 auprès de Mme de Clèves, l'on a dit à la reine dauphine que c'est moi qui ai laissé tomber cette lettre ?
– Oui, reprit le vidame, on le lui a dit. Et ce qui a fait cette méprise, c'est qu'il y avait plusieurs gentilshommes des reines dans une des chambres du jeu de paume où étaient nos habits, et que vos gens et
100 les miens les ont été quérir[1]. En même temps la lettre est tombée ; ces gentilshommes l'ont ramassée et l'ont lue tout haut. Les uns

1. **Quérir** : chercher.

ont cru qu'elle était à vous, et les autres à moi. Chastelart, qui l'a prise et à qui je viens de la faire demander, a dit qu'il l'avait donnée à la reine dauphine, comme une lettre qui était à vous, et ceux qui 105 en ont parlé à la reine ont dit par malheur qu'elle était à moi ; ainsi vous pouvez faire aisément ce que je souhaite et m'ôter de l'embarras où je suis. »

M. de Nemours avait toujours fort aimé le vidame de Chartres, et ce qu'il était à Mme de Clèves le lui rendait encore plus cher. 110 Néanmoins il ne pouvait se résoudre à prendre le hasard qu'elle entendît parler de cette lettre comme d'une chose où il avait intérêt. Il se mit à rêver profondément, et le vidame, se doutant à peu près du sujet de sa rêverie :

« Je vois bien, lui dit-il, que vous craignez de vous brouiller avec 115 votre maîtresse, et même vous me donneriez lieu de croire que c'est avec la reine dauphine si le peu de jalousie que je vous vois de M. d'Anville ne m'en ôtait la pensée ; mais, quoi qu'il en soit, il est juste que vous ne sacrifiiez pas votre repos au mien, et je veux bien vous donner les moyens de faire voir à celle que vous aimez 120 que cette lettre s'adresse à moi et non pas à vous : voilà un billet de Mme d'Amboise, qui est amie de Mme de Thémines et à qui elle s'est fiée[1] de tous les sentiments qu'elle a eus pour moi. Par ce billet elle me redemande cette lettre de son amie, que j'ai perdue ; mon nom est sur le billet, et ce qui est dedans prouve sans aucun doute que la 125 lettre que l'on me redemande est la même que l'on a trouvée. Je vous remets ce billet entre les mains, et je consens que vous le montriez à votre maîtresse pour vous justifier. Je vous conjure de ne perdre pas un moment et d'aller, dès ce matin, chez Mme la Dauphine. »

M. de Nemours le promit au vidame de Chartres et prit le billet de 130 Mme d'Amboise ; néanmoins son dessein n'était pas de voir la reine dauphine et il trouvait qu'il avait quelque chose de plus pressé à faire. Il ne doutait pas qu'elle n'eût déjà parlé de la lettre à Mme de Clèves, et il ne pouvait supporter qu'une personne qu'il aimait si éperdument eût lieu de croire qu'il eût quelque attachement pour 135 une autre.

Il alla chez elle à l'heure qu'il crut qu'elle pouvait être éveillée et lui fit dire qu'il ne demanderait pas à avoir l'honneur de la voir, à

1. **Fiée :** confiée.

une heure si extraordinaire, si une affaire de conséquence[1] ne l'y obligeait. Mme de Clèves était encore au lit, l'esprit aigri et agité des
140 tristes pensées qu'elle avait eues pendant la nuit. Elle fut extrêmement surprise, lorsqu'on lui dit que M. de Nemours la demandait ; l'aigreur où elle était ne la fit pas balancer à répondre qu'elle était malade et qu'elle ne pouvait lui parler.

Ce prince ne fut pas blessé de ce refus ; une marque de froideur,
145 dans un temps où elle pouvait avoir de la jalousie, n'était pas un mauvais augure. Il alla à l'appartement de M. de Clèves, et lui dit qu'il venait de celui de madame sa femme, qu'il était bien fâché de ne la pouvoir entretenir, parce qu'il avait à lui parler d'une affaire importante pour le vidame de Chartres. Il fit entendre en peu de
150 mots à M. de Clèves la conséquence de cette affaire, et M. de Clèves le mena à l'heure même dans la chambre de sa femme. Si elle n'eût point été dans l'obscurité, elle eût eu peine à cacher son trouble et son étonnement de voir entrer M. de Nemours conduit par son mari. M. de Clèves lui dit qu'il s'agissait d'une lettre, où l'on avait besoin
155 de son secours pour les intérêts du vidame, qu'elle verrait avec M. de Nemours ce qu'il y avait à faire, et que, pour lui, il s'en allait chez le roi qui venait de l'envoyer quérir.

M. de Nemours demeura seul auprès de Mme de Clèves, comme il le pouvait souhaiter.

160 « Je viens vous demander, madame, lui dit-il, si Mme la Dauphine ne vous a point parlé d'une lettre que Chastelart lui remit hier entre les mains.

– Elle m'en a dit quelque chose, répondit Mme de Clèves, mais je ne vois pas ce que cette lettre a de commun avec les intérêts de mon
165 oncle, et je vous puis assurer qu'il n'y est pas nommé.

– Il est vrai, madame, répliqua M. de Nemours, il n'y est pas nommé ; néanmoins elle s'adresse à lui, et il lui est très important que vous la retiriez des mains de Mme la Dauphine.

– J'ai peine à comprendre, reprit Mme de Clèves, pourquoi il lui
170 importe que cette lettre soit vue et pourquoi il faut la redemander sous son nom.

– Si vous voulez vous donner le loisir de m'écouter, madame, dit M. de Nemours, je vous ferai bientôt voir la vérité et vous apprendrez

1. **Affaire de conséquence :** affaire importante.

des choses si importantes pour M. le vidame, que je ne les aurais pas
175 même confiées à M. le prince de Clèves, si je n'avais eu besoin de son secours pour avoir l'honneur de vous voir.

– Je pense que tout ce que vous prendriez la peine de me dire serait inutile, répondit Mme de Clèves avec un air assez sec, et il vaut mieux que vous alliez trouver la reine dauphine, et que, sans chercher de détours, vous lui disiez l'intérêt que vous avez à cette lettre, puisque aussi bien on lui a dit qu'elle vient de vous. »

L'aigreur que M. de Nemours voyait dans l'esprit de Mme de Clèves lui donnait le plus sensible plaisir qu'il eût jamais eu, et balançait[1] son impatience de se justifier.

« Je ne sais, madame, reprit-il, ce qu'on peut avoir dit à Mme la Dauphine, mais je n'ai aucun intérêt à cette lettre, et elle s'adresse à M. le vidame.

– Je le crois, répliqua Mme de Clèves, mais on a dit le contraire à la reine dauphine, et il ne lui paraîtra pas vraisemblable que les lettres de M. le vidame tombent de vos poches. C'est pourquoi, à moins que vous n'ayez quelque raison que je ne sais point, à cacher la vérité à la reine dauphine, je vous conseille de la lui avouer.

– Je n'ai rien à lui avouer, reprit-il, la lettre ne s'adresse pas à moi et, s'il y a quelqu'un que je souhaite d'en persuader, ce n'est pas Mme la Dauphine. Mais, madame, comme il s'agit en ceci de la fortune de M. le vidame, trouvez bon que je vous apprenne des choses qui sont même dignes de votre curiosité. »

Mme de Clèves témoigna par son silence qu'elle était prête à l'écouter, et M. de Nemours lui conta, le plus succinctement qu'il lui fut possible, tout ce qu'il venait d'apprendre du vidame. Quoique ce fussent des choses propres à donner de l'étonnement et à être écoutées avec attention, Mme de Clèves les entendit avec une froideur si grande qu'il semblait qu'elle ne les crût pas véritables, ou qu'elles lui fussent indifférentes. Son esprit demeura dans cette situation jusqu'à ce que M. de Nemours lui parlât du billet de Mme d'Amboise, qui s'adressait au vidame de Chartres et qui était la preuve de tout ce qu'il lui venait de dire. Comme Mme de Clèves savait que cette femme était amie de Mme de Thémines, elle trouva une apparence de vérité à ce que lui disait M. de Nemours, qui lui fit penser que la

1. **Balançait :** contrebalançait.

lettre ne s'adressait peut-être pas à lui. Cette pensée la tira tout d'un coup, et malgré elle, de la froideur qu'elle avait eue jusqu'alors. Ce prince, après lui avoir lu ce billet qui faisait sa justification, le lui présenta pour le lire et lui dit qu'elle en pouvait connaître l'écriture ; elle ne put s'empêcher de le prendre, de regarder le dessus pour voir s'il s'adressait au vidame de Chartres et de le lire tout entier pour juger si la lettre que l'on redemandait était la même qu'elle avait entre les mains. M. de Nemours lui dit encore tout ce qu'il crut propre à la persuader, et, comme on persuade aisément une vérité agréable, il convainquit Mme de Clèves qu'il n'avait point de part à cette lettre.

Elle commença alors à raisonner avec lui sur l'embarras et le péril où était le vidame, à le blâmer de sa méchante conduite, à chercher les moyens de le secourir ; elle s'étonna du procédé de la reine, elle avoua à M. de Nemours qu'elle avait la lettre, enfin sitôt qu'elle le crut innocent, elle entra avec un esprit ouvert et tranquille dans les mêmes choses qu'elle semblait d'abord ne daigner pas entendre. Ils convinrent qu'il ne fallait point rendre la lettre à la reine dauphine, de peur qu'elle ne la montrât à Mme de Martigues, qui connaissait l'écriture de Mme de Thémines et qui aurait aisément deviné par l'intérêt qu'elle prenait au vidame, qu'elle s'adressait à lui. Ils trouvèrent aussi qu'il ne fallait pas confier à la reine dauphine tout ce qui regardait la reine, sa belle-mère. Mme de Clèves, sous le prétexte des affaires de son oncle, entrait avec plaisir à garder tous les secrets que M. de Nemours lui confiait.

Ce prince ne lui eût pas toujours parlé des intérêts du vidame[1], et la liberté où il se trouvait de l'entretenir lui eût donné une hardiesse[2] qu'il n'avait encore osé prendre, si l'on ne fût venu dire à Mme de Clèves que la reine dauphine lui ordonnait de l'aller trouver. M. de Nemours fut contraint de se retirer ; il alla trouver le vidame pour lui dire qu'après l'avoir quitté, il avait pensé qu'il était plus à propos de s'adresser à Mme de Clèves qui était sa nièce que d'aller droit à Mme la Dauphine. Il ne manqua pas de raisons pour faire approuver ce qu'il avait fait et pour en faire espérer un bon succès.

---

1. **Ne lui eût pas toujours parlé des intérêts du vidame :** lui eût parlé d'autre chose que des intérêts du vidame.
2. **Hardiesse :** témérité.

Cependant Mme de Clèves s'habilla en diligence pour aller chez la
245 reine. À peine parut-elle dans sa chambre, que cette princesse la fit approcher et lui dit tout bas :

« Il y a deux heures que je vous attends, et jamais je n'ai été si embarrassée à déguiser la vérité que je l'ai été ce matin. La reine a entendu parler de la lettre que je vous donnai hier ; elle croit que c'est
250 le vidame de Chartres qui l'a laissée tomber. Vous savez qu'elle y prend quelque intérêt ; elle a fait chercher cette lettre, elle l'a fait demander à Chastelart ; il a dit qu'il me l'avait donnée ; on me l'est venu demander sur le prétexte que c'était une jolie lettre qui donnait de la curiosité à la reine. Je n'ai osé dire que vous l'aviez ; je crus qu'elle s'ima-
255 ginerait que je vous l'avais mise entre les mains à cause du vidame votre oncle, et qu'il y aurait une grande intelligence entre lui et moi. Il m'a déjà paru qu'elle souffrait avec peine qu'il me vît souvent, de sorte que j'ai dit que la lettre était dans les habits que j'avais hier et que ceux qui en avaient la clef étaient sortis. Donnez-moi prompte-
260 ment cette lettre, ajouta-t-elle, afin que je la lui envoie et que je la lise avant que de l'envoyer pour voir si je n'en connaîtrai point l'écriture. »

Mme de Clèves se trouva encore plus embarrassée qu'elle n'avait pensé.

« Je ne sais, madame, comment vous ferez, répondit-elle, car M. de Clèves, à qui je l'avais donnée à lire, l'a rendue à M. de Nemours qui
265 est venu dès ce matin le prier de vous la redemander. M. de Clèves a eu l'imprudence de lui dire qu'il l'avait, et il a eu la faiblesse de céder aux prières que M. de Nemours lui a faites de la lui rendre.

– Vous me mettez dans le plus grand embarras où je puisse jamais être, repartit Mme la Dauphine, et vous avez tort d'avoir rendu cette
270 lettre à M. de Nemours ; puisque c'était moi qui vous l'avais donnée, vous ne deviez point la rendre sans ma permission. Que voulez-vous que je dise à la reine et que pourra-t-elle s'imaginer ? Elle croira, et avec apparence, que cette lettre me regarde et qu'il y a quelque chose entre le vidame et moi. Jamais on ne lui persuadera que cette
275 lettre soit à M. de Nemours.

– Je suis très affligée, répondit Mme de Clèves, de l'embarras que je vous cause. Je le crois aussi grand qu'il est, mais c'est la faute de M. de Clèves et non pas la mienne.

– C'est la vôtre, répliqua Mme la Dauphine, de lui avoir donné la
280 lettre, et il n'y a que vous de femme au monde qui fasse confidence à son mari de toutes les choses qu'elle sait.

– Je crois que j'ai tort, madame, répliqua Mme de Clèves, mais songez à réparer ma faute, et non pas à l'examiner.
– Ne vous souvenez-vous point, à peu près, de ce qui est dans cette
285 lettre ? dit alors Mme la Dauphine.
– Oui, madame, répondit-elle, je m'en souviens et l'ai relue plus d'une fois.
– Si cela est, reprit Mme la Dauphine, il faut que vous alliez tout à l'heure[1] la faire écrire d'une main inconnue. Je l'enverrai à la reine,
290 elle ne la montrera pas à ceux qui l'ont vue. Quand elle le ferait, je soutiendrai toujours que c'est celle que Chastelart m'a donnée, et il n'oserait dire le contraire. »

Mme de Clèves entra dans cet expédient[2], et d'autant plus qu'elle pensa qu'elle enverrait quérir M. de Nemours pour ravoir la lettre
295 même, afin de la faire copier mot à mot et d'en faire à peu près imiter l'écriture, et elle crut que la reine y serait infailliblement trompée. Sitôt qu'elle fut chez elle, elle conta à son mari l'embarras de Mme la Dauphine et le pria d'envoyer chercher M. de Nemours. On le chercha ; il vint en diligence. Mme de Clèves lui dit tout ce qu'elle
300 avait déjà appris à son mari et lui demanda la lettre, mais M. de Nemours répondit qu'il l'avait déjà rendue au vidame de Chartres, qui avait eu tant de joie de la ravoir et de se trouver hors du péril qu'il aurait couru, qu'il l'avait renvoyée à l'heure même à l'amie de Mme de Thémines. Mme de Clèves se retrouva dans un nouvel
305 embarras, et enfin, après avoir bien consulté, ils résolurent de faire la lettre de mémoire. Ils s'enfermèrent pour y travailler, on donna ordre à la porte de ne laisser entrer personne, et on renvoya tous les gens de M. de Nemours. Cet air de mystère et de confidence n'était pas d'un médiocre charme pour ce prince et même pour Mme de Clèves.
310 La présence de son mari et les intérêts du vidame de Chartres la rassuraient en quelque sorte sur ses scrupules. Elle ne sentait que le plaisir de voir M. de Nemours, elle en avait une joie pure et sans mélange qu'elle n'avait jamais sentie ; cette joie lui donnait une liberté et un enjouement dans l'esprit que M. de Nemours ne lui
315 avait jamais vus et qui redoublaient son amour. Comme il n'avait point eu encore de si agréables moments, sa vivacité en était aug-

1. **Tout à l'heure :** tout de suite.
2. **Entra dans cet expédient :** accepta cet arrangement.

mentée, et, quand Mme de Clèves voulut commencer à se souvenir de la lettre et à l'écrire, ce prince, au lieu de lui aider sérieusement, ne faisait que l'interrompre et lui dire des choses plaisantes. Mme de
320 Clèves entra dans le même esprit de gaieté, de sorte qu'il y avait déjà longtemps qu'ils étaient enfermés, et on était déjà venu deux fois de la part de la reine dauphine pour dire à Mme de Clèves de se dépêcher, qu'ils n'avaient pas encore fait la moitié de la lettre.

M. de Nemours était bien aise de faire durer un temps qui lui
325 était si agréable et oubliait les intérêts de son ami. Mme de Clèves ne s'ennuyait pas et oubliait aussi les intérêts de son oncle. Enfin à peine à quatre heures la lettre était-elle achevée, et elle était si mal faite, et l'écriture dont on la fit copier ressemblait si peu à celle que l'on avait eu dessein d'imiter, qu'il eût fallu que la reine n'eût guère
330 pris le soin d'éclaircir la vérité pour ne la pas connaître. Aussi n'y fut-elle pas trompée ; quelque soin que l'on prît de lui persuader que cette lettre s'adressait à M. de Nemours, elle demeura convaincue, non seulement qu'elle était au vidame de Chartres, mais elle crut que la reine dauphine y avait part et qu'il y avait quelque intel-
335 ligence entre eux. Cette pensée augmenta tellement la haine qu'elle avait pour cette princesse, qu'elle ne lui pardonna jamais et qu'elle la persécuta jusqu'à ce qu'elle l'eût fait sortir de France.

Pour le vidame de Chartres, il fut ruiné[1] auprès d'elle, et, soit que le cardinal de Lorraine se fût déjà rendu maître de son esprit, ou
340 que l'aventure de cette lettre, qui lui fit voir qu'elle était trompée, lui aidât à démêler les autres tromperies que le vidame lui avait déjà faites, il est certain qu'il ne put jamais se raccommoder sincèrement avec elle. Leur liaison se rompit, et elle le perdit ensuite à la conjuration d'Amboise[2] où il se trouva embarrassé[3].

345 Après qu'on eut envoyé la lettre à Mme la Dauphine, M. de Clèves et M. de Nemours s'en allèrent. Mme de Clèves demeura seule, et sitôt qu'elle ne fut plus soutenue par cette joie que donne la présence de ce que l'on aime, elle revint comme d'un songe ; elle regarda avec étonnement la prodigieuse différence de l'état où

---

1. **Fut ruiné :** perdit tout crédit.
2. **Conjuration d'Amboise :** complot manqué qui visait à soustraire le jeune François II à l'influence des Guises. Historiquement, les conjurés furent exécutés en 1560.
3. **Embarrassé :** compromis.

350 elle était le soir d'avec celui où elle se trouvait alors ; elle se remit devant les yeux l'aigreur et la froideur qu'elle avait fait paraître à M. de Nemours, tant qu'elle avait cru que la lettre de Mme de Thémines s'adressait à lui, quel calme et quelle douceur avaient succédé à cette aigreur, sitôt qu'il l'avait persuadée que cette lettre ne 355 le regardait pas. Quand elle pensait qu'elle s'était reproché comme un crime, le jour précédent, de lui avoir donné des marques de sensibilité que la seule compassion pouvait avoir fait naître, et que, par son aigreur, elle lui avait fait paraître des sentiments de jalousie qui étaient des preuves certaines de passion, elle ne se reconnais-360 sait plus elle-même. Quand elle pensait encore que M. de Nemours voyait bien qu'elle connaissait son amour, qu'il voyait bien aussi que, malgré cette connaissance, elle ne l'en traitait pas plus mal en présence même de son mari, qu'au contraire elle ne l'avait jamais regardé si favorablement, qu'elle était cause que M. de Clèves l'avait 365 envoyé quérir et qu'ils venaient de passer une après-dînée ensemble en particulier, elle trouvait qu'elle était d'intelligence avec M. de Nemours, qu'elle trompait le mari du monde qui méritait le moins d'être trompé, et elle était honteuse de paraître si peu digne d'estime aux yeux mêmes de son amant. Mais, ce qu'elle pouvait moins sup-370 porter que tout le reste, était le souvenir de l'état où elle avait passé la nuit, et les cuisantes douleurs que lui avait causées la pensée que M. de Nemours aimait ailleurs et qu'elle était trompée.

Elle avait ignoré jusqu'alors les inquiétudes mortelles de la défiance et de la jalousie, elle n'avait pensé qu'à se défendre d'aimer 375 M. de Nemours, et elle n'avait point encore commencé à craindre qu'il en aimât une autre. Quoique les soupçons que lui avait donnés cette lettre fussent effacés, ils ne laissèrent pas de lui ouvrir les yeux sur le hasard d'être trompée et de lui donner des impressions[1] de défiance et de jalousie qu'elle n'avait jamais eues. Elle fut étonnée de 380 n'avoir point encore pensé combien il était peu vraisemblable qu'un homme comme M. de Nemours, qui avait toujours fait paraître tant de légèreté parmi les femmes, fût capable d'un attachement sincère et durable. Elle trouva qu'il était presque impossible qu'elle pût être contente de sa passion. "Mais quand je le pourrais être, disait-385 elle, qu'en veux-je faire ? Veux-je la souffrir ? Veux-je y répondre ?

1. **Des impressions :** des sentiments.

Veux-je m'engager dans une galanterie ? Veux-je manquer à M. de Clèves ? Veux-je me manquer à moi-même ? Et veux-je enfin m'exposer aux cruels repentirs et aux mortelles douleurs que donne l'amour ? Je suis vaincue et surmontée par une inclination qui
390 m'entraîne malgré moi. Toutes mes résolutions sont inutiles ; je pensai hier tout ce que je pense aujourd'hui et je fais aujourd'hui tout le contraire de ce que je résolus hier. Il faut m'arracher de la présence de M. de Nemours, il faut m'en aller à la campagne, quelque bizarre que puisse paraître mon voyage, et si M. de Clèves s'opiniâtre à
395 l'empêcher ou à en vouloir savoir les raisons, peut-être lui ferai-je le mal, et à moi-même aussi, de les lui apprendre." Elle demeura dans cette résolution et passa tout le soir chez elle, sans aller savoir de Mme la Dauphine ce qui était arrivé de la fausse lettre du vidame.

Quand M. de Clèves fut revenu, elle lui dit qu'elle voulait aller à la
400 campagne, qu'elle se trouvait mal et qu'elle avait besoin de prendre l'air. M. de Clèves, à qui elle paraissait d'une beauté qui ne lui persuadait pas que ses maux fussent considérables, se moqua d'abord de la proposition de ce voyage et lui répondit qu'elle oubliait que les noces des princesses et le tournoi s'allaient faire, et qu'elle n'avait
405 pas trop de temps pour se préparer à y paraître avec la même magnificence que les autres femmes. Les raisons de son mari ne la firent pas changer de dessein ; elle le pria de trouver bon que, pendant qu'il irait à Compiègne avec le roi, elle allât à Coulommiers, qui était une belle maison à une journée de Paris, qu'ils faisaient bâtir avec
410 soin. M. de Clèves y consentit ; elle y alla dans le dessein de n'en pas revenir sitôt, et le roi partit pour Compiègne où il ne devait être que peu de jours.

M. de Nemours avait eu bien de la douleur de n'avoir point revu Mme de Clèves depuis cette après-dînée qu'il avait passée avec
415 elle si agréablement et qui avait augmenté ses espérances. Il avait une impatience de la revoir qui ne lui donnait point de repos, de sorte que, quand le roi revint à Paris, il résolut d'aller chez sa sœur, la duchesse de Mercœur, qui était à la campagne assez près de Coulommiers. Il proposa au vidame d'y aller avec lui, qui accepta
420 aisément cette proposition, et M. de Nemours la fit dans l'espérance de voir Mme de Clèves et d'aller chez elle avec le vidame.

Mme de Mercœur les reçut avec beaucoup de joie et ne pensa qu'à les divertir et à leur donner tous les plaisirs de la campagne.

Comme ils étaient à la chasse à courir le cerf, M. de Nemours s'égara dans la forêt. En s'enquérant du chemin qu'il devait tenir pour s'en retourner, il sut qu'il était proche de Coulommiers. À ce mot de Coulommiers, sans faire aucune réflexion et sans savoir quel était son dessein, il alla à toute bride du côté qu'on le lui montrait. Il arriva dans la forêt et se laissa conduire au hasard par des routes faites avec soin, qu'il jugea bien qui conduisaient vers le château. Il trouva au bout de ces routes un pavillon, dont le dessous était un grand salon accompagné de deux cabinets, dont l'un était ouvert sur un jardin de fleurs, qui n'était séparé de la forêt que par des palissades, et le second donnait sur une grande allée du parc. Il entra dans le pavillon, et il se serait arrêté à en regarder la beauté, sans qu'il vît[1] venir par cette allée du parc M. et Mme de Clèves, accompagnés d'un grand nombre de domestiques. Comme il ne s'était pas attendu à trouver M. de Clèves qu'il avait laissé auprès du roi, son premier mouvement le porta à se cacher : il entra dans le cabinet qui donnait sur le jardin de fleurs, dans la pensée d'en ressortir par une porte qui était ouverte sur la forêt, mais, voyant que Mme de Clèves et son mari s'étaient assis sous le pavillon, que leurs domestiques demeuraient dans le parc et qu'ils ne pouvaient venir à lui sans passer dans le lieu où étaient M. et Mme de Clèves, il ne put se refuser le plaisir de voir cette princesse, ni résister à la curiosité d'écouter la conversation avec un mari qui lui donnait plus de jalousie qu'aucun de ses rivaux.

Il entendit que M. de Clèves disait à sa femme :

« Mais pourquoi ne voulez-vous point revenir à Paris ? Qui vous peut retenir à la campagne ? Vous avez depuis quelque temps un goût pour la solitude qui m'étonne et qui m'afflige parce qu'il nous sépare. Je vous trouve même plus triste que de coutume, et je crains que vous n'ayez quelque sujet d'affliction.

– Je n'ai rien de fâcheux dans l'esprit, répondit-elle avec un air embarrassé, mais le tumulte de la cour est si grand et il y a toujours un si grand monde chez vous, qu'il est impossible que le corps et l'esprit ne se lassent et que l'on ne cherche du repos.

– Le repos, répliqua-t-il, n'est guère propre pour une personne de votre âge. Vous êtes, chez vous et dans la cour, d'une sorte à ne vous

1. **Sans qu'il vît :** s'il n'avait pas vu.

pas donner de lassitude, et je craindrais plutôt que vous ne fussiez bien aise d'être séparée de moi.

– Vous me feriez une grande injustice d'avoir cette pensée, reprit-elle avec un embarras qui augmentait toujours, mais je vous supplie de me laisser ici. Si vous y pouviez demeurer, j'en aurais beaucoup de joie, pourvu que vous y demeurassiez seul, et que vous voulussiez bien n'y avoir point ce nombre infini de gens qui ne vous quittent quasi jamais.

– Ah ! madame ! s'écria M. de Clèves, votre air et vos paroles me font voir que vous avez des raisons pour souhaiter d'être seule, que je ne sais point, et je vous conjure de me les dire. »

Il la pressa longtemps de les lui apprendre sans pouvoir l'y obliger, et, après qu'elle se fût défendue d'une manière qui augmentait toujours la curiosité de son mari, elle demeura dans un profond silence, les yeux baissés, puis tout d'un coup prenant la parole et le regardant :

« Ne me contraignez point, lui dit-elle, à vous avouer une chose que je n'ai pas la force de vous avouer, quoique j'en aie eu plusieurs fois le dessein. Songez seulement que la prudence ne veut pas qu'une femme de mon âge, et maîtresse de sa conduite, demeure exposée au milieu de la cour.

– Que me faites-vous envisager, madame ! s'écria M. de Clèves. Je n'oserais vous le dire de peur de vous offenser. »

Mme de Clèves ne répondit point ; et son silence achevant de confirmer son mari dans ce qu'il avait pensé :

« Vous ne me dites rien, reprit-il, et c'est me dire que je ne me trompe pas.

– Eh bien, monsieur, lui répondit-elle en se jetant à ses genoux, je vais vous faire un aveu que l'on n'a jamais fait à son mari, mais l'innocence de ma conduite et de mes intentions m'en donne la force. Il est vrai que j'ai des raisons de m'éloigner de la cour et que je veux éviter les périls où se trouvent quelquefois les personnes de mon âge. Je n'ai jamais donné nulle marque de faiblesse, et je ne craindrais pas d'en laisser paraître, si vous me laissiez la liberté de me retirer de la cour, ou si j'avais encore Mme de Chartres pour aider à me conduire. Quelque dangereux que soit le parti que je prends, je le prends avec joie pour me conserver digne d'être à vous. Je vous demande mille pardons, si j'ai des sentiments qui vous

L'aveu.
Dessin préparatoire pour les gravures d'Alphonse Lamotte.

déplaisent, du moins je ne vous déplairai jamais par mes actions. Songez que pour faire ce que je fais, il faut avoir plus d'amitié et plus d'estime pour un mari que l'on en a jamais eu, conduisez-moi, ayez pitié de moi, et aimez-moi encore, si vous pouvez. »

M. de Clèves était demeuré pendant tout ce discours, la tête appuyée sur ses mains, hors de lui-même, et il n'avait pas songé à faire relever sa femme. Quand elle eut cessé de parler, qu'il jeta les yeux sur elle, qu'il la vit à ses genoux le visage couvert de larmes et d'une beauté si admirable, il pensa mourir de douleur, et l'embrassant en la relevant :

« Ayez pitié de moi vous-même, madame, lui dit-il, j'en suis digne, et pardonnez si, dans les premiers moments d'une affliction aussi violente qu'est la mienne, je ne réponds pas, comme je dois, à un procédé comme le vôtre. Vous me paraissez plus digne d'estime et d'admiration que tout ce qu'il y a jamais eu de femmes au monde, mais aussi je me trouve le plus malheureux homme qui ait jamais été. Vous m'avez donné de la passion dès le premier moment que je vous ai vue, vos rigueurs et votre possession n'ont pu l'éteindre ; elle dure encore ; je n'ai jamais pu vous donner de l'amour, et je vois que vous craignez d'en avoir pour un autre. Et qui est-il, madame, cet homme heureux qui vous donne cette crainte ? Depuis quand vous plaît-il ? Qu'a-t-il fait pour vous plaire ? Quel chemin a-t-il trouvé pour aller à votre cœur ? Je m'étais consolé en quelque sorte de ne l'avoir pas touché par la pensée qu'il était incapable de l'être. Cependant un autre fait ce que je n'ai pu faire. J'ai tout ensemble la jalousie d'un mari et celle d'un amant, mais il est impossible d'avoir celle d'un mari après un procédé comme le vôtre. Il est trop noble pour ne me pas donner une sûreté entière, il me console même comme votre amant. La confiance et la sincérité que vous avez pour moi sont d'un prix infini ; vous m'estimez assez pour croire que je n'abuserai pas de cet aveu. Vous avez raison, madame, je n'en abuserai pas, et je ne vous en aimerai pas moins. Vous me rendez malheureux par la plus grande marque de fidélité que jamais une femme ait donnée à son mari. Mais, madame, achevez, et apprenez-moi qui est celui que vous voulez éviter.

– Je vous supplie de ne me le point demander, répondit-elle, je suis résolue de ne vous le pas dire, et je crois que la prudence ne veut pas que je vous le nomme.

– Ne craignez point, madame, reprit M. de Clèves, je connais trop le monde pour ignorer que la considération d'un mari n'empêche pas que l'on ne soit amoureux de sa femme. On doit haïr ceux qui le sont et non pas s'en plaindre, et encore une fois, madame, je vous 540 conjure de m'apprendre ce que j'ai envie de savoir.

– Vous m'en presseriez inutilement, répliqua-t-elle, j'ai de la force pour taire ce que je crois ne pas devoir dire. L'aveu que je vous ai fait n'a pas été par faiblesse, et il faut plus de courage pour avouer cette vérité que pour entreprendre de la cacher. »

545 M. de Nemours ne perdait pas une parole de cette conversation ; et ce que venait de dire Mme de Clèves ne lui donnait guère moins de jalousie qu'à son mari. Il était si éperdument amoureux d'elle, qu'il croyait que tout le monde avait les mêmes sentiments. Il était véritable aussi qu'il avait plusieurs rivaux, mais il s'en imaginait 550 encore davantage, et son esprit s'égarait à chercher celui dont Mme de Clèves voulait parler. Il avait cru bien des fois qu'il ne lui était pas désagréable, et il avait fait ce jugement sur des choses qui lui parurent si légères dans ce moment qu'il ne put s'imaginer qu'il eût donné une passion qui devait être bien violente pour avoir recours à 555 un remède si extraordinaire. Il était si transporté qu'il ne savait quasi ce qu'il voyait, et il ne pouvait pardonner à M. de Clèves de ne pas assez presser sa femme de lui dire ce nom qu'elle lui cachait.

M. de Clèves faisait néanmoins tous ses efforts pour le savoir, et, après qu'il l'en eut pressée inutilement :

560 « Il me semble, répondit-elle, que vous devez être content de ma sincérité, ne m'en demandez pas davantage et ne me donnez point lieu de me repentir de ce que je viens de faire. Contentez-vous de l'assurance que je vous donne encore, qu'aucune de mes actions n'a fait paraître mes sentiments, et que l'on ne m'a jamais rien dit dont 565 j'aie pu m'offenser.

– Ah ! madame, reprit tout d'un coup M. de Clèves, je ne vous saurais croire. Je me souviens de l'embarras où vous fûtes le jour que votre portrait se perdit. Vous avez donné, madame, vous avez donné ce portrait qui m'était si cher et qui m'appartenait si légitimement. 570 Vous n'avez pu cacher vos sentiments ; vous aimez, on le sait ; votre vertu vous a jusqu'ici garantie du reste.

– Est-il possible, s'écria cette princesse, que vous puissiez penser qu'il y ait quelque déguisement dans un aveu comme le mien,

qu'aucune raison ne m'obligeait à vous faire ! Fiez-vous à mes
575 paroles, c'est par un assez grand prix que j'achète la confiance que je vous demande. Croyez, je vous en conjure, que je n'ai point donné mon portrait ; il est vrai que je le vis prendre, mais je ne voulus pas faire paraître que je le voyais, de peur de m'exposer à me faire dire des choses que l'on ne m'a encore osé dire.

580 – Par où vous a-t-on donc fait voir qu'on vous aimait, reprit M. de Clèves, et quelles marques de passion vous a-t-on données ?

– Épargnez-moi la peine, répliqua-t-elle, de vous redire des détails qui me font honte à moi-même de les avoir remarqués et qui ne m'ont que trop persuadée de ma faiblesse.

585 – Vous avez raison, madame, reprit-il, je suis injuste. Refusez-moi toutes les fois que je vous demanderai de pareilles choses, mais ne vous offensez pourtant pas si je vous les demande. »

Dans ce moment, plusieurs de leurs gens, qui étaient demeurés dans les allées, vinrent avertir M. de Clèves qu'un gentilhomme
590 venait le chercher de la part du roi, pour lui ordonner de se trouver le soir à Paris. M. de Clèves fut contraint de s'en aller, et il ne put rien dire à sa femme, sinon qu'il la suppliait de venir le lendemain, et qu'il la conjurait de croire que, quoiqu'il fût affligé, il avait pour elle une tendresse et une estime dont elle devait être satisfaite.

595 Lorsque ce prince fut parti, que Mme de Clèves demeura seule, qu'elle regarda ce qu'elle venait de faire, elle en fut si épouvantée, qu'à peine put-elle s'imaginer que ce fût une vérité. Elle trouva qu'elle s'était ôté elle-même le cœur et l'estime de son mari et qu'elle s'était creusé un abîme dont elle ne sortirait jamais. Elle se demandait pourquoi elle
600 avait fait une chose si hasardeuse, et elle trouvait qu'elle s'y était engagée sans en avoir presque eu le dessein. La singularité d'un pareil aveu, dont elle ne trouvait point d'exemple, lui en faisait voir tout le péril.

Mais quand elle venait à penser que ce remède, quelque violent qu'il fût, était le seul qui la pouvait défendre contre M. de Nemours,
605 elle trouvait qu'elle ne devait point se repentir et qu'elle n'avait point trop hasardé. Elle passa toute la nuit, pleine d'incertitude, de trouble et de crainte, mais enfin le calme revint dans son esprit. Elle trouva même de la douceur à avoir donné ce témoignage de fidélité à un mari qui le méritait si bien, qui avait tant d'estime et tant d'amitié
610 pour elle, et qui venait de lui en donner encore des marques par la manière dont il avait reçu ce qu'elle lui avait avoué.

Cependant M. de Nemours était sorti du lieu où il avait entendu une conversation qui le touchait si sensiblement et s'était enfoncé dans la forêt. Ce qu'avait dit Mme de Clèves de son portrait lui avait redonné la vie, en lui faisant connaître que c'était lui qu'elle ne haïssait pas. Il s'abandonna d'abord à cette joie, mais elle ne fut pas longue, quand il fit réflexion que la même chose qui lui venait d'apprendre qu'il avait touché le cœur de Mme de Clèves le devait persuader aussi qu'il n'en recevrait jamais nulle marque, et qu'il était impossible d'engager[1] une personne qui avait recours à un remède si extraordinaire. Il sentit pourtant un plaisir sensible de l'avoir réduite à cette extrémité. Il trouva de la gloire à s'être fait aimer d'une femme si différente de toutes celles de son sexe ; enfin, il se trouva cent fois heureux et malheureux tout ensemble. La nuit le surprit dans la forêt, et il eut beaucoup de peine à retrouver le chemin de chez Mme de Mercœur. Il y arriva à la pointe du jour. Il fut assez embarrassé de rendre compte de ce qui l'avait retenu ; il s'en démêla le mieux qu'il lui fut possible, et revint ce jour même à Paris avec le vidame.

Ce prince était si rempli de sa passion, et si surpris de ce qu'il avait entendu, qu'il tomba dans une imprudence assez ordinaire, qui est de parler en termes généraux de ses sentiments particuliers et de conter ses propres aventures sous des noms empruntés. En revenant il tourna la conversation sur l'amour, il exagéra le plaisir d'être amoureux d'une personne digne d'être aimée. Il parla des effets bizarres de cette passion et enfin ne pouvant renfermer en lui-même l'étonnement que lui donnait l'action de Mme de Clèves, il la conta au vidame, sans lui nommer la personne et sans lui dire qu'il y eût aucune part, mais il la conta avec tant de chaleur et avec tant d'admiration que le vidame soupçonna aisément que cette histoire regardait ce prince. Il le pressa extrêmement de le lui avouer. Il lui dit qu'il connaissait depuis longtemps qu'il avait quelque passion violente et qu'il y avait de l'injustice de se défier d'un homme qui lui avait confié le secret de sa vie. M. de Nemours était trop amoureux pour avouer son amour ; il l'avait toujours caché au vidame, quoique ce fût l'homme de la cour qu'il aimât le mieux. Il lui répondit qu'un de ses amis lui avait conté cette aventure et lui avait fait promettre de n'en point parler, et qu'il le conjurait aussi de garder ce

1. **Engager :** entraîner dans une liaison.

secret. Le vidame l'assura qu'il n'en parlerait point ; néanmoins M. de Nemours se repentit de lui en avoir tant appris.

650 Cependant, M. de Clèves était allé trouver le roi, le cœur pénétré d'une douleur mortelle. Jamais mari n'avait eu une passion si violente pour sa femme et ne l'avait tant estimée. Ce qu'il venait d'apprendre ne lui ôtait pas l'estime ; mais elle lui en donnait d'une espèce différente de celle qu'il avait eue jusqu'alors. Ce qui l'occupait le plus était 655 l'envie de deviner celui qui avait su lui plaire. M. de Nemours lui vint d'abord dans l'esprit, comme ce qu'il y avait de plus aimable à la cour, et le chevalier de Guise, et le maréchal de Saint-André, comme deux hommes qui avaient pensé à lui plaire et qui lui rendaient encore beaucoup de soins, de sorte qu'il s'arrêta à croire qu'il fallait 660 que ce fût l'un des trois. Il arriva au Louvre, et le roi le mena dans son cabinet pour lui dire qu'il l'avait choisi pour conduire Madame en Espagne[1] ; qu'il avait cru que personne ne s'acquitterait mieux que lui de cette commission et que personne aussi ne ferait tant d'honneur à la France que Mme de Clèves. M. de Clèves reçut l'hon-665 neur de ce choix comme il le devait, et le regarda même comme une chose qui éloignerait sa femme de la cour sans qu'il parût de changement dans sa conduite. Néanmoins le temps de ce départ était encore trop éloigné pour être un remède à l'embarras où il se trouvait. Il écrivit à l'heure même à Mme de Clèves pour lui apprendre ce que 670 le roi venait de lui dire, et lui manda encore qu'il voulait absolument qu'elle revînt à Paris. Elle y revint comme il l'ordonnait et lorsqu'ils se virent, ils se trouvèrent tous deux dans une tristesse extraordinaire.

M. de Clèves lui parla comme le plus honnête homme du monde et le plus digne de ce qu'elle avait fait.

675 « Je n'ai nulle inquiétude de votre conduite, lui dit-il, vous avez plus de force et plus de vertu que vous ne pensez. Ce n'est point aussi la crainte de l'avenir qui m'afflige. Je ne suis affligé que de vous voir pour un autre des sentiments que je n'ai pu vous donner.

– Je ne sais que vous répondre, lui dit-elle, je meurs de honte en 680 vous en parlant. Épargnez-moi, je vous en conjure, de si cruelles conversations, réglez ma conduite, faites que je ne voie personne. C'est tout ce que je vous demande. Mais trouvez bon que je ne vous

---

1. **Conduire Madame en Espagne :** accompagner Élisabeth de France chez son futur époux, le roi d'Espagne Philippe II.

parle plus d'une chose qui me fait paraître si peu digne de vous et que je trouve si indigne de moi.
– Vous avez raison, madame, répliqua-t-il, j'abuse de votre douceur et de votre confiance. Mais aussi ayez quelque compassion de l'état où vous m'avez mis, et songez que, quoi que vous m'ayez dit, vous me cachez un nom qui me donne une curiosité avec laquelle je ne saurais vivre. Je ne vous demande pourtant pas de la satisfaire, mais je ne puis m'empêcher de vous dire que je crois que celui que je dois envier est le maréchal de Saint-André, le duc de Nemours ou le chevalier de Guise.
– Je ne vous répondrai rien, lui dit-elle en rougissant, et je ne vous donnerai aucun lieu par mes réponses de diminuer ni de fortifier vos soupçons, mais, si vous essayez de les éclaircir en m'observant, vous me donnerez un embarras qui paraîtra aux yeux de tout le monde Au nom de Dieu, continua-t-elle, trouvez bon que, sur le prétexte de quelque maladie, je ne voie personne.
– Non, madame, répliqua-t-il, on démêlerait bientôt que ce serait une chose supposée, et de plus, je ne me veux fier qu'à vous-même ; c'est le chemin que mon cœur me conseille de prendre, et la raison me le conseille aussi. De l'humeur dont vous êtes, en vous laissant votre liberté, je vous donne des bornes plus étroites que je ne pourrais vous en prescrire. »

M. de Clèves ne se trompait pas : la confiance qu'il témoignait à sa femme la fortifiait davantage contre M. de Nemours, et lui faisait prendre des résolutions plus austères qu'aucune contrainte n'aurait pu faire. Elle alla donc au Louvre et chez la reine dauphine à son ordinaire, mais elle évitait la présence et les yeux de M. de Nemours avec tant de soin, qu'elle lui ôta quasi toute la joie qu'il avait de se croire aimé d'elle. Il ne voyait rien dans ses actions qui ne lui persuadât le contraire. Il ne savait quasi si ce qu'il avait entendu n'était point un songe, tant il y trouvait peu de vraisemblance. La seule chose qui l'assurait qu'il ne s'était pas trompé était l'extrême tristesse de Mme de Clèves, quelque effort qu'elle fît pour la cacher. Peut-être que des regards et des paroles obligeantes n'eussent pas tant augmenté l'amour de M. de Nemours que faisait cette conduite austère.

Un soir que M. et Mme de Clèves étaient chez la reine, quelqu'un dit que le bruit courait que le roi nommerait encore un grand seigneur de la cour pour aller conduire Madame en Espagne. M. de Clèves avait les yeux sur sa femme dans le temps que l'on ajouta que ce serait peut-être le chevalier de Guise ou le maréchal de Saint-André. Il remarqua qu'elle n'avait point été émue de ces deux noms, ni de la proposition qu'ils fissent ce voyage avec elle. Cela lui fit croire que pas un des deux n'était celui dont elle craignait la présence, et, voulant s'éclaircir de ses soupçons, il entra dans le cabinet de la reine, où était le roi. Après y avoir demeuré quelque temps, il revint auprès de sa femme et lui dit tout bas qu'il venait d'apprendre que ce serait M. de Nemours qui irait avec eux en Espagne.

Le nom de M. de Nemours et la pensée d'être exposée à le voir tous les jours pendant un long voyage, en présence de son mari, donnèrent un tel trouble à Mme de Clèves qu'elle ne le put cacher, et, voulant y donner d'autres raisons :

« C'est un choix bien désagréable pour vous, répondit-elle, que celui de ce prince. Il partagera tous les honneurs, et il me semble que vous devriez essayer de faire choisir quelque autre.

– Ce n'est pas la gloire, madame, reprit M. de Clèves, qui vous fait appréhender que M. de Nemours ne vienne avec moi. Le chagrin que vous en avez vient d'une autre cause. Ce chagrin m'apprend ce que j'aurais appris d'une autre femme, par la joie qu'elle en aurait eue. Mais ne craignez point ; ce que je viens de vous dire n'est pas véritable, et je l'ai inventé pour m'assurer d'une chose que je ne croyais déjà que trop. »

Il sortit après ces paroles, ne voulant pas augmenter par sa présence l'extrême embarras où il voyait sa femme.

M. de Nemours entra dans cet instant et remarqua d'abord l'état où était Mme de Clèves. Il s'approcha d'elle et lui dit tout bas qu'il n'osait par respect lui demander ce qui la rendait plus rêveuse que de coutume. La voix de M. de Nemours la fit revenir[1], et, le regardant, sans avoir entendu ce qu'il venait de lui dire, pleine de ses propres pensées et de la crainte que son mari ne le vît auprès d'elle :

« Au nom de Dieu, lui dit-elle, laissez-moi en repos !

– Hélas ! madame, répondit-il, je ne vous y laisse que trop, de quoi pouvez-vous vous plaindre ? Je n'ose vous parler, je n'ose même vous regarder, je ne vous approche qu'en tremblant. Par où me suis-je attiré ce que vous venez de me dire, et pourquoi me faites-vous paraître que j'ai quelque part au chagrin où je vous vois ? »

---

1. **La fit revenir :** la fit revenir à elle, se ressaisir.

Mme de Clèves fut bien fâchée d'avoir donné lieu à M. de Nemours de s'expliquer plus clairement qu'il n'avait fait en toute sa vie. Elle le quitta, sans lui répondre, et s'en revint chez elle, l'esprit 760 plus agité qu'elle ne l'avait jamais eu. Son mari s'aperçut aisément de l'augmentation de son embarras. Il vit qu'elle craignait qu'il ne lui parlât de ce qui s'était passé. Il la suivit dans un cabinet où elle était entrée.

« Ne m'évitez point, madame, lui dit-il, je ne vous dirai rien qui 765 puisse vous déplaire ; je vous demande pardon de la surprise que je vous ai faite tantôt. J'en suis assez puni par ce que j'ai appris. M. de Nemours était de tous les hommes celui que je craignais le plus. Je vois le péril où vous êtes, ayez du pouvoir sur vous pour l'amour de vous-même et, s'il est possible, pour l'amour de moi. Je ne vous le 770 demande point comme un mari, mais comme un homme dont vous faites tout le bonheur, et qui a pour vous une passion plus tendre et plus violente que celui que votre cœur lui préfère. »

M. de Clèves s'attendrit en prononçant ces dernières paroles et eut peine à les achever. Sa femme en fut pénétrée, et, fondant en larmes, 775 elle l'embrassa avec une tendresse et une douleur qui le mirent dans un état peu différent du sien. Ils demeurèrent quelque temps sans se rien dire et se séparèrent sans avoir la force de se parler.

Les préparatifs pour le mariage de Madame étaient achevés. Le duc d'Albe arriva pour l'épouser. Il fut reçu avec toute la magni- 780 ficence et toutes les cérémonies qui se pouvaient faire dans une pareille occasion. Le roi envoya au-devant de lui le prince de Condé, les cardinaux de Lorraine et de Guise, les ducs de Lorraine, de Ferrare, d'Aumale, de Bouillon, de Guise et de Nemours. Ils avaient plusieurs gentilshommes et grand nombre de pages vêtus de leurs 785 livrées. Le roi attendit lui-même le duc d'Albe à la première porte du Louvre avec les deux cents gentilshommes servants et le connétable à leur tête. Lorsque ce duc fut proche du roi, il voulut lui embrasser les genoux, mais le roi l'en empêcha et le fit marcher à son côté jusque chez la reine et chez Madame, à qui le duc d'Albe apporta 790 un présent magnifique de la part de son maître. Il alla ensuite chez Mme Marguerite, sœur du roi, lui faire les compliments de M. de Savoie et l'assurer qu'il arriverait dans peu de jours. L'on fit de grandes assemblées au Louvre, pour faire voir au duc d'Albe, et au prince d'Orange qui l'avait accompagné, les beautés de la cour.

795 Mme de Clèves n'osa se dispenser de s'y trouver, quelque envie qu'elle en eût, par la crainte de déplaire à son mari, qui lui commanda absolument d'y aller. Ce qui l'y déterminait encore davantage était l'absence de M. de Nemours. Il était allé au-devant de M. de Savoie et, après que ce prince fut arrivé, il fut obligé de se tenir 800 presque toujours auprès de lui pour lui aider à toutes les choses qui regardaient les cérémonies de ses noces. Cela fit que Mme de Clèves ne rencontra pas ce prince aussi souvent qu'elle avait accoutumé, et elle s'en trouvait dans quelque sorte de repos.

Le vidame de Chartres n'avait pas oublié la conversation qu'il 805 avait eue avec M. de Nemours. Il lui était demeuré dans l'esprit que l'aventure que ce prince lui avait contée était la sienne propre, et il l'observait avec tant de soin, que peut-être aurait-il démêlé la vérité, sans que l'arrivée du duc d'Albe et celle de M. de Savoie firent un changement et une occupation dans la cour qui l'empêcha de voir 810 ce qui aurait pu l'éclairer. L'envie de s'éclaircir, ou plutôt la disposition naturelle que l'on a de conter tout ce que l'on sait à ce que l'on aime, fit qu'il redit à Mme de Martigues l'action extraordinaire de cette personne, qui avait avoué à son mari la passion qu'elle avait pour un autre. Il l'assura que M. de Nemours était celui qui avait 815 inspiré cette violente passion et il la conjura de lui aider à observer ce prince. Mme de Martigues fut bien aise d'apprendre ce que lui dit le vidame, et la curiosité qu'elle avait toujours vue à Mme la Dauphine, pour ce qui regardait M. de Nemours, lui donnait encore plus d'envie de pénétrer[1] cette aventure.

820 Peu de jours avant celui que l'on avait choisi pour la cérémonie du mariage, la reine dauphine donnait à souper au roi son beau-père et à la duchesse de Valentinois. Mme de Clèves, qui était occupée à s'habiller, alla au Louvre plus tard que de coutume. En y allant, elle trouva un gentilhomme qui la venait quérir de la part de Mme la 825 Dauphine. Comme elle entrait dans la chambre, cette princesse lui cria, de dessus son lit où elle était, qu'elle l'attendait avec une grande impatience.

« Je crois, madame, lui répondit-elle, que je ne dois pas vous remercier de cette impatience, et qu'elle est sans doute causée par 830 quelque autre chose que par l'envie de me voir.

1. **Pénétrer :** percer à jour, comprendre pleinement.

– Vous avez raison, lui répliqua la reine dauphine, mais néanmoins vous devez m'en être obligée, car je veux vous apprendre une aventure que je suis assurée que vous serez bien aise de savoir. »

Mme de Clèves se mit à genoux devant son lit et, par bonheur 835 pour elle, elle n'avait pas le jour au visage.

« Vous savez, lui dit cette reine, l'envie que nous avions de deviner ce qui causait le changement qui paraît au duc de Nemours : je crois le savoir, et c'est une chose qui vous surprendra. Il est éperdument amoureux et fort aimé d'une des plus belles personnes de la cour. »

840 Ces paroles, que Mme de Clèves ne pouvait s'attribuer puisqu'elle ne croyait pas que personne sût qu'elle aimait ce prince, lui causèrent une douleur qu'il est aisé de s'imaginer.

« Je ne vois rien en cela, répondit-elle, qui doive surprendre d'un homme de l'âge de M. de Nemours et fait comme il est.

845 – Ce n'est pas aussi, reprit Mme la Dauphine, ce qui vous doit étonner, mais c'est de savoir que cette femme qui aime M. de Nemours ne lui en a jamais donné aucune marque, et que la peur qu'elle a eue de n'être pas toujours maîtresse de sa passion a fait qu'elle l'a avouée à son mari, afin qu'il l'ôtât de la cour. Et c'est M. de Nemours 850 lui-même qui a conté ce que je vous dis. »

Si Mme de Clèves avait eu d'abord de la douleur par la pensée qu'elle n'avait aucune part à cette aventure, les dernières paroles de Mme la Dauphine lui donnèrent du désespoir, par la certitude de n'y en avoir que trop. Elle ne put répondre et demeura la tête penchée 855 sur le lit, pendant que la reine continuait de parler, si occupée de ce qu'elle disait qu'elle ne prenait pas garde à cet embarras. Lorsque Mme de Clèves fut un peu remise :

« Cette histoire ne me paraît guère vraisemblable, madame, répondit-elle, et je voudrais bien savoir qui vous l'a contée.

860 – C'est Mme de Martigues, répliqua Mme la Dauphine, qui l'a apprise du vidame de Chartres. Vous savez qu'il en est amoureux, il la lui a confiée comme un secret, et il la sait du duc de Nemours lui-même. Il est vrai que le duc de Nemours ne lui a pas dit le nom de la dame et ne lui a pas même avoué que ce fût lui qui en fût aimé, mais le 865 vidame de Chartres n'en doute point. »

Comme la reine dauphine achevait ces paroles, quelqu'un s'approcha du lit. Mme de Clèves était tournée d'une sorte qui l'empêchait de voir qui c'était, mais elle n'en douta pas, lorsque Mme la Dauphine se récria avec un air de gaieté et de surprise :

« Le voilà lui-même, et je veux lui demander ce qui en est. »

Mme de Clèves connut bien que c'était le duc de Nemours, comme ce l'était en effet, sans se tourner de son côté. Elle s'avança avec précipitation vers Mme la Dauphine, et lui dit tout bas qu'il fallait bien se garder de lui parler de cette aventure, qu'il l'avait confiée au vidame de Chartres, et que ce serait une chose capable de les brouiller. Mme la Dauphine lui répondit en riant qu'elle était trop prudente et se retourna vers M. de Nemours. Il était paré pour l'assemblée du soir et, prenant la parole avec cette grâce qui lui était si naturelle :

« Je crois, madame, dit-il, que je puis penser sans témérité que vous parliez de moi quand je suis entré, que vous aviez besoin de me demander quelque chose et que Mme de Clèves s'y oppose.

– Il est vrai, répondit Mme la Dauphine, mais je n'aurai pas pour elle la complaisance que j'ai accoutumé d'avoir. Je veux savoir de vous si une histoire que l'on m'a contée est véritable et si vous n'êtes pas celui qui êtes amoureux et aimé d'une femme de la cour qui vous cache sa passion avec soin et qui l'a avouée à son mari.

Le trouble et l'embarras de Mme de Clèves étaient au-delà de tout ce que l'on peut s'imaginer, et, si la mort se fût présentée pour la tirer de cet état, elle l'aurait trouvée agréable. Mais M. de Nemours était encore plus embarrassé, s'il est possible. Le discours de Mme la Dauphine, dont il avait eu lieu de croire qu'il n'était pas haï, en présence de Mme de Clèves, qui était la personne de la cour en qui elle avait le plus de confiance, et qui en avait aussi le plus en elle, lui donnait une si grande confusion de pensées bizarres, qu'il lui fut impossible d'être maître de son visage. L'embarras où il voyait Mme de Clèves par sa faute, et la pensée du juste sujet qu'il lui donnait de le haïr, lui causa un saisissement qui ne lui permit pas de répondre. Mme la Dauphine voyant à quel point il était interdit :

– Regardez-le, regardez-le, dit-elle à Mme de Clèves, et jugez si cette aventure n'est pas la sienne. »

Cependant M. de Nemours, revenant de son premier trouble, et voyant l'importance de sortir d'un pas si dangereux, se rendit maître tout d'un coup de son esprit et de son visage.

« J'avoue, madame, dit-il, que l'on ne peut être plus surpris et plus affligé que je le suis de l'infidélité que m'a faite le vidame de Chartres, en racontant l'aventure d'un de mes amis que je lui avais confiée. Je pourrais m'en venger, continua-t-il en souriant avec un air tranquille qui ôta quasi à Mme la Dauphine les soupçons 910 qu'elle venait d'avoir. Il m'a confié des choses qui ne sont pas d'une médiocre importance, mais je ne sais, madame, poursuivit-il, pourquoi vous me faites l'honneur de me mêler à cette aventure. Le vidame ne peut pas dire qu'elle me regarde, puisque je lui ai dit le contraire. La qualité d'un homme amoureux me peut convenir, mais, 915 pour celle d'un homme aimé, je ne crois pas, madame, que vous puissiez me la donner. »

Ce prince fut bien aise de dire quelque chose à Mme la Dauphine, qui eût du rapport à ce qu'il lui avait fait paraître en d'autres temps, afin de lui détourner l'esprit des pensées qu'elle avait pu avoir. Elle 920 crut bien aussi entendre ce qu'il disait, mais, sans y répondre, elle continua à lui faire la guerre de son embarras.

« J'ai été troublé, madame, lui répondit-il, pour l'intérêt de mon ami et par les justes reproches qu'il me pourrait faire d'avoir redit une chose qui lui est plus chère que la vie. Il ne me l'a néanmoins 925 confiée qu'à demi, et il ne m'a pas nommé la personne qu'il aime. Je sais seulement qu'il est l'homme du monde le plus amoureux et le plus à plaindre.

– Le trouvez-vous si à plaindre, répliqua Mme la Dauphine, puisqu'il est aimé ?

930 – Croyez-vous qu'il le soit, madame, reprit-il, et qu'une personne qui aurait une véritable passion, pût la découvrir à son mari ? Cette personne ne connaît pas sans doute l'amour, et elle a pris pour lui une légère reconnaissance de l'attachement que l'on a pour elle. Mon ami ne se peut flatter d'aucune espérance, mais, tout malheureux 935 qu'il est, il se trouve heureux d'avoir du moins donné la peur de l'aimer, et il ne changerait pas son état contre celui du plus heureux amant du monde.

– Votre ami a une passion bien aisée à satisfaire, dit Mme la Dauphine, et je commence à croire que ce n'est pas de vous dont vous parlez. Il 940 ne s'en faut guère, continua-t-elle, que je ne sois de l'avis de Mme de Clèves, qui soutient que cette aventure ne peut être véritable.

– Je ne crois pas en effet qu'elle le puisse être, reprit Mme de Clèves qui n'avait point encore parlé, et, quand il serait possible qu'elle le fût, par où l'aurait-on pu savoir? Il n'y a pas d'apparence qu'une femme, 945 capable d'une chose si extraordinaire, eût la faiblesse de la raconter ;

apparemment son mari ne l'aurait pas racontée non plus, ou ce serait un mari bien indigne du procédé que l'on aurait eu avec lui. »

M. de Nemours, qui vit les soupçons de Mme de Clèves sur son mari, fut bien aise de les lui confirmer. Il savait que c'était le plus redoutable rival qu'il eût à détruire.

« La jalousie, répondit-il, et la curiosité d'en savoir peut-être davantage que l'on ne lui en a dit peuvent faire faire bien des imprudences à un mari. »

Mme de Clèves était à la dernière épreuve de sa force et de son courage, et, ne pouvant plus soutenir la conversation, elle allait dire qu'elle se trouvait mal, lorsque, par bonheur pour elle, la duchesse de Valentinois entra, qui dit à Mme la Dauphine que le roi allait arriver. Cette reine passa dans son cabinet pour s'habiller. M. de Nemours s'approcha de Mme de Clèves, comme elle la voulait suivre.

« Je donnerais ma vie, madame, lui dit-il, pour vous parler un moment, mais de tout ce que j'aurais d'important à vous dire, rien ne me le paraît davantage que de vous supplier de croire que, si j'ai dit quelque chose où Mme la Dauphine puisse prendre part, je l'ai fait par des raisons qui ne la regardent pas. »

Mme de Clèves ne fit pas semblant d'entendre M. de Nemours, elle le quitta sans le regarder et se mit à suivre le roi qui venait d'entrer. Comme il y avait beaucoup de monde, elle s'embarrassa dans sa robe et fit un faux pas : elle se servit de ce prétexte pour sortir d'un lieu où elle n'avait pas la force de demeurer, et, feignant de ne se pouvoir soutenir, elle s'en alla chez elle.

M. de Clèves vint au Louvre et fut étonné de n'y pas trouver sa femme ; on lui dit l'accident qui lui était arrivé. Il s'en retourna à l'heure même pour apprendre de ses nouvelles ; il la trouva au lit, et il sut que son mal n'était pas considérable. Quand il eut été quelque temps auprès d'elle, il s'aperçut qu'elle était dans une tristesse si excessive qu'il en fut surpris.

« Qu'avez-vous, madame ? lui dit-il. Il me paraît que vous avez quelque autre douleur que celle dont vous vous plaignez ?

– J'ai la plus sensible affliction que je pouvais jamais avoir, répondit-elle, quel usage avez-vous fait de la confiance extraordinaire ou, pour mieux dire, folle que j'ai eue en vous ? Ne méritais-je pas le secret, et quand je ne l'aurais pas mérité, votre propre intérêt ne vous y engageait-il pas ? Fallait-il que la curiosité de savoir un

nom que je ne dois pas vous dire vous obligeât à vous confier à
985 quelqu'un pour tâcher de le découvrir ? Ce ne peut être que cette seule curiosité qui vous ait fait faire une si cruelle imprudence, les suites en sont aussi fâcheuses qu'elles pouvaient l'être. Cette aventure est sue, et on me la vient de conter, ne sachant pas que j'y eusse le principal intérêt.

990 – Que me dites-vous, madame ? lui répondit-il. Vous m'accusez d'avoir conté ce qui s'est passé entre vous et moi, et vous m'apprenez que la chose est sue ? Je ne me justifie pas de l'avoir redite, vous ne le sauriez croire, et il faut sans doute que vous ayez pris pour vous ce que l'on vous a dit de quelque autre.

995 – Ah ! monsieur, reprit-elle, il n'y a pas dans le monde une autre aventure pareille à la mienne, il n'y a point une autre femme capable de la même chose. Le hasard ne peut l'avoir fait inventer, on ne l'a jamais imaginée et cette pensée n'est jamais tombée dans un autre esprit que le mien. Mme la Dauphine vient de me conter toute cette aventure ;
1000 elle l'a sue par le vidame de Chartres, qui la sait de M. de Nemours.

– M. de Nemours ! s'écria M. de Clèves avec une action qui marquait du transport et du désespoir. Quoi ! M. de Nemours sait que vous l'aimez, et que je le sais ?

– Vous voulez toujours choisir M. de Nemours plutôt qu'un autre,
1005 répliqua-t-elle, je vous ai dit que je ne vous répondrais jamais sur vos soupçons. J'ignore si M. de Nemours sait la part que j'ai dans cette aventure et celle que vous lui avez donnée, mais il l'a contée au vidame de Chartres et lui a dit qu'il la savait d'un de ses amis, qui ne lui avait pas nommé la personne. Il faut que cet ami de M. de
1010 Nemours soit des vôtres et que vous vous soyez fié à lui pour tâcher de vous éclaircir.

– A-t-on un ami au monde à qui on voulût faire une telle confidence, reprit M. de Clèves, et voudrait-on éclaircir ses soupçons au prix d'apprendre à quelqu'un ce que l'on souhaiterait de se cacher à
1015 soi-même ? Songez plutôt, madame, à qui vous avez parlé. Il est plus vraisemblable que ce soit par vous que par moi que ce secret soit échappé. Vous n'avez pu soutenir toute seule l'embarras où vous vous êtes trouvée, et vous avez cherché le soulagement de vous plaindre avec quelque confidente qui vous a trahie.

1020 – N'achevez point de m'accabler, s'écria-t-elle, et n'ayez point la dureté de m'accuser d'une faute que vous avez faite. Pouvez-vous m'en soupçonner, et, puisque j'ai été capable de vous parler, suis-je capable de parler à quelque autre ? »

L'aveu que Mme de Clèves avait fait à son mari était une si grande marque de sa sincérité et elle niait si fortement de s'être confiée à personne, que M. de Clèves ne savait que penser. D'un autre côté, il était assuré de n'avoir rien redit ; c'était une chose que l'on ne pouvait avoir devinée, elle était sue ; ainsi il fallait que ce fût par l'un des deux, mais ce qui lui causait une douleur violente était de savoir que ce secret était entre les mains de quelqu'un et qu'apparemment il serait bientôt divulgué.

Mme de Clèves pensait à peu près les mêmes choses, elle trouvait également impossible que son mari eût parlé et qu'il n'eût pas parlé. Ce qu'avait dit M. de Nemours que la curiosité pouvait faire faire des imprudences à un mari, lui paraissait se rapporter si juste à l'état de M. de Clèves, qu'elle ne pouvait croire que ce fût une chose que le hasard eût fait dire, et cette vraisemblance la déterminait à croire que M. de Clèves avait abusé de la confiance qu'elle avait en lui. Ils étaient si occupés l'un et l'autre de leurs pensées, qu'ils furent longtemps sans parler, et ils ne sortirent de ce silence que pour redire les mêmes choses qu'ils avaient déjà dites plusieurs fois, et demeurèrent le cœur et l'esprit plus éloignés et plus altérés qu'ils ne l'avaient encore eu.

Il est aisé de s'imaginer en quel état ils passèrent la nuit. M. de Clèves avait épuisé toute sa constance à soutenir le malheur de voir une femme qu'il adorait, touchée de passion pour un autre. Il ne lui restait plus de courage, il croyait même n'en devoir pas trouver dans une chose où sa gloire et son honneur étaient si vivement blessés. Il ne savait plus que penser de sa femme ; il ne voyait plus quelle conduite il lui devait faire prendre, ni comment il se devait conduire lui-même, et il ne trouvait de tous côtés que des précipices et des abîmes. Enfin, après une agitation et une incertitude très longues, voyant qu'il devait bientôt s'en aller en Espagne, il prit le parti de ne rien faire qui pût augmenter les soupçons ou la connaissance de son malheureux état. Il alla trouver Mme de Clèves et lui dit qu'il ne s'agissait pas de démêler entre eux qui avait manqué au secret, mais qu'il s'agissait de faire voir que l'histoire que l'on avait contée était une fable où elle n'avait aucune part ; qu'il dépendait d'elle de le persuader à M. de Nemours et aux autres ; qu'elle n'avait qu'à

1060 agir avec lui avec la sévérité et la froideur qu'elle devait avoir pour un homme qui lui témoignait de l'amour ; que, par ce procédé, elle lui ôterait aisément l'opinion qu'elle eût de l'inclination pour lui ; qu'ainsi il ne fallait point s'affliger de tout ce qu'il aurait pu penser, parce que si, dans la suite, elle ne faisait paraître aucune faiblesse, 1065 toutes ses pensées se détruiraient aisément, et que surtout il fallait qu'elle allât au Louvre et aux assemblées comme à l'ordinaire.

Après ces paroles, M. de Clèves quitta sa femme sans attendre sa réponse. Elle trouva beaucoup de raison dans tout ce qu'il lui dit, et la colère où elle était contre M. de Nemours lui fit croire qu'elle 1070 trouverait aussi beaucoup de facilité à l'exécuter, mais il lui parut difficile de se trouver à toutes les cérémonies du mariage et d'y paraître avec un visage tranquille et un esprit libre ; néanmoins, comme elle devait porter la robe de Mme la Dauphine et que c'était une chose où elle avait été préférée à plusieurs autres princesses, 1075 il n'y avait pas moyen d'y renoncer sans faire beaucoup de bruit et sans en faire chercher des raisons. Elle se résolut donc de faire un effort sur elle-même, mais elle prit le reste du jour pour s'y préparer et pour s'abandonner à tous les sentiments dont elle était agitée. Elle s'enferma seule dans son cabinet. De tous ses maux, celui qui 1080 se présentait à elle avec le plus de violence, était d'avoir sujet de se plaindre de M. de Nemours et de ne trouver aucun moyen de le justifier. Elle ne pouvait douter qu'il n'eût conté cette aventure au vidame de Chartres, il l'avait avoué, et elle ne pouvait douter aussi, par la manière dont il avait parlé, qu'il ne sût que l'aventure la regar-1085 dait. Comment excuser une si grande imprudence, et qu'était devenue l'extrême discrétion de ce prince, dont elle avait été si touchée ?

« Il a été discret, disait-elle, tant qu'il a cru être malheureux, mais une pensée d'un bonheur, même incertain, a fini sa discrétion. Il n'a pu s'imaginer qu'il était aimé sans vouloir qu'on le sût. Il a dit tout 1090 ce qu'il pouvait dire, je n'ai pas avoué que c'était lui que j'aimais, il l'a soupçonné et il a laissé voir ses soupçons. S'il eût eu des certitudes, il en aurait usé de la même sorte. J'ai eu tort de croire qu'il y eût un homme capable de cacher ce qui flatte sa gloire. C'est pourtant pour cet homme, que j'ai cru si différent du reste des hommes, 1095 que je me trouve comme les autres femmes, étant si éloignée de leur ressembler. J'ai perdu le cœur et l'estime d'un mari qui devait faire ma félicité. Je serai bientôt regardée de tout le monde comme une personne qui a une folle et violente passion. Celui pour qui je l'ai ne l'ignore plus, et c'est pour éviter ces malheurs que j'ai hasardé tout 1100 mon repos et même ma vie. »

Ces tristes réflexions étaient suivies d'un torrent de larmes, mais quelque douleur dont elle se trouvât accablée, elle sentait bien qu'elle aurait eu la force de les supporter si elle avait été satisfaite de M. de Nemours.

1105 Ce prince n'était pas dans un état plus tranquille. L'imprudence qu'il avait faite d'avoir parlé au vidame de Chartres et les cruelles suites de cette imprudence lui donnaient un déplaisir mortel. Il ne pouvait se représenter, sans être accablé, l'embarras, le trouble et l'affliction où il avait vu Mme de Clèves. Il était inconsolable de 1110 lui avoir dit des choses sur cette aventure qui, bien que galantes par elles-mêmes, lui paraissaient dans ce moment grossières et peu polies, puisqu'elles avaient fait entendre à Mme de Clèves qu'il n'ignorait pas qu'elle était cette femme qui avait une passion violente et qu'il était celui pour qui elle l'avait. Tout ce qu'il eût pu 1115 souhaiter, eût été une conversation avec elle, mais il trouvait qu'il la devait craindre plutôt que de la désirer.

« Qu'aurais-je à lui dire ? s'écriait-il. Irais-je encore lui montrer ce que je ne lui ai déjà que trop fait connaître ? Lui ferai-je voir que je sais qu'elle m'aime, moi qui n'ai jamais seulement osé lui dire que je 1120 l'aimais ? Commencerai-je à lui parler ouvertement de ma passion, afin de lui paraître un homme devenu hardi par des espérances ? Puis-je penser seulement à l'approcher et oserais-je lui donner l'embarras de soutenir ma vue ? Par où pourrais-je me justifier ? Je n'ai point d'excuse, je suis indigne d'être regardé de Mme de Clèves, 1125 et je n'espère pas aussi qu'elle me regarde jamais. Je ne lui ai donné par ma faute de meilleurs moyens pour se défendre contre moi que tous ceux qu'elle cherchait et qu'elle eût peut-être cherchés inutilement. Je perds par mon imprudence le bonheur et la gloire d'être aimé de la plus aimable et de la plus estimable personne du monde, 1130 mais, si j'avais perdu ce bonheur sans qu'elle en eût souffert et sans lui avoir donné une douleur mortelle, ce me serait une consolation, et je sens plus dans ce moment le mal que je lui ai fait que celui que je me suis fait auprès d'elle. »

M. de Nemours fut longtemps à s'affliger et à penser les mêmes 1135 choses. L'envie de parler à Mme de Clèves lui venait toujours à

l'esprit. Il songea à en trouver les moyens, il pensa à lui écrire, mais enfin il trouva qu'après la faute qu'il avait faite, et de l'humeur dont elle était, le mieux qu'il pût faire était de lui témoigner un profond respect par son affliction et par son silence, de lui faire voir même
1140 qu'il n'oserait se présenter devant elle et d'attendre ce que le temps, le hasard et l'inclination qu'elle avait pour lui, pourraient faire en sa faveur. Il résolut aussi de ne point faire de reproches au vidame de Chartres de l'infidélité qu'il lui avait faite, de peur de fortifier ses soupçons.

1145 Les fiançailles de Madame, qui se faisaient le lendemain, et le mariage qui se faisait le jour suivant, occupaient tellement toute la cour que Mme de Clèves et M. de Nemours cachèrent aisément au public leur tristesse et leur trouble. Mme la Dauphine ne parla même qu'en passant à Mme de Clèves de la conversation qu'elles
1150 avaient eue avec M. de Nemours, et M. de Clèves affecta de ne plus parler à sa femme de tout ce qui s'était passé, de sorte qu'elle ne se trouva pas dans un aussi grand embarras qu'elle l'avait imaginé.

Les fiançailles se firent au Louvre, et, après le festin et le bal, toute la maison royale alla coucher à l'évêché comme c'était la coutume.
1155 Le matin, le duc d'Albe, qui n'était jamais vêtu que fort simplement, mit un habit de drap d'or mêlé de couleur de feu, de jaune et de noir, tout couvert de pierreries, et il avait une couronne fermée sur la tête. Le prince d'Orange, habillé aussi magnifiquement avec ses livrées, et tous les Espagnols suivis des leurs vinrent prendre
1160 le duc d'Albe à l'hôtel de Villeroi où il était logé, et partirent, marchant quatre à quatre, pour venir à l'évêché. Sitôt qu'il fut arrivé, on alla par ordre à l'église ; le roi menait Madame, qui avait aussi une couronne fermée et sa robe portée par Mlles de Montpensier et de Longueville. La reine marchait ensuite, mais sans couronne. Après
1165 elle, venaient la reine dauphine, Madame, sœur du roi, Mme de Lorraine et la reine de Navarre, leurs robes portées par des princesses. Les reines et les princesses avaient toutes leurs filles magnifiquement habillées des mêmes couleurs qu'elles étaient vêtues, en sorte que l'on connaissait à qui étaient les filles par la couleur de
1170 leurs habits. On monta sur l'échafaud qui était préparé dans l'église, et l'on fit la cérémonie des mariages. On retourna ensuite dîner à l'évêché et, sur les cinq heures, on en partit pour aller au palais, où se faisait le festin et où le parlement, les cours souveraines et la

maison de ville étaient priés d'assister. Le roi, les reines, les princes
1175 et princesses mangèrent sur la table de marbre dans la grande salle du palais, le duc d'Albe assis auprès de la nouvelle reine d'Espagne. Au-dessous des degrés de la table de marbre et à la main droite du roi, étaient une table pour les ambassadeurs, les archevêques et les chevaliers de l'ordre et, de l'autre côté, une table pour les messieurs
1180 du parlement.

Le duc de Guise, vêtu d'une robe de drap d'or frisé[1], servait le roi de[2] grand-maître[3], M. le prince de Condé, de panetier[4], et le duc de Nemours, d'échanson[5]. Après que les tables furent levées, le bal commença, il fut interrompu par des ballets et par des machines[6] extra-
1185 ordinaires. On le reprit ensuite, et enfin, après minuit, le roi et toute la cour s'en retournèrent au Louvre. Quelque triste que fût Mme de Clèves, elle ne laissa pas de paraître aux yeux de tout le monde, et surtout aux yeux de M. de Nemours, d'une beauté incomparable. Il n'osa lui parler, quoique l'embarras de cette cérémonie lui en donnât
1190 plusieurs moyens, mais il lui fit voir tant de tristesse et une crainte si respectueuse de l'approcher qu'elle ne le trouva plus si coupable, quoiqu'il ne lui eût rien dit pour se justifier. Il eut la même conduite les jours suivants, et cette conduite fit aussi le même effet sur le cœur de Mme de Clèves.

1195 Enfin, le jour du tournoi arriva. Les reines se rendirent dans les galeries et sur les échafauds qui leur avaient été destinés. Les quatre tenants parurent au bout de la lice, avec une quantité de chevaux et de livrées qui faisaient le plus magnifique spectacle qui eût jamais paru en France.

1200 Le roi n'avait point d'autres couleurs que le blanc et le noir, qu'il portait toujours à cause de Mme de Valentinois qui était veuve. M. de Ferrare et toute sa suite avaient du jaune et du rouge, M. de Guise parut avec de l'incarnat et du blanc ; on ne savait d'abord par

---

1. **Or frisé :** tissu en or.
2. **Servait le roi de :** servait au roi de.
3. **Grand-maître :** maître d'hôtel chargé d'apporter les plats.
4. **Panetier :** serveur chargé d'apporter le pain.
5. **Échanson :** serveur chargé d'apporter les boissons.
6. **Machines :** grands spectacles qui nécessitaient des machines pour les changements de décor.

quelle raison il avait ces couleurs, mais on se souvint que c'étaient
1205 celles d'une belle personne qu'il avait aimée pendant qu'elle était fille, et qu'il aimait encore, quoiqu'il n'osât plus le lui faire paraître. M. de Nemours avait du jaune et du noir, on en chercha inutilement la raison. Mme de Clèves n'eut pas de peine à la deviner ; elle se souvint d'avoir dit devant lui qu'elle aimait le jaune, et qu'elle était
1210 fâchée d'être blonde, parce qu'elle n'en pouvait mettre. Ce prince crut pouvoir paraître avec cette couleur, sans indiscrétion, puisque, Mme de Clèves n'en mettant point, on ne pouvait soupçonner que ce fût la sienne.

Jamais on n'a fait voir tant d'adresse que les quatre tenants en
1215 firent paraître. Quoique le roi fût le meilleur homme de cheval de son royaume, on ne savait à qui donner l'avantage. M. de Nemours avait un agrément dans toutes ses actions qui pouvait faire pencher en sa faveur des personnes moins intéressées que Mme de Clèves. Sitôt qu'elle le vit paraître au bout de la lice, elle sentit une émo-
1220 tion extraordinaire et, à toutes les courses de ce prince, elle avait de la peine à cacher sa joie, lorsqu'il avait heureusement fourni sa carrière[1].

Sur le soir, comme tout était presque fini et que l'on était près de se retirer, le malheur de l'État fit que le roi voulut encore rompre une
1225 lance. Il manda[2] au comte de Montgomery, qui était extrêmement adroit, qu'il se mît sur la lice. Le comte supplia le roi de l'en dispenser et allégua toutes les excuses dont il put s'aviser, mais le roi, quasi en colère, lui fit dire qu'il le voulait absolument. La reine manda au roi qu'elle le conjurait de ne plus courir, qu'il avait si bien fait qu'il
1230 devait être content, et qu'elle le suppliait de revenir auprès d'elle. Il répondit que c'était pour l'amour d'elle qu'il allait courir encore et entra dans la barrière. Elle lui renvoya M. de Savoie pour le prier une seconde fois de revenir, mais tout fut inutile. Il courut, les lances se brisèrent, et un éclat de celle du comte de Montgomery lui donna
1235 dans l'œil et y demeura. Ce prince tomba du coup ; ses écuyers et M. de Montmorency, qui était un des maréchaux du camp, coururent à lui. Ils furent étonnés de le voir si blessé, mais le roi ne s'étonna point. Il dit que c'était peu de chose, et qu'il pardonnait

---

1. **Fourni sa carrière :** combattu à cheval.
2. **Manda :** du verbe « mander », donner un ordre, faire savoir.

au comte de Montgomery. On peut juger quel trouble et quelle
1240 affliction apporta un accident si funeste dans une journée destinée à la joie. Sitôt que l'on eut porté le roi dans son lit, et que les chirurgiens eurent visité sa plaie, ils la trouvèrent très considérable. M. le connétable se souvint, dans ce moment, de la prédiction que l'on avait faite au roi, qu'il serait tué dans un combat singulier, et il ne
1245 douta point que la prédiction ne fût accomplie.

Le roi d'Espagne, qui était alors à Bruxelles, étant averti de cet accident, envoya son médecin, qui était un homme d'une grande réputation, mais il jugea le roi sans espérance[1].

Une cour aussi partagée et aussi remplie d'intérêts opposés n'était
1250 pas dans une médiocre agitation à la veille d'un si grand événement ; néanmoins, tous les mouvements étaient cachés, et l'on ne paraissait occupé que de l'unique inquiétude de la santé du roi. Les reines, les princes et les princesses ne sortaient presque point de son antichambre.

1255 Mme de Clèves, sachant qu'elle était obligée d'y être, qu'elle y verrait M. de Nemours, qu'elle ne pourrait cacher à son mari l'embarras que lui causait cette vue, connaissant aussi que la seule présence de ce prince le justifiait à ses yeux et détruisait toutes ses résolutions, prit le parti de feindre d'être malade. La cour était trop occupée
1260 pour avoir de l'attention à sa conduite et pour démêler si son mal était faux ou véritable. Son mari seul pouvait en connaître la vérité, mais elle n'était pas fâchée qu'il la connût. Ainsi elle demeura chez elle, peu occupée du grand changement qui se préparait, et, remplie de ses propres pensées, elle avait toute la liberté de s'y abandonner.
1265 Tout le monde était chez le roi. M. de Clèves venait à de certaines heures lui en dire des nouvelles. Il conservait avec elle le même procédé qu'il avait toujours eu, hors que, quand ils étaient seuls, il y avait quelque chose d'un peu plus froid et de moins libre. Il ne lui avait point reparlé de tout ce qui s'était passé, et elle n'avait pas
1270 eu la force et n'avait pas même jugé à propos de reprendre cette conversation.

M. de Nemours, qui s'était attendu à trouver quelques moments à parler à Mme de Clèves, fut bien surpris et bien affligé de n'avoir

1. **Le roi sans espérance :** sans espoir de guérison. Historiquement, le tournoi eut lieu le 30 juin 1659 ; Henri II mourut onze jours plus tard.

pas seulement le plaisir de la voir. Le mal du roi se trouva si considé-
1275 rable que, le septième jour, il fut désespéré des médecins. Il reçut la certitude de sa mort avec une fermeté extraordinaire et d'autant plus admirable qu'il perdait la vie par un accident si malheureux, qu'il mourait à la fleur de son âge, heureux, adoré de ses peuples et aimé d'une maîtresse qu'il aimait éperdument. La veille de sa mort, il fit
1280 faire le mariage de Madame, sa sœur, avec M. de Savoie, sans cérémonie. L'on peut juger en quel état était la duchesse de Valentinois. La reine ne permit point qu'elle vît le roi et lui envoya demander les cachets[1] de ce prince et les pierreries de la couronne qu'elle avait en garde. Cette duchesse s'enquit si le roi était mort, et comme on lui
1285 eut répondu que non :

« Je n'ai donc point encore de maître, répondit-elle, et personne ne peut m'obliger à rendre ce que sa confiance m'a mis entre les mains. »

Sitôt qu'il fut expiré au château des Tournelles, le duc de Ferrare,
1290 le duc de Guise et le duc de Nemours conduisirent au Louvre la reine mère, le roi et la reine sa femme[2]. M. de Nemours menait la reine mère. Comme ils commençaient à marcher, elle se recula de quelques pas et dit à la reine, sa belle-fille, que c'était à elle à passer la première, mais il fut aisé de voir qu'il y avait plus d'aigreur que de
1295 bienséance dans ce compliment.

1. **Cachets :** sceaux.
2. **Le roi et la reine sa femme :** François II qui succède à son père, et sa femme, Marie Stuart.

QUATRIÈME PARTIE

LE CARDINAL de Lorraine s'était rendu maître absolu de l'esprit de la reine mère, le vidame de Chartres n'avait plus aucune part dans ses bonnes grâces, et l'amour qu'il avait pour Mme de Martigues et pour la liberté l'avait même empêché de sentir cette perte autant qu'elle méritait d'être sentie. Ce cardinal, pendant les dix jours de la maladie du roi, avait eu le loisir de former ses desseins et de faire prendre à la reine des résolutions conformes à ce qu'il avait projeté, de sorte que, sitôt que le roi fut mort, la reine ordonna au connétable de demeurer aux Tournelles auprès du corps du feu roi, pour faire les cérémonies ordinaires. Cette commission[1] l'éloignait de tout et lui ôtait la liberté d'agir. Il envoya un courrier au roi de Navarre pour le faire venir en diligence, afin de s'opposer ensemble à la grande élévation où il voyait que MM. de Guise allaient parvenir. On donna le commandement des armées au duc de Guise et les finances au cardinal de Lorraine. La duchesse de Valentinois fut chassée de la cour ; on fit revenir le cardinal de Tournon, ennemi déclaré du connétable, et le chancelier Olivier, ennemi déclaré de la duchesse de Valentinois. Enfin, la cour changea entièrement de face. Le duc de Guise prit le même rang que les princes du sang à porter le manteau du roi aux cérémonies des funérailles ; lui et ses frères furent entièrement les maîtres, non seulement par le crédit du cardinal sur l'esprit de la reine, mais parce que cette princesse crut qu'elle pourrait les éloigner s'ils lui donnaient de l'ombrage, et qu'elle ne pourrait éloigner le connétable, qui était appuyé des princes du sang.

Lorsque les cérémonies du deuil furent achevées, le connétable vint au Louvre et fut reçu du roi avec beaucoup de froideur. Il voulut lui parler en particulier, mais le roi appela MM. de Guise, et lui dit devant eux qu'il lui conseillait de se reposer, que les finances et le commandement des armées étaient donnés et que, lorsqu'il aurait besoin de ses conseils, il l'appellerait auprès de sa personne. Il fut reçu de la reine mère encore plus froidement que du roi, et

1. **Commission :** mission.

elle lui fit même des reproches de ce qu'il avait dit au feu roi que ses enfants ne lui ressemblaient point. Le roi de Navarre arriva et ne fut pas mieux reçu. Le prince de Condé, moins endurant que son
35 frère, se plaignit hautement ; ses plaintes furent inutiles, on l'éloigna de la cour sous le prétexte de l'envoyer en Flandre signer la ratification de la paix. On fit voir au roi de Navarre une fausse lettre du roi d'Espagne qui l'accusait de faire des entreprises sur ses places[1] ; on lui fit craindre pour ses terres, enfin, on lui inspira le dessein de s'en
40 aller en Béarn. La reine lui en fournit un moyen, en lui donnant la conduite de Mme Élisabeth et l'obligea même à partir devant cette princesse, et ainsi il ne demeura personne à la cour qui pût balancer le pouvoir de la maison de Guise.

Quoique ce fût une chose fâcheuse pour M. de Clèves de ne pas
45 conduire Mme Élisabeth, néanmoins il ne put s'en plaindre par la grandeur de celui qu'on lui préférait, mais il regrettait moins cet emploi par l'honneur qu'il en eût reçu que parce que c'était une chose qui éloignait sa femme de la cour sans qu'il parût qu'il eût dessein de l'en éloigner.

50 Peu de jours après la mort du roi, on résolut d'aller à Reims pour le sacre[2]. Sitôt qu'on parla de ce voyage, Mme de Clèves, qui avait toujours demeuré chez elle, feignant d'être malade, pria son mari de trouver bon qu'elle ne suivît point la cour et qu'elle s'en allât à Coulommiers prendre l'air et songer à sa santé. Il lui répondit qu'il
55 ne voulait point pénétrer si c'était la raison de sa santé qui l'obligeait à ne pas faire le voyage, mais qu'il consentait qu'elle ne le fît point. Il n'eut pas de peine à consentir à une chose qu'il avait déjà résolue ; quelque bonne opinion qu'il eût de la vertu de sa femme, il voyait bien que la prudence ne voulait pas qu'il l'exposât plus longtemps à
60 la vue d'un homme qu'elle aimait.

M. de Nemours sut bientôt que Mme de Clèves ne devait pas suivre la cour ; il ne put se résoudre à partir sans la voir, et la veille du départ, il alla chez elle aussi tard que la bienséance le pouvait permettre, afin de la trouver seule. La fortune favorisa son intention.
65 Comme il entra dans la cour, il trouva Mme de Nevers et Mme de

1. **Faire des entreprises sur ses places :** avoir des vues sur ses places (ses places fortes, ses villes).
2. **Pour le sacre :** historiquement, le sacre de François II eut lieu le 21 septembre 1559.

Martigues qui en sortaient et qui lui dirent qu'elles l'avaient laissée seule. Il monta avec une agitation et un trouble qui ne se peut comparer qu'à celui qu'eut Mme de Clèves, quand on lui dit que M. de Nemours venait pour la voir. La crainte qu'elle eut qu'il ne lui parlât
70 de sa passion, l'appréhension de lui répondre trop favorablement, l'inquiétude que cette visite pouvait donner à son mari, la peine de lui en rendre compte ou de lui cacher toutes ces choses, se présentèrent en un moment à son esprit et lui firent un si grand embarras, qu'elle prit la résolution d'éviter la chose du monde qu'elle sou-
75 haitait peut-être le plus. Elle envoya une de ses femmes à M. de Nemours, qui était dans son antichambre, pour lui dire qu'elle venait de se trouver mal, et qu'elle était bien fâchée de ne pouvoir recevoir l'honneur qu'il lui voulait faire. Quelle douleur pour ce prince de ne pas voir Mme de Clèves, et de ne la pas voir parce qu'elle ne voulait
80 pas qu'il la vît ! Il s'en allait le lendemain, il n'avait plus rien à espérer du hasard. Il ne lui avait rien dit depuis cette conversation de chez Mme la Dauphine, et il avait lieu de croire que la faute d'avoir parlé au vidame avait détruit toutes ses espérances ; enfin il s'en allait avec tout ce qui peut aigrir une vive douleur.

85 Sitôt que Mme de Clèves fut un peu remise du trouble que lui avait donné la pensée de la visite de ce prince, toutes les raisons qui la lui avaient fait refuser disparurent ; elle trouva même qu'elle avait fait une faute et, si elle eût ôsé ou qu'il eût encore été assez à temps, elle l'aurait fait appeler.

90 Mmes de Nevers et de Martigues, en sortant de chez elle, allèrent chez la reine dauphine, M. de Clèves y était. Cette princesse leur demanda d'où elles venaient ; elles lui dirent qu'elles venaient de chez Mme de Clèves, où elles avaient passé une partie de l'après-dînée avec beaucoup de monde et qu'elles n'y avaient laissé que
95 M. de Nemours. Ces paroles, qu'elles croyaient si indifférentes, ne l'étaient pas pour M. de Clèves. Quoiqu'il dût bien s'imaginer que M. de Nemours pouvait trouver souvent des occasions de parler à sa femme, néanmoins la pensée qu'il était chez elle, qu'il y était seul et qu'il lui pouvait parler de son amour, lui parut dans ce moment une
100 chose si nouvelle et si insupportable, que la jalousie s'alluma dans son cœur avec plus de violence qu'elle n'avait encore fait. Il lui fut impossible de demeurer chez la reine ; il s'en revint, ne sachant pas même pourquoi il revenait, et s'il avait dessein d'aller interrompre

M. de Nemours. Sitôt qu'il approcha de chez lui, il regarda s'il ne verrait rien qui lui pût faire juger si ce prince y était encore, il sentit du soulagement en voyant qu'il n'y était plus, et il trouva de la douceur à penser qu'il ne pouvait y avoir demeuré longtemps. Il s'imagina que ce n'était peut-être pas M. de Nemours, dont il devait être jaloux et, quoiqu'il n'en doutât point, il cherchait à en douter, mais tant de choses l'en auraient persuadé qu'il ne demeurait pas longtemps dans cette incertitude qu'il désirait. Il alla d'abord dans la chambre de sa femme, et après lui avoir parlé quelque temps de choses indifférentes, il ne put s'empêcher de lui demander ce qu'elle avait fait et qui elle avait vu ; elle lui en rendit compte. Comme il vit qu'elle ne lui nommait point M. de Nemours, il lui demanda, en tremblant, si c'était tout ce qu'elle avait vu, afin de lui donner lieu de nommer ce prince et de n'avoir pas la douleur qu'elle lui en fît une finesse[1]. Comme elle ne l'avait point vu, elle ne le lui nomma point, et M. de Clèves reprenant la parole avec un ton qui marquait son affliction :

« Et monsieur de Nemours, lui dit-il, ne l'avez-vous point vu, ou l'avez-vous oublié ?

– Je ne l'ai point vu, en effet, répondit-elle ; je me trouvais mal, et j'ai envoyé une de mes femmes lui faire des excuses.

– Vous ne vous trouviez donc mal que pour lui, reprit M. de Clèves. Puisque vous avez vu tout le monde, pourquoi des distinctions pour M. de Nemours ? Pourquoi ne vous est-il pas comme un autre ? Pourquoi faut-il que vous craigniez sa vue ? Pourquoi lui laissez-vous voir que vous la craignez ? Pourquoi lui faites-vous connaître que vous vous servez du pouvoir que sa passion vous donne sur lui ? Oseriez-vous refuser de le voir, si vous ne saviez bien qu'il distingue vos rigueurs de l'incivilité[2] ? Mais pourquoi faut-il que vous ayez des rigueurs pour lui ? D'une personne comme vous, madame, tout est des faveurs hors l'indifférence.

– Je ne croyais pas, reprit Mme de Clèves, quelque soupçon que vous ayez sur M. de Nemours, que vous pussiez me faire des reproches de ne l'avoir pas vu.

– Je vous en fais pourtant, madame, répliqua-t-il, et ils sont bien fondés. Pourquoi ne le pas voir s'il ne vous a rien dit ? Mais, madame, il

1. **Finesse :** ruse, tromperie.
2. **Incivilité :** impolitesse.

vous a parlé ; si son silence seul vous avait témoigné sa passion, elle n'aurait pas fait en vous une si grande impression. Vous n'avez pu me dire la vérité tout entière, vous m'en avez caché la plus grande partie ; vous vous êtes repentie même du peu que vous m'avez avoué et vous n'avez pas eu la force de continuer. Je suis plus malheureux que je ne l'ai cru, et je suis le plus malheureux de tous les hommes. Vous êtes ma femme, je vous aime comme ma maîtresse, et je vous en vois aimer un autre. Cet autre est le plus aimable de la cour et il vous voit tous les jours, il sait que vous l'aimez. Eh ! j'ai pu croire, s'écria-t-il, que vous surmonteriez la passion que vous avez pour lui. Il faut que j'aie perdu la raison pour avoir cru que ce fût possible.

– Je ne sais, reprit tristement Mme de Clèves, si vous avez eu tort de juger favorablement d'un procédé aussi extraordinaire que le mien, mais je ne sais si je ne me suis trompée d'avoir cru que vous me feriez justice ?

– N'en doutez pas, madame, répliqua M. de Clèves, vous vous êtes trompée ; vous avez attendu de moi des choses aussi impossibles que celles que j'attendais de vous. Comment pouviez-vous espérer que je conservasse de la raison ? Vous aviez donc oublié que je vous aimais éperdument et que j'étais votre mari ? L'un des deux peut porter aux extrémités, que ne peuvent point les deux ensemble ? Eh ! que ne sont-ils point aussi, continua-t-il, je n'ai que des sentiments violents et incertains dont je ne suis pas le maître. Je ne me trouve plus digne de vous, vous ne me paraissez plus digne de moi. Je vous adore, je vous hais, je vous offense, je vous demande pardon, je vous admire, j'ai honte de vous admirer. Enfin il n'y a plus en moi ni de calme ni de raison. Je ne sais comment j'ai pu vivre depuis que vous me parlâtes à Coulommiers et depuis le jour que vous apprîtes de Mme la Dauphine que l'on savait votre aventure. Je ne saurais démêler par où elle a été sue, ni ce qui se passa entre M. de Nemours et vous sur ce sujet ; vous ne me l'expliquerez jamais, et je ne vous demande point de me l'expliquer. Je vous demande seulement de vous souvenir que vous m'avez rendu le plus malheureux homme du monde. »

M. de Clèves sortit de chez sa femme après ces paroles et partit le lendemain sans la voir, mais il lui écrivit une lettre pleine d'affliction, d'honnêteté et de douceur. Elle y fit une réponse si touchante et si remplie d'assurances de sa conduite passée et de celle qu'elle aurait

à l'avenir, que, comme ses assurances étaient fondées sur la vérité et que c'étaient en effet ses sentiments, cette lettre fit de l'impression sur M. de Clèves et lui donna quelque calme, joint que M. de
180 Nemours allant trouver le roi aussi bien que lui, il avait le repos de savoir qu'il ne serait pas au même lieu que Mme de Clèves. Toutes les fois que cette princesse parlait à son mari, la passion qu'il lui témoignait, l'honnêteté de son procédé, l'amitié qu'elle avait pour lui, et ce qu'elle lui devait, faisaient des impressions dans son cœur
185 qui affaiblissaient l'idée de M. de Nemours, mais ce n'était que pour quelque temps, et cette idée revenait bientôt plus vive et plus présente qu'auparavant.

Les premiers jours du départ de ce prince, elle ne sentit quasi pas son absence ; ensuite elle lui parut cruelle. Depuis qu'elle l'aimait, il
190 ne s'était point passé de jour qu'elle n'eût craint ou espéré de le rencontrer, et elle trouva une grande peine à penser qu'il n'était plus au pouvoir du hasard de faire qu'elle le rencontrât.

Elle s'en alla à Coulommiers, et, en y allant, elle eut soin d'y faire porter de grands tableaux que M. de Clèves avait fait copier sur des
195 originaux qu'avait fait faire Mme de Valentinois pour sa belle maison d'Anet. Toutes les actions remarquables, qui s'étaient passées du règne du roi, étaient dans ces tableaux. Il y avait entre autres le siège de Metz[1], et tous ceux qui s'y étaient distingués étaient peints fort ressemblants. M. de Nemours était de ce nombre, et c'était peut-
200 être ce qui avait donné envie à Mme de Clèves d'avoir ces tableaux.

Mme de Martigues, qui n'avait pu partir avec la cour, lui promit d'aller passer quelques jours à Coulommiers. La faveur de la reine qu'elles partageaient, ne leur avait point donné d'envie, ni d'éloignement l'une de l'autre ; elles étaient amies sans néanmoins se confier
205 leurs sentiments. Mme de Clèves savait que Mme de Martigues aimait le vidame, mais Mme de Martigues ne savait pas que Mme de Clèves aimât M. de Nemours, ni qu'elle en fût aimée. La qualité de nièce du vidame rendait Mme de Clèves plus chère à Mme de Martigues, et Mme de Clèves l'aimait aussi comme une personne qui avait une pas-
210 sion aussi bien qu'elle et qui l'avait pour l'ami intime de son amant.

Mme de Martigues vint à Coulommiers, comme elle l'avait promis à Mme de Clèves, elle la trouva dans une vie fort solitaire. Cette

1. **Le siège de Metz :** historiquement, il se déroula en 1552.

princesse avait même cherché le moyen d'être dans une solitude entière et de passer les soirs dans les jardins sans être accompagnée de ses domestiques. Elle venait dans ce pavillon où M. de Nemours l'avait écoutée, elle entrait dans le cabinet qui était ouvert sur le jardin. Ses femmes et ses domestiques demeuraient dans l'autre cabinet, ou sous le pavillon, et ne venaient point à elle qu'elle ne les appelât. Mme de Martigues n'avait jamais vu Coulommiers ; elle fut surprise de toutes les beautés qu'elle y trouva et surtout de l'agrément de ce pavillon. Mme de Clèves et elle y passaient tous les soirs. La liberté de se trouver seules, la nuit, dans le plus beau lieu du monde, ne laissait pas finir la conversation entre deux jeunes personnes, qui avaient des passions violentes dans le cœur ; et quoiqu'elles ne s'en fissent point de confidence, elles trouvaient un grand plaisir à se parler. Mme de Martigues aurait eu de la peine à quitter Coulommiers si, en le quittant, elle n'eût dû aller dans un lieu où était le vidame. Elle partit pour aller à Chambord, où la cour était alors.

Le sacre avait été fait à Reims par le cardinal de Lorraine, et l'on devait passer le reste de l'été dans le château de Chambord, qui était nouvellement bâti. La reine témoigna une grande joie de revoir Mme de Martigues, et, après lui en avoir donné plusieurs marques, elle lui demanda des nouvelles de Mme de Clèves et de ce qu'elle faisait à la campagne. M. de Nemours et M. de Clèves étaient alors chez cette reine. Mme de Martigues, qui avait trouvé Coulommiers admirable, en conta toutes les beautés, et elle s'étendit extrêmement sur la description de ce pavillon de la forêt et sur le plaisir qu'avait Mme de Clèves de s'y promener seule une partie de la nuit. M. de Nemours, qui connaissait assez le lieu pour entendre ce qu'en disait Mme de Martigues, pensa qu'il n'était pas impossible qu'il y pût voir Mme de Clèves, sans être vu que d'elle[1]. Il fit quelques questions à Mme de Martigues pour s'en éclaircir encore, et M. de Clèves qui l'avait toujours regardé pendant que Mme de Martigues avait parlé, crut voir dans ce moment ce qui lui passait dans l'esprit. Les questions que fit ce prince le confirmèrent encore dans cette pensée, en sorte qu'il ne douta point qu'il n'eût dessein d'aller voir sa femme. Il ne se trompait pas dans ses soupçons. Ce dessein entra si fortement dans l'esprit de M. de Nemours, qu'après avoir passé la nuit à songer

1. **Sans être vu que d'elle :** sans être vu par d'autres qu'elle.

aux moyens de l'exécuter, dès le lendemain matin, il demanda congé
250 au roi pour aller à Paris, sur quelque prétexte qu'il inventa.

M. de Clèves ne douta point du sujet de ce voyage, mais il résolut de s'éclaircir de la conduite de sa femme, et de ne pas demeurer dans une cruelle incertitude. Il eut envie de partir en même temps que M. de Nemours et de venir lui-même caché découvrir quel suc-
255 cès aurait ce voyage, mais craignant que son départ ne parût extraordinaire[1], et que M. de Nemours, en étant averti, ne prît d'autres mesures, il résolut de se fier à un gentilhomme qui était à lui, dont il connaissait la fidélité et l'esprit. Il lui conta dans quel embarras il se trouvait. Il lui dit quelle avait été jusqu'alors la vertu de Mme de
260 Clèves, et lui ordonna de partir sur les pas de M. de Nemours, de l'observer exactement, de voir s'il n'irait point à Coulommiers, et s'il n'entrerait point la nuit dans le jardin.

Le gentilhomme, qui était très capable d'une telle commission, s'en acquitta avec toute l'exactitude imaginable. Il suivit M. de
265 Nemours jusqu'à un village, à une demi-lieue de Coulommiers, où ce prince s'arrêta, et le gentilhomme devina aisément que c'était pour y attendre la nuit. Il ne crut pas à propos de l'y attendre aussi ; il passa le village et alla dans la forêt, à l'endroit par où il jugeait que M. de Nemours pouvait passer ; il ne se trompa point dans tout ce
270 qu'il avait pensé. Sitôt que la nuit fut venue, il entendit marcher, et quoiqu'il fît obscur, il reconnut aisément M. de Nemours. Il le vit faire le tour du jardin, comme pour écouter s'il n'y entendrait personne et pour choisir le lieu par où il pourrait passer le plus aisément. Les palissades étaient fort hautes, et il y en avait encore der-
275 rière, pour empêcher qu'on ne pût entrer, en sorte qu'il était assez difficile de se faire passage. M. de Nemours en vint à bout néanmoins ; sitôt qu'il fut dans ce jardin, il n'eut pas de peine à démêler où était Mme de Clèves. Il vit beaucoup de lumières dans le cabinet, toutes les fenêtres en étaient ouvertes et, en se glissant le long des
280 palissades, il s'en approcha avec un trouble et une émotion qu'il est aisé de se représenter. Il se rangea derrière une des fenêtres, qui servait de porte, pour voir ce que faisait Mme de Clèves. Il vit qu'elle était seule, mais il la vit d'une si admirable beauté, qu'à peine fut-il maître du transport que lui donna cette vue. Il faisait chaud, et elle

1. **Extraordinaire :** étrange.

Monsieur de Nemours surprend la princesse de Clèves
faisant des nœuds de rubans sur une canne des Indes.
Dessin.

n'avait rien sur sa tête et sur sa gorge, que ses cheveux confusément rattachés. Elle était sur un lit de repos, avec une table devant elle, où il y avait plusieurs corbeilles pleines de rubans ; elle en choisit quelques-uns, et M. de Nemours remarqua que c'étaient des mêmes couleurs qu'il avait portées au tournoi. Il vit qu'elle en faisait des nœuds à une canne des Indes, fort extraordinaire, qu'il avait portée quelque temps, et qu'il avait donnée à sa sœur, à qui Mme de Clèves l'avait prise sans faire semblant de la reconnaître pour avoir été à M. de Nemours. Après qu'elle eut achevé son ouvrage avec une grâce et une douceur que répandaient sur son visage les sentiments qu'elle avait dans le cœur, elle prit un flambeau et s'en alla proche d'une grande table, vis-à-vis du tableau du siège de Metz, où était le portrait de M. de Nemours ; elle s'assit, et se mit à regarder ce portrait avec une attention et une rêverie que la passion seule peut donner.

On ne peut exprimer ce que sentit M. de Nemours dans ce moment. Voir au milieu de la nuit, dans le plus beau lieu du monde, une personne qu'il adorait ; la voir sans qu'elle sût qu'il la voyait, et la voir tout occupée de choses qui avaient du rapport à lui et à la passion qu'elle lui cachait, c'est ce qui n'a jamais été goûté ni imaginé par nul autre amant.

Ce prince était aussi tellement hors de lui-même, qu'il demeurait immobile à regarder Mme de Clèves, sans songer que les moments lui étaient précieux. Quand il fut un peu remis, il pensa qu'il devait attendre à lui parler[1] qu'elle allât dans le jardin ; il crut qu'il le pourrait faire avec plus de sûreté, parce qu'elle serait plus éloignée de ses femmes, mais voyant qu'elle demeurait dans le cabinet, il prit la résolution d'y entrer. Quand il voulut l'exécuter, quel trouble n'eut-il point ! Quelle crainte de lui déplaire ! Quelle peur de faire changer ce visage où il y avait tant de douceur et de le voir devenir plein de sévérité et de colère !

Il trouva qu'il y avait eu de la folie, non pas à venir voir Mme de Clèves sans être vu, mais à penser de s'en faire voir, il vit tout ce qu'il n'avait point encore envisagé. Il lui parut de l'extravagance dans sa hardiesse de venir surprendre, au milieu de la nuit, une personne à qui il n'avait encore jamais parlé de son amour. Il pensa qu'il ne devait pas prétendre qu'elle le voulût écouter, et qu'elle

1. **Attendre à lui parler :** attendre pour lui parler.

aurait une juste colère du péril où il l'exposait par les accidents qui pouvaient arriver. Tout son courage l'abandonna, et il fut prêt plusieurs fois à prendre la résolution de s'en retourner sans se faire voir. Poussé néanmoins par le désir de lui parler, et rassuré par les espérances que lui donnait tout ce qu'il avait vu, il avança quelques pas, mais avec tant de trouble, qu'une écharpe qu'il avait, s'embarrassa dans la fenêtre, en sorte qu'il fit du bruit. Mme de Clèves tourna la tête, et, soit qu'elle eût l'esprit rempli de ce prince, ou qu'il fût dans un lieu où la lumière donnait assez pour qu'elle le pût distinguer, elle crut le reconnaître et sans balancer ni se retourner du côté où il était, elle entra dans le lieu où étaient ses femmes. Elle y entra avec tant de trouble qu'elle fut contrainte, pour le cacher, de dire qu'elle se trouvait mal ; et elle le dit aussi pour occuper tous ses gens et pour donner le temps à M. de Nemours de se retirer. Quand elle eut fait quelque réflexion, elle pensa qu'elle s'était trompée et que c'était un effet de son imagination d'avoir cru voir M. de Nemours. Elle savait qu'il était à Chambord, elle ne trouvait nulle apparence qu'il eût entrepris une chose si hasardeuse ; elle eut envie plusieurs fois de rentrer dans le cabinet et d'aller voir dans le jardin s'il y avait quelqu'un. Peut-être souhaitait-elle, autant qu'elle le craignait, d'y trouver M. de Nemours, mais enfin la raison et la prudence l'emportèrent sur tous ses autres sentiments, et elle trouva qu'il valait mieux demeurer dans le doute où elle était que de prendre le hasard de s'en éclaircir. Elle fut longtemps à se résoudre à sortir d'un lieu dont elle pensait que ce prince était peut-être si proche, et il était quasi jour quand elle revint au château.

M. de Nemours était demeuré dans le jardin tant qu'il avait vu de la lumière ; il n'avait pu perdre l'espérance de revoir Mme de Clèves, quoiqu'il fût persuadé qu'elle l'avait reconnu et qu'elle n'était sortie que pour l'éviter ; mais, voyant qu'on fermait les portes, il jugea bien qu'il n'avait plus rien à espérer. Il vint reprendre son cheval tout proche du lieu où attendait le gentilhomme de M. de Clèves. Ce gentilhomme le suivit jusqu'au même village, d'où il était parti le soir. M. de Nemours se résolut d'y passer tout le jour, afin de retourner la nuit à Coulommiers, pour voir si Mme de Clèves aurait encore la cruauté de le fuir, ou celle de ne se pas exposer à être vue ; quoiqu'il eût une joie sensible de l'avoir trouvée si remplie de son idée, il était néanmoins très affligé de lui avoir vu un mouvement si naturel de le fuir.

La passion n'a jamais été si tendre et si violente qu'elle l'était alors en ce prince. Il s'en alla sous des saules, le long d'un petit ruisseau qui coulait derrière la maison où il était caché. Il s'éloigna le plus qu'il lui fut possible, pour n'être vu ni entendu de personne ; il s'abandonna aux transports de son amour et son cœur en fut tellement pressé qu'il fut contraint de laisser couler quelques larmes ; mais ces larmes n'étaient pas de celles que la douleur seule fait répandre, elles étaient mêlées de douceur et de ce charme qui ne se trouve que dans l'amour.

Il se mit à repasser toutes les actions de Mme de Clèves depuis qu'il en était amoureux ; quelle rigueur honnête et modeste elle avait toujours eue pour lui, quoiqu'elle l'aimât. « Car, enfin, elle m'aime, disait-il ; elle m'aime, je n'en saurais douter ; les plus grands engagements[1] et les plus grandes faveurs ne sont pas des marques si assurées que celles que j'en ai eues. Cependant je suis traité avec la même rigueur que si j'étais haï ; j'ai espéré au temps[2], je n'en dois plus rien attendre, je la vois toujours se défendre également contre moi et contre elle-même. Si je n'étais point aimé, je songerais à plaire, mais je plais, on m'aime, et on me le cache. Que puis-je donc espérer, et quel changement dois-je attendre dans ma destinée ? Quoi ! je serais aimé de la plus aimable personne du monde, et je n'aurais cet excès d'amour que donnent les premières certitudes d'être aimé, que pour mieux sentir la douleur d'être maltraité ! Laissez-moi voir que vous m'aimez, belle princesse, s'écria-t-il, laissez-moi voir vos sentiments ; pourvu que je les connaisse par vous une fois en ma vie, je consens que vous repreniez pour toujours ces rigueurs dont vous m'accabliez. Regardez-moi du moins avec ces mêmes yeux dont je vous ai vue cette nuit regarder mon portrait ; pouvez-vous l'avoir regardé avec tant de douceur et m'avoir fui moi-même si cruellement ? Que craignez-vous ? Pourquoi mon amour vous est-il si redoutable ? Vous m'aimez, vous me le cachez inutilement ; vous-même m'en avez donné des marques involontaires. Je sais mon bonheur, laissez-m'en jouir, et cessez de me rendre malheureux. Est-il possible, reprenait-il, que je sois aimé de Mme de Clèves et que je sois malheureux ? Qu'elle était belle cette

1. **Engagements :** promesses.
2. **Espéré au temps :** mis son espoir dans le temps, espéré que le temps ferait son œuvre.

nuit ! Comment ai-je pu résister à l'envie de me jeter à ses pieds ? Si
395 je l'avais fait, je l'aurais peut-être empêchée de me fuir, mon respect l'aurait rassurée ; mais peut-être elle ne m'a pas reconnu ; je m'afflige plus que je ne dois, et la vue d'un homme, à une heure si extraordinaire, l'a effrayée. »

Ces mêmes pensées occupèrent tout le jour M. de Nemours ; il
400 attendit la nuit avec impatience et, quand elle fut venue, il reprit le chemin de Coulommiers. Le gentilhomme de M. de Clèves, qui s'était déguisé afin d'être moins remarqué, le suivit jusqu'au lieu où il l'avait suivi le soir d'auparavant et le vit entrer dans le même jardin. Ce prince connut bientôt que Mme de Clèves n'avait pas voulu
405 hasarder qu'il essayât encore de la voir, toutes les portes étaient fermées. Il tourna de tous les côtés pour découvrir s'il ne verrait point de lumières mais ce fut inutilement.

Mme de Clèves, s'étant doutée que M. de Nemours pourrait revenir, était demeurée dans sa chambre ; elle avait appréhendé de
410 n'avoir pas toujours la force de le fuir, et elle n'avait pas voulu se mettre au hasard de lui parler d'une manière si peu conforme à la conduite qu'elle avait eue jusqu'alors.

Quoique M. de Nemours n'eût aucune espérance de la voir, il ne put se résoudre à sortir si tôt d'un lieu où elle était si souvent. Il
415 passa la nuit entière dans le jardin et trouva quelque consolation à voir du moins les mêmes objets qu'elle voyait tous les jours. Le soleil était levé devant qu'il pensât à se retirer, mais enfin la crainte d'être découvert l'obligea à s'en aller.

Il lui fut impossible de s'éloigner sans voir Mme de Clèves, et il alla
420 chez Mme de Mercœur, qui était alors dans cette maison qu'elle avait proche de Coulommiers. Elle fut extrêmement surprise de l'arrivée de son frère. Il inventa une cause de son voyage, assez vraisemblable pour la tromper, et enfin il conduisit si habilement son dessein, qu'il l'obligea à lui proposer d'elle-même d'aller chez Mme de Clèves. Cette
425 proposition fut exécutée dès le même jour, et M. de Nemours dit à sa sœur qu'il la quitterait à Coulommiers, pour s'en retourner en diligence trouver le roi. Il fit ce dessein de la quitter à Coulommiers, dans la pensée de l'en laisser partir la première ; et il crut avoir trouvé un moyen infaillible de parler à Mme de Clèves.

430 Comme ils arrivèrent, elle se promenait dans une grande allée qui borde le parterre. La vue de M. de Nemours ne lui causa pas

un médiocre trouble et ne lui laissa plus de douter[1] que ce ne fût lui qu'elle avait vu la nuit précédente. Cette certitude lui donna quelque mouvement de colère par la hardiesse et l'imprudence
435 qu'elle trouvait dans ce qu'il avait entrepris. Ce prince remarqua une impression de froideur sur son visage qui lui donna une sensible douleur. La conversation fut de choses indifférentes, et néanmoins, il trouva l'art d'y faire paraître tant d'esprit, tant de complaisance[2] et tant d'admiration pour Mme de Clèves, qu'il dissipa, malgré elle, une
440 partie de la froideur qu'elle avait eue d'abord.

Lorsqu'il se sentit rassuré de sa première crainte, il témoigna une extrême curiosité d'aller voir le pavillon de la forêt. Il en parla comme du plus agréable lieu du monde et en fit même une description si particulière que Mme de Mercœur lui dit qu'il fallait qu'il y
445 eût été plusieurs fois pour en connaître si bien toutes les beautés.

« Je ne crois pourtant pas, reprit Mme de Clèves, que M. de Nemours y ait jamais entré, c'est un lieu qui n'est achevé que depuis peu.
– Il n'y a pas longtemps aussi que j'y ai été, reprit M. de Nemours en la regardant, et je ne sais si je ne dois point être bien aise que vous
450 ayez oublié de m'y avoir vu. »

Mme de Mercœur, qui regardait la beauté des jardins, n'avait point d'attention à ce que disait son frère. Mme de Clèves rougit, et baissant les yeux sans regarder M. de Nemours :

« Je ne me souviens point, lui dit-elle, de vous y avoir vu, et, si
455 vous y avez été, c'est sans que je l'aie su.
– Il est vrai, madame, répliqua M. de Nemours, que j'y ai été sans vos ordres, et j'y ai passé les plus doux et les plus cruels moments de ma vie. »

Mme de Clèves entendait trop bien tout ce que disait ce prince,
460 mais elle n'y répondit point ; elle songea à empêcher Mme de Mercœur d'aller dans ce cabinet, parce que le portrait de M. de Nemours y était et qu'elle ne voulait pas qu'elle l'y vît. Elle fit si bien que le temps se passa insensiblement, et Mme de Mercœur parla de s'en retourner. Mais quand Mme de Clèves vit que M. de Nemours
465 et sa sœur ne s'en allaient pas ensemble, elle jugea bien à quoi elle allait être exposée ; elle se trouva dans le même embarras où elle

1. **Ne lui laissa plus de douter :** ne lui permit plus de douter, lui ôta tout doute.
2. **Complaisance :** volonté de plaire.

s'était trouvée à Paris et elle prit aussi le même parti. La crainte que cette visite ne fût encore une confirmation des soupçons qu'avait son mari ne contribua pas peu à la déterminer, et, pour éviter
470 que M. de Nemours ne demeurât seul avec elle, elle dit à Mme de Mercœur qu'elle l'allait conduire jusqu'au bord de la forêt, et elle ordonna que son carrosse la suivît. La douleur qu'eut ce prince de trouver toujours cette même continuation des rigueurs[1] en Mme de Clèves fut si violente, qu'il en pâlit dans le même moment.
475 Mme de Mercœur lui demanda s'il se trouvait mal, mais il regarda Mme de Clèves, sans que personne s'en aperçût, et il lui fit juger par ses regards qu'il n'avait d'autre mal que son désespoir. Cependant il fallut qu'il les laissât partir sans oser les suivre, et après ce qu'il avait dit, il ne pouvait plus retourner avec sa sœur ; ainsi, il revint à Paris,
480 et en partit le lendemain.

Le gentilhomme de M. de Clèves l'avait toujours observé ; il revint aussi à Paris, et, comme il vit M. de Nemours parti pour Chambord, il prit la poste[2] afin d'y arriver devant lui et de rendre compte de son voyage. Son maître attendait son retour, comme ce qui allait décider
485 du malheur de toute sa vie.

Sitôt qu'il le vit, il jugea, par son visage et par son silence, qu'il n'avait que des choses fâcheuses à lui apprendre. Il demeura quelque temps saisi d'affliction, la tête baissée, sans pouvoir parler ; enfin, il lui fit signe de la main de se retirer :

490 « Allez, dit-il, je vois ce que vous avez à me dire, mais je n'ai pas la force de l'écouter.

– Je n'ai rien à vous apprendre, lui répondit le gentilhomme, sur quoi on puisse faire de jugement assuré. Il est vrai que M. de Nemours a entré deux nuits de suite dans le jardin de la forêt, et
495 qu'il a été le jour d'après à Coulommiers avec Mme de Mercœur.

– C'est assez, répliqua M. de Clèves, c'est assez, en lui faisant encore signe de se retirer, et je n'ai pas besoin d'un plus grand éclaircissement. »

Le gentilhomme fut contraint de laisser son maître abandonné à
500 son désespoir. Il n'y en a peut-être jamais eu un plus violent, et peu d'hommes d'un aussi grand courage et d'un cœur aussi passionné

---

1. **Rigueurs :** manifestations de froideur.
2. **Poste :** voiture tirée par des chevaux destinée à transporter des passagers.

que M. de Clèves ont ressenti en même temps la douleur que cause l'infidélité d'une maîtresse, et la honte d'être trompé par une femme.

M. de Clèves ne put résister à l'accablement où il se trouva. La
505 fièvre lui prit dès la nuit même, et avec de si grands accidents[1], que dès ce moment sa maladie parut très dangereuse. On en donna avis à Mme de Clèves ; elle vint en diligence. Quand elle arriva, il était encore plus mal, elle lui trouva quelque chose de si froid et de si glacé pour elle qu'elle en fut extrêmement surprise et affligée. Il lui
510 parut même qu'il recevait avec peine les services qu'elle lui rendait, mais enfin, elle pensa que c'était peut-être un effet de sa maladie.

D'abord qu'elle fut à Blois, où la cour était alors, M. de Nemours ne put s'empêcher d'avoir de la joie de savoir qu'elle était dans le même lieu que lui. Il essaya de la voir et alla tous les jours chez
515 M. de Clèves, sur le prétexte de savoir de ses nouvelles, mais ce fut inutilement. Elle ne sortait point de la chambre de son mari et avait une douleur violente de l'état où elle le voyait. M. de Nemours était désespéré qu'elle fût si affligée ; il jugeait aisément combien cette affliction renouvelait l'amitié qu'elle avait pour M. de Clèves,
520 et combien cette amitié faisait une diversion dangereuse à la passion qu'elle avait dans le cœur. Ce sentiment lui donna un chagrin mortel pendant quelque temps ; mais, l'extrémité du mal de M. de Clèves lui ouvrit de nouvelles espérances. Il vit que Mme de Clèves serait peut-être en liberté de suivre son inclination, et qu'il pourrait
525 trouver dans l'avenir une suite de bonheurs et de plaisirs durables. Il ne pouvait soutenir cette pensée, tant elle lui donnait de trouble et de transports, et il en éloignait son esprit par la crainte de se trouver trop malheureux, s'il venait à perdre ses espérances.

Cependant M. de Clèves était presque abandonné des médecins. Un
530 des derniers jours de son mal, après avoir passé une nuit très fâcheuse[2], il dit sur le matin qu'il voulait reposer. Mme de Clèves demeura seule dans sa chambre ; il lui parut qu'au lieu de reposer, il avait beaucoup d'inquiétude. Elle s'approcha et se vint mettre à genoux devant son lit, le visage tout couvert de larmes. M. de Clèves avait résolu
535 de ne lui point témoigner le violent chagrin qu'il avait contre elle,

---

1. **Accidents :** complications.
2. **Fâcheuse :** pénible.

mais les soins[1] qu'elle lui rendait, et son affliction, qui lui paraissait quelquefois véritable et qu'il regardait aussi quelquefois comme des marques de dissimulation et de perfidie, lui causaient des sentiments si opposés et si douloureux qu'il ne les put renfermer en lui-même.
540 « Vous versez bien des pleurs, madame, lui dit-il, pour une mort que vous causez et qui ne vous peut donner la douleur que vous faites paraître. Je ne suis plus en état de vous faire des reproches, continua-t-il avec une voix affaiblie par la maladie et par la douleur, mais je meurs du cruel déplaisir que vous m'avez donné. Fallait-il
545 qu'une action aussi extraordinaire que celle que vous aviez faite de me parler à Coulommiers eût si peu de suite ? Pourquoi m'éclairer sur la passion que vous aviez pour M. de Nemours, si votre vertu n'avait pas plus d'étendue pour y résister ? Je vous aimais jusqu'à être bien aise d'être trompé, je l'avoue à ma honte, j'ai regretté ce
550 faux repos dont vous m'avez tiré. Que ne me laissiez-vous dans cet aveuglement tranquille dont jouissent tant de maris ? J'eusse, peut-être, ignoré toute ma vie que vous aimiez M. de Nemours. Je mourrai, ajouta-t-il, mais sachez que vous me rendez la mort agréable, et qu'après m'avoir ôté l'estime et la tendresse que j'avais pour vous, la
555 vie me ferait horreur. Que ferais-je de la vie, reprit-il, pour la passer avec une personne que j'ai tant aimée, et dont j'ai été si cruellement trompé, ou pour vivre séparé de cette même personne, et en venir à un éclat et à des violences si opposées à mon humeur et à la passion que j'avais pour vous ? Elle a été au-delà de ce que vous en avez vu,
560 madame ; je vous en ai caché la plus grande partie, par la crainte de vous importuner, ou de perdre quelque chose de votre estime, par des manières qui ne convenaient pas à un mari. Enfin je méritais votre cœur ; encore une fois, je meurs sans regret, puisque je n'ai pu l'avoir, et que je ne puis plus le désirer. Adieu, madame, vous
565 regretterez quelque jour un homme qui vous aimait d'une passion véritable et légitime. Vous sentirez le chagrin que trouvent les personnes raisonnables dans ces engagements, et vous connaîtrez la différence d'être aimée, comme je vous aimais, à l'être par des gens qui, en vous témoignant de l'amour, ne cherchent que l'honneur
570 de vous séduire. Mais ma mort vous laissera en liberté, ajouta-t-il, et vous pourrez rendre M. de Nemours heureux, sans qu'il vous en

1. **Soins :** égards.

coûte des crimes. Qu'importe, reprit-il, ce qui arrivera quand je ne serai plus, et faut-il que j'aie la faiblesse d'y jeter les yeux. »

Mme de Clèves était si éloignée de s'imaginer que son mari pût
575 avoir des soupçons contre elle qu'elle écouta toutes ces paroles sans les comprendre, et sans avoir d'autre idée, sinon qu'il lui reprochait son inclination pour M. de Nemours ; enfin, sortant tout d'un coup de son aveuglement :

« Moi, des crimes ! s'écria-t-elle, la pensée même m'en est incon-
580 nue. La vertu la plus austère ne peut inspirer d'autre conduite que celle que j'ai eue ; et je n'ai jamais fait d'action dont je n'eusse souhaité que vous eussiez été témoin.

– Eussiez-vous souhaité, répliqua M. de Clèves, en la regardant avec dédain, que je l'eusse été des nuits que vous avez passées avec M. de
585 Nemours ? Ah ! madame, est-ce de vous dont je parle, quand je parle d'une femme qui a passé des nuits avec un homme ?

– Non, Monsieur, reprit-elle, non, ce n'est pas de moi dont vous parlez. Je n'ai jamais passé ni de nuits ni de moments avec M. de Nemours. Il ne m'a jamais vue en particulier, je ne l'ai jamais souf-
590 fert, ni écouté, et j'en ferais tous les serments...

– N'en dites pas davantage, interrompit M. de Clèves, de faux serments ou un aveu me feraient peut-être une égale peine. »

Mme de Clèves ne pouvait répondre, ses larmes et sa douleur lui ôtaient la parole ; enfin, faisant un effort :

595 « Regardez-moi du moins ; écoutez-moi, lui dit-elle. S'il n'y allait que de mon intérêt, je souffrirais ces reproches, mais il y va de votre vie. Écoutez-moi, pour l'amour de vous-même, il est impossible qu'avec tant de vérité, je ne vous persuade mon innocence.

– Plût à Dieu que vous me la puissiez persuader ! s'écria-t-il ;
600 mais que me pouvez-vous dire ? M. de Nemours n'a-t-il pas été à Coulommiers avec sa sœur ? Et n'avait-il pas passé les deux nuits précédentes avec vous dans le jardin de la forêt ?

– Si c'est là mon crime, répliqua-t-elle, il m'est aisé de me justifier. Je ne vous demande point de me croire ; mais croyez tous vos domes-
605 tiques, et sachez si j'allai dans le jardin de la forêt la veille que M. de Nemours vint à Coulommiers, et si je n'en sortis pas le soir d'auparavant deux heures plus tôt que je n'avais accoutumé. »

Elle lui conta ensuite comme elle avait cru voir quelqu'un dans ce jardin. Elle lui avoua qu'elle avait cru que c'était M. de Nemours. Elle lui parla avec tant d'assurance, et la vérité se persuade si aisément lors même qu'elle n'est pas vraisemblable, que M. de Clèves fut presque convaincu de son innocence.

« Je ne sais, lui dit-il, si je me dois laisser aller à vous croire. Je me sens si proche de la mort que je ne veux rien voir de ce qui me pourrait faire regretter la vie. Vous m'avez éclairci trop tard ; mais ce me sera toujours un soulagement d'emporter la pensée que vous êtes digne de l'estime que j'aie eue pour vous. Je vous prie que je puisse encore avoir la consolation de croire que ma mémoire vous sera chère, et que, s'il eût dépendu de vous, vous eussiez eu pour moi les sentiments que vous avez pour un autre. »

Il voulut continuer ; mais une faiblesse lui ôta la parole. Mme de Clèves fit venir les médecins, ils le trouvèrent presque sans vie. Il languit néanmoins encore quelques jours, et mourut enfin avec une constance admirable.

Mme de Clèves demeura dans une affliction si violente, qu'elle perdit quasi l'usage de la raison. La reine la vint voir avec soin et la mena dans un couvent sans qu'elle sût où on la conduisait. Ses belles-sœurs la remenèrent à Paris, qu'elle n'était pas encore en état de sentir distinctement sa douleur. Quand elle commença d'avoir la force de l'envisager et qu'elle vit quel mari elle avait perdu, qu'elle considéra qu'elle était la cause de sa mort, et que c'était par la passion qu'elle avait eue pour un autre qu'elle en était cause, l'horreur qu'elle eut pour elle-même et pour M. de Nemours ne se peut représenter.

Ce prince n'osa, dans ces commencements, lui rendre d'autres soins que ceux que lui ordonnait la bienséance. Il connaissait assez Mme de Clèves pour croire qu'un plus grand empressement lui serait désagréable, mais ce qu'il apprit ensuite lui fit bien voir qu'il devait avoir longtemps la même conduite.

Un écuyer qu'il avait lui conta que le gentilhomme de M. de Clèves, qui était son ami intime, lui avait dit, dans sa douleur de la perte de son maître, que le voyage de M. de Nemours à Coulommiers était cause de sa mort. M. de Nemours fut extrêmement surpris de ce discours, mais, après y avoir fait réflexion, il devina une partie de la vérité, et il jugea bien quels seraient d'abord les sentiments de Mme de Clèves et quel éloignement elle aurait de lui, si elle croyait que le mal de son mari eût été causé par la jalousie. Il crut qu'il ne fallait pas même la faire sitôt souvenir de son nom et il suivit cette conduite, quelque pénible qu'elle lui parût.

650 Il fit un voyage à Paris et ne put s'empêcher néanmoins d'aller à sa porte pour apprendre de ses nouvelles. On lui dit que personne ne la voyait et qu'elle avait même défendu qu'on lui rendît compte de ceux qui l'iraient chercher. Peut-être que ces ordres si exacts étaient donnés en vue de ce prince, et pour ne point entendre parler de lui. 655 M. de Nemours était trop amoureux pour pouvoir vivre si absolument privé de la vue de Mme de Clèves. Il résolut de trouver des moyens, quelque difficiles qu'ils pussent être, de sortir d'un état qui lui paraissait si insupportable.

La douleur de cette princesse passait les bornes de la raison. Ce 660 mari mourant, et mourant à cause d'elle et avec tant de tendresse pour elle, ne lui sortait point de l'esprit. Elle repassait incessamment tout ce qu'elle lui devait, et elle se faisait un crime de n'avoir pas eu de la passion pour lui, comme si c'eût été une chose qui eût été en son pouvoir. Elle ne trouvait de consolation qu'à penser qu'elle le 665 regrettait autant qu'il méritait d'être regretté et qu'elle ne ferait dans le reste de sa vie que ce qu'il aurait été bien aise qu'elle eût fait s'il avait vécu.

Elle avait pensé plusieurs fois comment il avait su que M. de Nemours était venu à Coulommiers ; elle ne soupçonnait pas ce 670 prince de l'avoir conté, et il lui paraissait même indifférent qu'il l'eût redit, tant elle se croyait guérie et éloignée de la passion qu'elle avait eue pour lui. Elle sentait néanmoins une douleur vive de s'imaginer qu'il était cause de la mort de son mari, et elle se souvenait avec peine de la crainte que M. de Clèves lui avait témoignée en mourant 675 qu'elle ne l'épousât ; mais toutes ces douleurs se confondaient dans celle de la perte de son mari, et elle croyait n'en avoir point d'autre.

Après que plusieurs mois furent passés, elle sortit de cette violente affliction où elle était et passa dans un état de tristesse et de langueur[1]. Mme de Martigues fit un voyage à Paris, et la vit avec soin 680 pendant le séjour qu'elle y fit. Elle l'entretint de la cour et de tout ce qui s'y passait et, quoique Mme de Clèves ne parût pas y prendre intérêt, Mme de Martigues ne laissait pas de lui en parler pour la divertir.

---

1. **Langueur :** mélancolie souvent due à un amour malheureux.

Elle lui conta des nouvelles du vidame, de M. de Guise, et de tous
685 les autres qui étaient distingués par leur personne ou par leur mérite.
« Pour M. de Nemours, dit-elle, je ne sais si les affaires ont pris dans son cœur la place de la galanterie, mais il a bien moins de joie qu'il n'avait accoutumé d'en avoir, il paraît fort retiré du commerce des femmes. Il fait souvent des voyages à Paris, et je crois même
690 qu'il y est présentement. »

Le nom de M. de Nemours surprit Mme de Clèves et la fit rougir. Elle changea de discours, et Mme de Martigues ne s'aperçut point de son trouble.

Le lendemain, cette princesse, qui cherchait des occupations
695 conformes à l'état où elle était, alla proche de chez elle voir un homme qui faisait des ouvrages de soie d'une façon particulière et elle y fut dans le dessein d'en faire faire de semblables. Après qu'on les lui eut montrés, elle vit la porte d'une chambre où elle crut qu'il y en avait encore, elle dit qu'on la lui ouvrît. Le maître répondit qu'il
700 n'en avait pas la clef et qu'elle était occupée par un homme qui y venait quelquefois pendant le jour pour dessiner de belles maisons et des jardins que l'on voyait de ses fenêtres.

« C'est l'homme du monde le mieux fait, ajouta-t-il, il n'a guère la mine d'être réduit à gagner sa vie. Toutes les fois qu'il vient céans, je
705 le vois toujours regarder les maisons et les jardins, mais je ne le vois jamais travailler. »

Mme de Clèves écoutait ce discours avec une grande attention. Ce que lui avait dit Mme de Martigues, que M. de Nemours était quelquefois à Paris, se joignit, dans son imagination, à cet homme
710 bien fait qui venait proche de chez elle, et lui fit une idée de M. de Nemours, et de M. de Nemours appliqué à la voir, qui lui donna un trouble confus, dont elle ne savait pas même la cause. Elle alla vers les fenêtres pour voir où elles donnaient ; elle trouva qu'elles voyaient tout son jardin et la face de son appartement. Et, lorsqu'elle
715 fut dans sa chambre, elle remarqua aisément cette même fenêtre où l'on lui avait dit que venait cet homme. La pensée que c'était M. de Nemours changea entièrement la situation de son esprit ; elle ne se trouva plus dans un certain triste repos qu'elle commençait à goûter, elle se sentit inquiète et agitée. Enfin ne pouvant demeurer avec
720 elle-même, elle sortit et alla prendre l'air dans un jardin hors des faubourgs, où elle pensait être seule. Elle crut en y arrivant qu'elle

ne s'était pas trompée ; elle ne vit aucune apparence qu'il y eût quelqu'un et elle se promena assez longtemps.

Après avoir traversé un petit bois, elle aperçut, au bout d'une
725 allée, dans l'endroit le plus reculé du jardin, une manière de cabinet[1] ouvert de tous côtés, où elle adressa ses pas. Comme elle en fut proche, elle vit un homme couché sur des bancs, qui paraissait enseveli dans une rêverie profonde, et elle reconnut que c'était M. de Nemours. Cette vue l'arrêta tout court. Mais ses gens qui la
730 suivaient firent quelque bruit, qui tira M. de Nemours de sa rêverie. Sans regarder qui avait causé le bruit qu'il avait entendu, il se leva de sa place pour éviter la compagnie qui venait vers lui, et tourna dans une autre allée, en faisant une révérence fort basse, qui l'empêcha même de voir ceux qu'il saluait.

735 S'il eût su ce qu'il évitait, avec quelle ardeur serait-il retourné sur ses pas, mais il continua à suivre l'allée, et Mme de Clèves le vit sortir par une porte de derrière où l'attendait son carrosse. Quel effet produisit cette vue d'un moment dans le cœur de Mme de Clèves ! Quelle passion endormie se ralluma dans son cœur, et avec quelle
740 violence ! Elle s'alla asseoir dans le même endroit d'où venait de sortir M. de Nemours, elle y demeura comme accablée. Ce prince se présenta à son esprit, aimable au-dessus de tout ce qui était au monde, l'aimant depuis longtemps avec une passion pleine de respect et de fidélité, méprisant tout pour elle, respectant jusqu'à
745 sa douleur, songeant à la voir sans songer à en être vu, quittant la cour, dont il faisait les délices, pour aller regarder les murailles qui la refermaient, pour venir rêver dans des lieux où il ne pouvait prétendre de la rencontrer ; enfin un homme digne d'être aimé par son seul attachement, et pour qui elle avait une inclination si violente,
750 qu'elle l'aurait aimé, quand il ne l'aurait pas aimée ; mais de plus, un homme d'une qualité élevée et convenable à la sienne. Plus de devoir, plus de vertu qui s'opposassent à ses sentiments ; tous les obstacles étaient levés, et il ne restait de leur état passé que la passion de M. de Nemours pour elle, et que celle qu'elle avait pour lui.

755 Toutes ces idées furent nouvelles à cette princesse. L'affliction de la mort de M. de Clèves l'avait assez occupée, pour avoir empêché qu'elle n'y eût jeté les yeux. La présence de M. de Nemours les

1. **Cabinet :** lieu couvert dans un jardin.

amena en foule dans son esprit, mais, quand il en eut été pleinement rempli et qu'elle se souvint aussi que ce même homme, qu'elle
760 regardait comme pouvant l'épouser, était celui qu'elle avait aimé du vivant de son mari, et qui était la cause de sa mort, que même en mourant, il lui avait témoigné de la crainte qu'elle ne l'épousât, son austère vertu était si blessée de cette imagination, qu'elle ne trouvait guère moins de crime à épouser M. de Nemours, qu'elle en avait
765 trouvé à l'aimer pendant la vie de son mari. Elle s'abandonna à ces réflexions si contraires à son bonheur ; elle les fortifia encore de plusieurs raisons qui regardaient son repos et les maux qu'elle prévoyait en épousant ce prince. Enfin, après avoir demeuré deux heures dans le lieu où elle était, elle s'en revint chez elle, persuadée qu'elle devait
770 fuir sa vue comme une chose entièrement opposée de son devoir.

Mais cette persuasion, qui était un effet de sa raison et de sa vertu, n'entraînait pas son cœur. Il demeurait attaché à M. de Nemours avec une violence qui la mettait dans un état digne de compassion et qui ne lui laissa plus de repos ; elle passa une des plus cruelles
775 nuits qu'elle eût jamais passées. Le matin, son premier mouvement fut d'aller voir s'il n'y aurait personne à la fenêtre qui donnait chez elle ; elle y alla, elle y vit M. de Nemours. Cette vue la surprit, et elle se retira avec une promptitude qui fit juger à ce prince qu'il avait été reconnu. Il avait souvent désiré de l'être, depuis que sa passion
780 lui avait fait trouver ces moyens de voir Mme de Clèves, et, lorsqu'il n'espérait pas d'avoir ce plaisir, il allait rêver dans le même jardin où elle l'avait trouvé.

Lassé enfin d'un état si malheureux et si incertain, il résolut de tenter quelque voie d'éclaircir sa destinée. « Que veux-je attendre ?
785 disait-il, il y a longtemps que je sais que j'en suis aimé, elle est libre, elle n'a plus de devoir à m'opposer. Pourquoi me réduire à la voir sans en être vu, et sans lui parler ? Est-il possible que l'amour m'ait si absolument ôté la raison et la hardiesse, et qu'il m'ait rendu si différent de ce que j'ai été dans les autres passions de ma vie ? J'ai dû respecter
790 la douleur de Mme de Clèves, mais je la respecte trop longtemps et je lui donne le loisir d'éteindre l'inclination qu'elle a pour moi. »

Après ces réflexions, il songea aux moyens dont il devait se servir pour la voir. Il crut qu'il n'y avait plus rien qui l'obligeât à cacher sa passion au vidame de Chartres. Il résolut de lui en parler et de lui
795 dire le dessein qu'il avait pour sa nièce.

Le vidame était alors à Paris ; tout le monde y était venu donner ordre à son équipage et à ses habits, pour suivre le roi qui devait conduire la reine d'Espagne. M. de Nemours alla donc chez le vidame et lui fit un aveu sincère de tout ce qu'il lui avait caché 800 jusqu'alors, à la réserve des sentiments de Mme de Clèves, dont il ne voulut pas paraître instruit.

Le vidame reçut tout ce qu'il lui dit avec beaucoup de joie et l'assura que, sans savoir ses sentiments, il avait souvent pensé, depuis que Mme de Clèves était veuve, qu'elle était la seule per- 805 sonne digne de lui. M. de Nemours le pria de lui donner les moyens de lui parler et de savoir quelles étaient ses dispositions.

Le vidame lui proposa de le mener chez elle, mais M. de Nemours crut qu'elle en serait choquée, parce qu'elle ne voyait encore personne. Ils trouvèrent qu'il fallait que M. le vidame la priât de venir 810 chez lui, sur quelque prétexte, et que M. de Nemours y vînt par un escalier dérobé, afin de n'être vu de personne. Cela s'exécuta comme ils l'avaient résolu : Mme de Clèves vint, le vidame l'alla recevoir et la conduisit dans un grand cabinet, au bout de son appartement. Quelque temps après, M. de Nemours entra, comme si le hasard l'eût 815 conduit. Mme de Clèves fut extrêmement surprise de le voir ; elle rougit et essaya de cacher sa rougeur. Le vidame parla d'abord de choses indifférentes et sortit, supposant qu'il avait quelque ordre à donner. Il dit à Mme de Clèves qu'il la priait de faire les honneurs de chez lui et qu'il allait rentrer dans un moment.

820 L'on ne peut exprimer ce que sentirent M. de Nemours et Mme de Clèves de se trouver seuls et en état de se parler pour la première fois. Ils demeurèrent quelque temps sans rien dire ; enfin, M. de Nemours rompant le silence :

« Pardonnerez-vous à M. de Chartres, madame, lui dit-il, de 825 m'avoir donné l'occasion de vous voir et de vous entretenir, que vous m'avez toujours si cruellement ôtée ?

– Je ne lui dois pas pardonner, répondit-elle, d'avoir oublié l'état où je suis, et à quoi il expose ma réputation. »

En prononçant ces paroles, elle voulut s'en aller, et M. de Nemours, 830 la retenant :

« Ne craignez rien, madame, répliqua-t-il, personne ne sait que je suis ici et aucun hasard n'est à craindre. Écoutez-moi, madame, écoutez-moi ; si ce n'est par bonté, que ce soit du moins pour l'amour de

vous-même, et pour vous délivrer des extravagances où m'empor-
835 terait infailliblement une passion dont je ne suis plus le maître. »

Mme de Clèves céda pour la première fois au penchant qu'elle avait pour M. de Nemours, et le regardant avec des yeux pleins de douceur et de charmes :

« Mais qu'espérez-vous, lui dit-elle, de la complaisance que vous
840 me demandez ? Vous vous repentirez peut-être de l'avoir obtenue, et je me repentirai infailliblement de vous l'avoir accordée. Vous méritez une destinée plus heureuse que celle que vous avez eue jusques ici, et que celle que vous pouvez trouver à l'avenir, à moins que vous ne la cherchiez ailleurs !

845 – Moi, madame, lui dit-il, chercher du bonheur ailleurs ! Et y en a-t-il d'autre que d'être aimé de vous ? Quoique je ne vous aie jamais parlé, je ne saurais croire, madame, que vous ignoriez ma passion et que vous ne la connaissiez pour la plus véritable et la plus violente qui sera jamais. À quelle épreuve a-t-elle été par des choses qui
850 vous sont inconnues ? Et à quelle épreuve l'avez-vous mise par vos rigueurs ?

– Puisque vous voulez que je vous parle et que je m'y résous, répondit Mme de Clèves en s'asseyant, je le ferai avec une sincérité que vous trouverez malaisément dans les personnes de mon sexe. Je ne
855 vous dirai point que je n'ai pas vu l'attachement que vous avez eu pour moi ; peut-être ne me croiriez-vous pas quand je vous le dirais. Je vous avoue donc, non seulement que je l'ai vu, mais que je l'ai vu tel que vous pouvez souhaiter qu'il m'ait paru.

– Et si vous l'avez vu, madame, interrompit-il, est-il possible que
860 vous n'en ayez point été touchée ? Et oserais-je vous demander s'il n'a fait aucune impression dans votre cœur ?

– Vous en avez dû juger par ma conduite, lui répliqua-t-elle ; mais je voudrais bien savoir ce que vous en avez pensé.

– Il faudrait que je fusse dans un état plus heureux pour vous l'oser
865 dire, répondit-il, et ma destinée a trop peu de rapport à ce que je vous dirais. Tout ce que je puis vous apprendre, madame, c'est que j'ai souhaité ardemment que vous n'eussiez pas avoué à M. de Clèves ce que vous me cachiez, et que vous lui eussiez caché ce que vous m'eussiez laissé voir.

870 – Comment avez-vous pu découvrir, reprit-elle en rougissant, que j'aie avoué quelque chose à M. de Clèves ?

– Je l'ai su par vous-même, madame, répondit-il, mais, pour me pardonner la hardiesse que j'ai eue de vous écouter, souvenez-vous si j'ai abusé de ce que j'ai entendu, si mes espérances en ont augmenté, et si j'ai eu plus de hardiesse à vous parler ? »

Il commença à lui conter comme il avait entendu sa conversation avec M. de Clèves mais elle l'interrompit avant qu'il eût achevé.

« Ne m'en dites pas davantage, lui dit-elle ; je vois présentement par où vous avez été si bien instruit. Vous ne me le parûtes déjà que trop chez Mme la Dauphine, qui avait su cette aventure par ceux à qui vous l'aviez confiée. »

M. de Nemours lui apprit alors de quelle sorte la chose était arrivée.

« Ne vous excusez point, reprit-elle, il y a longtemps que je vous ai pardonné, sans que vous m'ayez dit de raison. Mais puisque vous avez appris par moi-même ce que j'avais eu dessein de vous cacher toute ma vie, je vous avoue que vous m'avez inspiré des sentiments qui m'étaient inconnus devant que de vous avoir vu, et dont j'avais même si peu d'idée qu'ils me donnèrent d'abord une surprise qui augmentait encore le trouble qui les suit toujours. Je vous fais cet aveu avec moins de honte, parce que je le fais dans un temps où je le puis faire sans crime et que vous avez vu que ma conduite n'a pas été réglée par mes sentiments.

– Croyez-vous, madame, lui dit M. de Nemours, en se jetant à ses genoux, que je n'expire pas à vos pieds de joie et de transport ?

– Je ne vous apprends, lui répondit-elle en souriant, que ce que vous ne saviez déjà que trop.

– Ah ! madame, répliqua-t-il, quelle différence de le savoir par un effet du hasard ou de l'apprendre par vous-même, et de voir que vous voulez bien que je le sache !

– Il est vrai, lui dit-elle, que je veux bien que vous le sachiez et que je trouve de la douceur à vous le dire. Je ne sais même si je ne vous le dis point, plus pour l'amour de moi que pour l'amour de vous. Car enfin cet aveu n'aura point de suite et je suivrai les règles austères que mon devoir m'impose.

– Vous n'y songez pas, madame, répondit M. de Nemours ; il n'y a plus de devoir qui vous lie, vous êtes en liberté, et si j'osais, je vous dirais même qu'il dépend de vous de faire en sorte que votre devoir vous oblige un jour à conserver les sentiments que vous avez pour moi.

910 – Mon devoir, répliqua-t-elle, me défend de penser jamais à personne, et moins à vous qu'à qui que ce soit au monde, par des raisons qui vous sont inconnues.

– Elles ne me le sont peut-être pas, madame, reprit-il, mais ce ne sont point de véritables raisons. Je crois savoir que M. de Clèves m'a 915 cru plus heureux que je n'étais et qu'il s'est imaginé que vous aviez approuvé des extravagances que la passion m'a fait entreprendre sans votre aveu.

– Ne parlons point de cette aventure, lui dit-elle, je n'en saurais soutenir la pensée ; elle me fait honte, et elle m'est aussi trop dou- 920 loureuse par les suites qu'elle a eues. Il n'est que trop véritable que vous êtes cause de la mort de M. de Clèves ; les soupçons que lui a donnés votre conduite inconsidérée lui ont coûté la vie, comme si vous la lui aviez ôtée de vos propres mains. Voyez ce que je devrais faire, si vous en étiez venus ensemble à ces extrémités, et que le 925 même malheur en fût arrivé. Je sais bien que ce n'est pas la même chose à l'égard du monde, mais au mien il n'y a aucune différence, puisque je sais que c'est par vous qu'il est mort et que c'est à cause de moi.

– Ah ! madame, lui dit M. de Nemours, quel fantôme de devoir 930 opposez-vous à mon bonheur ? Quoi ! madame, une pensée vaine et sans fondement vous empêchera de rendre heureux un homme que vous ne haïssez pas ? Quoi ! j'aurais pu concevoir l'espérance de passer ma vie avec vous ; ma destinée m'aurait conduit à aimer la plus estimable personne du monde ; j'aurais vu en elle tout ce qui peut 935 faire une adorable maîtresse ; elle ne m'aurait pas haï, et je n'aurais trouvé dans sa conduite que tout ce qui peut être à désirer dans une femme ? Car enfin, madame, vous êtes peut-être la seule personne en qui ces deux choses se soient jamais trouvées au degré qu'elles sont en vous. Tous ceux qui épousent des maîtresses dont ils sont 940 aimés, tremblent en les épousant, et regardent avec crainte, par rapport aux autres, la conduite qu'elles ont eue avec eux ; mais en vous, madame, rien n'est à craindre, et on ne trouve que des sujets d'admiration. N'aurais-je envisagé, dis-je, une si grande félicité que pour vous y voir apporter vous-même des obstacles ? Ah ! madame, 945 vous oubliez que vous m'avez distingué du reste des hommes, ou plutôt vous ne m'en avez jamais distingué : vous vous êtes trompée et je me suis flatté.

– Vous ne vous êtes point flatté, lui répondit-elle ; les raisons de mon devoir ne me paraîtraient peut-être pas si fortes sans cette dis-
950 tinction dont vous vous doutez, et c'est elle qui me fait envisager des malheurs à m'attacher à vous.

– Je n'ai rien à répondre, madame, reprit-il, quand vous me faites voir que vous craignez des malheurs ; mais je vous avoue qu'après tout ce que vous avez bien voulu me dire, je ne m'attendais pas à
955 trouver une si cruelle raison.

– Elle est si peu offensante pour vous, reprit Mme de Clèves, que j'ai même beaucoup de peine à vous l'apprendre.

– Hélas ! madame, répliqua-t-il, que pouvez-vous craindre qui me flatte trop, après ce que vous venez de me dire ?

960 – Je veux vous parler encore, avec la même sincérité que j'ai déjà commencé, reprit-elle, et je vais passer par-dessus toute la retenue et toutes les délicatesses que je devrais avoir dans une première conversation, mais je vous conjure de m'écouter sans m'interrompre.

Je crois devoir à votre attachement la faible récompense de ne
965 vous cacher aucun de mes sentiments et de vous les laisser voir tels qu'ils sont. Ce sera apparemment la seule fois de ma vie que je me donnerai la liberté de vous les faire paraître ; néanmoins je ne saurais vous avouer, sans honte, que la certitude de n'être plus aimée de vous comme je le suis, me paraît un si horrible malheur que, quand
970 je n'aurais point des raisons de devoir insurmontables, je doute si je pourrais me résoudre à m'exposer à ce malheur. Je sais que vous êtes libre, que je le suis, et que les choses sont d'une sorte que le public n'aurait peut-être pas sujet de vous blâmer, ni moi non plus, quand nous nous engagerions ensemble pour jamais. Mais les hommes
975 conservent-ils de la passion dans ces engagements éternels ? Dois-je espérer un miracle en ma faveur et puis-je me mettre en état de voir certainement finir cette passion dont je ferais toute ma félicité ? M. de Clèves était peut-être l'unique homme du monde capable de conserver de l'amour dans le mariage. Ma destinée n'a pas voulu que j'aie pu
980 profiter de ce bonheur ; peut-être aussi que sa passion n'avait subsisté que parce qu'il n'en aurait pas trouvé en moi. Mais je n'aurais pas le même moyen de conserver la vôtre, je crois même que les obstacles ont fait votre constance. Vous en avez assez trouvé pour vous animer à vaincre et mes actions involontaires, ou les choses que le hasard vous
985 a apprises, vous ont donné assez d'espérance pour ne vous pas rebuter.

– Ah ! madame, reprit M. de Nemours, je ne saurais garder le silence que vous m'imposez, vous me faites trop d'injustice et vous me faites trop voir combien vous êtes éloignée d'être prévenue en ma faveur.

– J'avoue, répondit-elle, que les passions peuvent me conduire ;
990 mais elles ne sauraient m'aveugler. Rien ne me peut empêcher de connaître que vous êtes né avec toutes les dispositions pour la galanterie et toutes les qualités qui sont propres à y donner des succès heureux. Vous avez déjà eu plusieurs passions, vous en auriez encore ; je ne ferais plus votre bonheur, je vous verrais pour une
995 autre comme vous auriez été pour moi. J'en aurais une douleur mortelle, et je ne serais pas même assurée de n'avoir point le malheur de la jalousie. Je vous en ai trop dit pour vous cacher que vous me l'avez fait connaître et que je souffris de si cruelles peines le soir que la reine me donna cette lettre de Mme de Thémines, que l'on disait
1000 qui s'adressait à vous, qu'il m'en est demeuré une idée qui me fait croire que c'est le plus grand de tous les maux.

Par vanité ou par goût, toutes les femmes souhaitent de vous attacher. Il y en a peu à qui vous ne plaisiez ; mon expérience me ferait croire qu'il n'y en a point à qui vous ne puissiez plaire. Je vous
1005 croirais toujours amoureux et aimé, et je ne me tromperais pas souvent. Dans cet état néanmoins, je n'aurais d'autre parti à prendre que celui de la souffrance ; je ne sais même si j'oserais me plaindre. On fait des reproches à un amant, mais en fait-on à un mari, quand on n'a à lui reprocher que de n'avoir plus d'amour ? Quand je pourrais
1010 m'accoutumer à cette sorte de malheur, pourrais-je m'accoutumer à celui de croire voir toujours M. de Clèves vous accuser de sa mort, me reprocher de vous avoir aimé, de vous avoir épousé et me faire sentir la différence de son attachement au vôtre ? Il est impossible, continua-t-elle, de passer par-dessus des raisons si fortes, il faut
1015 que je demeure dans l'état où je suis et dans les résolutions que j'ai prises de n'en sortir jamais.

– Hé ! croyez-vous le pouvoir, madame ? s'écria M. de Nemours. Pensez-vous que vos résolutions tiennent contre un homme qui vous adore et qui est assez heureux pour vous plaire ? Il est plus
1020 difficile que vous ne pensez, madame, de résister à ce qui nous plaît et à ce qui nous aime. Vous l'avez fait par une vertu austère, qui n'a presque point d'exemple ; mais cette vertu ne s'oppose plus à vos sentiments et j'espère que vous les suivrez malgré vous.

– Je sais bien qu'il n'y a rien de plus difficile que ce que j'entre-
1025 prends, répliqua Mme de Clèves, je me défie de mes forces au milieu de mes raisons. Ce que je crois devoir à la mémoire de M. de Clèves serait faible, s'il n'était soutenu par l'intérêt de mon repos, et les raisons de mon repos ont besoin d'être soutenues de celles de mon devoir. Mais, quoique je me défie de moi-même, je crois que je ne
1030 vaincrai jamais mes scrupules, et je n'espère pas aussi de surmonter l'inclination que j'ai pour vous. Elle me rendra malheureuse et je me priverai de votre vue, quelque violence qu'il m'en coûte. Je vous conjure, par tout le pouvoir que j'ai sur vous, de ne chercher aucune occasion de me voir. Je suis dans un état qui me fait des crimes de
1035 tout ce qui pourrait être permis dans un autre temps, et la seule bienséance interdit tout commerce entre nous. »

M. de Nemours se jeta à ses pieds et s'abandonna à tous les divers mouvements dont il était agité. Il lui fit voir, et par ses paroles, et par ses pleurs, la plus vive et la plus tendre passion dont un cœur ait
1040 jamais été touché. Celui de Mme de Clèves n'était pas insensible et, regardant ce prince avec des yeux un peu grossis par les larmes :

« Pourquoi faut-il, s'écria-t-elle, que je vous puisse accuser de la mort de M. de Clèves ? Que n'ai-je commencé à vous connaître depuis que je suis libre, ou pourquoi ne vous ai-je pas connu devant
1045 que d'être engagée ? Pourquoi la destinée nous sépare-t-elle par un obstacle si invincible ?

– Il n'y a point d'obstacle, madame, reprit M. de Nemours. Vous seule vous opposez à mon bonheur, vous seule vous imposez une loi que la vertu et la raison ne vous sauraient imposer.

1050 – Il est vrai, répliqua-t-elle, que je sacrifie beaucoup à un devoir qui ne subsiste que dans mon imagination. Attendez ce que le temps pourra faire. M. de Clèves ne fait encore que d'expirer, et cet objet funeste est trop proche pour me laisser des vues claires et distinctes. Ayez cependant le plaisir de vous être fait aimer d'une personne qui
1055 n'aurait rien aimé, si elle ne vous avait jamais vu ; croyez que les sentiments que j'ai pour vous seront éternels et qu'ils subsisteront également, quoi que je fasse. Adieu, lui dit-elle ; voici une conversation qui me fait honte, rendez-en compte à M. le vidame, j'y consens, et je vous en prie. »

1060 Elle sortit en disant ces paroles, sans que M. de Nemours pût la retenir. Elle trouva M. le vidame dans la chambre la plus proche. Il

la vit si troublée qu'il n'osa lui parler et il la remit en son carrosse sans lui rien dire. Il revint trouver M. de Nemours, qui était si plein de joie, de tristesse, d'étonnement et d'admiration, enfin, de tous les
1065 sentiments que peut donner une passion pleine de crainte et d'espérance, qu'il n'avait pas l'usage de la raison. Le vidame fut longtemps à obtenir qu'il lui rendît compte de sa conversation. Il le fit enfin, et M. de Chartres, sans être amoureux, n'eut pas moins d'admiration pour la vertu, l'esprit et le mérite de Mme de Clèves que M. de
1070 Nemours en avait lui-même. Ils examinèrent ce que ce prince devait espérer de sa destinée, et, quelques craintes que son amour lui pût donner, il demeura d'accord avec M. le vidame qu'il était impossible que Mme de Clèves demeurât dans les résolutions où elle était. Ils convinrent, néanmoins, qu'il fallait suivre ses ordres, de crainte que,
1075 si le public s'apercevait de l'attachement qu'il avait pour elle, elle ne fît des déclarations et ne prît des engagements vers le monde, qu'elle soutiendrait dans la suite, par la peur qu'on ne crût qu'elle l'eût aimé du vivant de son mari.

M. de Nemours se détermina à suivre le roi. C'était un voyage
1080 dont il ne pouvait aussi bien se dispenser, et il résolut à s'en aller, sans tenter même de revoir Mme de Clèves du lieu où il l'avait vue quelquefois. Il pria M. le vidame de lui parler. Que ne lui dit-il point pour lui dire ?[1] Quel nombre infini de raisons pour la persuader de vaincre ses scrupules ! Enfin, une partie de la nuit était passée
1085 devant que M. de Nemours songeât à le laisser en repos.

Mme de Clèves n'était pas en état d'en trouver ; ce lui était une chose si nouvelle d'être sortie de cette contrainte qu'elle s'était imposée, d'avoir souffert, pour la première fois de sa vie, qu'on lui dît qu'on était amoureux d'elle, et d'avoir dit elle-même qu'elle
1090 aimait, qu'elle ne se connaissait plus. Elle fut étonnée de ce qu'elle avait fait, elle s'en repentit, elle en eut de la joie, tous ses sentiments étaient pleins de trouble et de passion. Elle examina encore les raisons de son devoir qui s'opposaient à son bonheur, elle sentit de la douleur de les trouver si fortes, et elle se repentit de les avoir si bien
1095 montrées à M. de Nemours. Quoique la pensée de l'épouser lui fût venue dans l'esprit sitôt qu'elle l'avait revu dans ce jardin, elle ne lui avait pas fait la même impression que venait de faire la conversation

1. **Que ne lui dit-il point pour lui dire ? :** que ne lui recommanda-t-il point de lui dire ?

qu'elle avait eue avec lui, et il y avait des moments où elle avait de la peine à comprendre qu'elle pût être malheureuse en l'épousant. Elle eût bien voulu se pouvoir dire qu'elle était mal fondée, et dans ses scrupules du passé, et dans ses craintes de l'avenir. La raison et son devoir lui montraient, dans d'autres moments, des choses tout opposées, qui l'emportaient rapidement à la résolution de ne se point remarier et de ne voir jamais M. de Nemours. Mais c'était une résolution bien violente à établir dans un cœur aussi touché que le sien et aussi nouvellement abandonné aux charmes de l'amour. Enfin, pour se donner quelque calme, elle pensa qu'il n'était point encore nécessaire qu'elle se fît la violence de prendre des résolutions ; la bienséance lui donnait un temps considérable à se déterminer, mais elle résolut de demeurer ferme à n'avoir aucun commerce avec M. de Nemours. Le vidame la vint voir et servit ce prince avec tout l'esprit et l'application[1] imaginables. Il ne la put faire changer sur sa conduite, ni sur celle qu'elle avait imposée à M. de Nemours. Elle lui dit que son dessein était de demeurer dans l'état où elle se trouvait, qu'elle connaissait que ce dessein était difficile à exécuter, mais qu'elle espérait d'en avoir la force. Elle lui fit si bien voir à quel point elle était touchée de l'opinion que M. de Nemours avait causé la mort à son mari, et combien elle était persuadée qu'elle ferait une action contre son devoir en l'épousant, que le vidame craignit qu'il ne fût malaisé de lui ôter cette impression. Il ne dit pas à ce prince ce qu'il pensait, et en lui rendant compte de sa conversation, il lui laissa toute l'espérance que la raison doit donner à un homme qui est aimé.

Ils partirent le lendemain et allèrent joindre le roi. M. le vidame écrivit à Mme de Clèves, à la prière de M. de Nemours, pour lui parler de ce prince, et, dans une seconde lettre qui suivit bientôt la première, M. de Nemours y mit quelques lignes de sa main. Mais Mme de Clèves, qui ne voulait pas sortir des règles qu'elle s'était imposées et qui craignait les accidents[2] qui peuvent arriver par les lettres, manda[3] au vidame qu'elle ne recevrait plus les siennes, s'il continuait à lui parler de M. de Nemours, et elle lui manda si fortement que ce prince le pria même de ne le plus nommer.

---

1. **Application :** obstination.
2. **Accidents :** malheurs.
3. **Manda :** demanda.

La cour alla conduire la reine d'Espagne jusqu'en Poitou[1]. Pendant cette absence, Mme de Clèves demeura à elle-même et, à mesure qu'elle était éloignée de M. de Nemours et de tout ce qui l'en pou-
1135 vait faire souvenir, elle rappelait la mémoire de M. de Clèves, qu'elle se faisait un honneur de conserver. Les raisons qu'elle avait de ne point épouser M. de Nemours lui paraissaient fortes du côté de son devoir et insurmontables du côté de son repos. La fin de l'amour de ce prince, et les maux de la jalousie qu'elle croyait infaillibles dans
1140 un mariage, lui montraient un malheur certain où elle s'allait jeter, mais elle voyait aussi qu'elle entreprenait une chose impossible, que de résister en présence au plus aimable homme du monde qu'elle aimait et dont elle était aimée, et de lui résister sur une chose qui ne choquait ni la vertu, ni la bienséance. Elle jugea que l'absence seule
1145 et l'éloignement pouvaient lui donner quelque force ; elle trouva qu'elle en avait besoin, non seulement pour soutenir la résolution de ne se pas engager, mais même pour se défendre de voir M. de Nemours, et elle résolut de faire un assez long voyage, pour passer tout le temps que la bienséance l'obligeait à vivre dans la retraite. De
1150 grandes terres qu'elle avait vers les Pyrénées lui parurent le lieu le plus propre qu'elle pût choisir. Elle partit peu de jours avant que la cour revînt, et, en partant, elle écrivit à M. le vidame, pour le conjurer que l'on ne songeât point à avoir de ses nouvelles, ni à lui écrire.

M. de Nemours fut affligé de ce voyage, comme un autre l'aurait
1155 été de la mort de sa maîtresse. La pensée d'être privé pour longtemps de la vue de Mme de Clèves lui était une douleur sensible, et surtout dans un temps où il avait senti le plaisir de la voir et de la voir touchée de sa passion. Cependant, il ne pouvait faire autre chose que s'affliger, mais son affliction augmenta considérablement.
1160 Mme de Clèves, dont l'esprit avait été si agité, tomba dans une maladie violente sitôt qu'elle fut arrivée chez elle ; cette nouvelle vint à la cour. M. de Nemours était inconsolable ; sa douleur allait au désespoir et à l'extravagance. Le vidame eut beaucoup de peine à l'empêcher de faire voir sa passion au public ; il en eut beaucoup aussi à
1165 le retenir et à lui ôter le dessein d'aller lui-même apprendre de ses nouvelles. La parenté et l'amitié de M. le vidame furent un prétexte

1. **Jusqu'en Poitou :** historiquement, le départ de la reine d'Espagne eut lieu en novembre 1559.

à y envoyer plusieurs courriers ; on sut enfin qu'elle était hors de cet extrême péril où elle avait été ; mais elle demeura dans une maladie de langueur, qui ne laissait guère d'espérance de sa vie.

1170 Cette vue si longue et si prochaine de la mort fit paraître à Mme de Clèves les choses de cette vie de cet œil si différent dont on les voit dans la santé. La nécessité de mourir[1] dont elle se voyait si proche, l'accoutuma à se détacher de toutes choses, et la longueur de sa maladie lui en fit une habitude. Lorsqu'elle revint de cet état, 1175 elle trouva néanmoins que M. de Nemours n'était pas effacé de son cœur, mais elle appela à son secours, pour se défendre contre lui, toutes les raisons qu'elle croyait avoir pour ne l'épouser jamais. Il se passa un assez grand combat en elle-même. Enfin, elle surmonta les restes de cette passion qui était affaiblie par les sentiments que 1180 sa maladie lui avait donnés. Les pensées de la mort lui avaient rapproché la mémoire de M. de Clèves. Ce souvenir, qui s'accordait à son devoir, s'imprima fortement dans son cœur. Les passions et les engagements du monde lui parurent tels qu'ils paraissent aux personnes qui ont des vues plus grandes et plus éloignées. Sa santé, 1185 qui demeura considérablement affaiblie, lui aida à conserver ses sentiments ; mais comme elle connaissait ce que peuvent les occasions sur les résolutions les plus sages, elle ne voulut pas s'exposer à détruire les siennes, ni revenir dans les lieux où était ce qu'elle avait aimé. Elle se retira, sur le prétexte de changer d'air, dans une maison 1190 religieuse, sans faire paraître un dessein arrêté de renoncer à la cour.

À la première nouvelle qu'en eut M. de Nemours, il sentit le poids de cette retraite, et il en vit l'importance. Il crut, dans ce moment, qu'il n'avait plus rien à espérer ; la perte de ses espérances ne l'empêcha pas de mettre tout en usage pour faire revenir Mme de 1195 Clèves. Il fit écrire la reine, il fit écrire le vidame, il l'y fit aller, mais tout fut inutile. Le vidame la vit, elle ne lui dit point qu'elle eût pris de résolution. Il jugea néanmoins qu'elle ne reviendrait jamais. Enfin M. de Nemours y alla lui-même, sur le prétexte d'aller à des bains[2]. Elle fut extrêmement troublée et surprise d'apprendre sa venue. Elle 1200 lui fit dire, par une personne de mérite qu'elle aimait et qu'elle avait alors auprès d'elle, qu'elle le priait de ne pas trouver étrange si elle

---

1. **Nécessité de mourir :** approche évidente de la mort.
2. **Aller à des bains :** aller dans une ville dont les eaux ont la réputation de soigner.

ne s'exposait point au péril de le voir et de détruire par sa présence des sentiments qu'elle devait conserver ; qu'elle voulait bien qu'il sût, qu'ayant trouvé que son devoir et son repos s'opposaient au
1205 penchant qu'elle avait d'être à lui, les autres choses du monde lui avaient paru si indifférentes qu'elle y avait renoncé pour jamais ; qu'elle ne pensait plus qu'à celles de l'autre vie et qu'il ne lui restait aucun sentiment que le désir de le voir dans les mêmes dispositions où elle était.

1210 M. de Nemours pensa expirer de douleur en présence de celle qui lui parlait. Il la pria vingt fois de retourner à Mme de Clèves, afin de faire en sorte qu'il la vît, mais cette personne lui dit que Mme de Clèves lui avait non seulement défendu de lui aller redire aucune chose de sa part, mais même de lui rendre compte de leur conver-
1215 sation. Il fallut enfin que ce prince repartît, aussi accablé de douleur que le pouvait être un homme qui perdait toutes sortes d'espérances de revoir jamais une personne qu'il aimait d'une passion la plus violente, la plus naturelle et la mieux fondée qui ait jamais été. Néanmoins il ne se rebuta point encore, et il fit tout ce qu'il
1220 put imaginer de capable de la faire changer de dessein. Enfin, des années entières s'étant passées, le temps et l'absence ralentirent sa douleur et éteignirent sa passion. Mme de Clèves vécut d'une sorte qui ne laissa pas d'apparence qu'elle pût jamais revenir. Elle passait une partie de l'année dans cette maison religieuse et l'autre chez
1225 elle, mais dans une retraite et dans des occupations plus saintes que celles des couvents les plus austères, et sa vie, qui fut assez courte, laissa des exemples de vertu inimitables.

Illustration de *La Princesse de Clèves*.
Gravure d'Alphonse Lamotte d'après un dessin de Jules Garnier (XIXe siècle).

Illustration de *La Princesse de Clèves*.
Gravure d'Alphonse Lamotte d'après un dessin de Jules Garnier (XIXe siècle).

POUR APPROFONDIR

Clefs de lecture

Un incipit retors

Première partie

De « La magnificence et la galanterie » (l. 1)
à « l'admiration de leur siècle » (l. 49)

p. 20 à 22

Compréhension

Une description de la cour

- Relevez les deux termes qui, d'emblée, caractérisent la cour de Henri II. Comment les définiriez-vous ?
- Étudiez le champ lexical de la « magnificence » ; de la « galanterie ».
- Indiquez quel est le temps verbal majoritairement employé. Pourquoi ?

Une évocation historique

- Indiquez à quelle époque se situe le roman.
- Cherchez dans une encyclopédie qui est Henri II. À quelle branche monarchique appartient-il ? Qui est son père ?
- Relevez les noms propres de personnages ayant réellement existé, et renseignez-vous sur ces personnages. La princesse de Clèves apparaît-elle dans ce passage ?

Réflexion

Une rhétorique du haut degré

- Relevez et nommez les tours syntaxiques marquant la grandeur. Quelle image donnent-ils des personnages présentés ?
- Relevez les adverbes marquant l'intensité. Quel effet produisent-ils sur le lecteur ?

Un texte plus retors qu'il ne paraît

- Indiquez quelles sont les qualités attribuées au roi Henri II, et définissez-les. En quoi l'éloge qui est fait de lui peut-il être jugé ambivalent ?

- Observez quel portrait est dressé de la reine. En quoi est-il négatif ?
- Relevez les termes appartenant au champ sémantique de l'apparence. Pourquoi sont-ils ici si fréquents ? Quelle image de la cour est ainsi suggérée ?
- Observez l'importance accordée au lexique abstrait, et en particulier au champ lexical des passions.
- Étudiez comment est suggéré le côté sombre de cette cour apparemment si brillante.

De la cour de Henri II à la cour de Louis XIV

- Indiquez à quelle époque écrit Mme de Lafayette. Expliquez pourquoi la première phrase du roman a pu être ressentie comme provocatrice par les premiers lecteurs du roman.
- Montrez le rôle joué dans cette cour par les femmes. Cette importance accordée ici aux femmes est sans doute liée à un phénomène important du XVIIe siècle, dont Mme de Lafayette fut partie prenante ; lequel ? Définissez-le et rassemblez des informations à son sujet.
- Observez le portrait qui est tracé de Mme de Valentinois. En quoi est-il critique ? Suggérez un parallèle possible entre la duchesse de Valentinois ici évoquée et un personnage contemporain de Mme de Lafayette.

À *retenir* :

Jouant avec les attentes du lecteur, l'incipit du roman ne présente pas les personnages principaux ; il propose en revanche un tableau hyperbolique et à première vue idéalisé de la cour de Henri II. Mais derrière cette apparence brillante – car c'est bien d'apparence qu'il s'agit – se trouve suggérée, d'emblée, une réalité plus sombre : les éléments du drame sont déjà en place.

Le portrait de Mlle de Chartres

Première partie

De « Il parut alors une beauté à la cour » (l. 209)
à « pleins de grâce et de charmes » (l. 244)

p. 27 à 28

Compréhension

Le portrait de l'héroïne

- Définissez ce qu'est un personnage éponyme. À quel moment d'un roman apparaît d'ordinaire le personnage éponyme ? Qu'en est-il ici ? Pourquoi ?
- Identifiez la figure de style consistant à désigner Mlle de Chartres par l'expression « une beauté ». Quel effet produit-elle ?
- Indiquez quel est le statut social de Mlle de Chartres ? Citez les passages qui l'indiquent. Pourquoi cette information est-elle répétée ?
- Étudiez le champ lexical de la vue. Pourquoi tient-il une telle place ? De quel point de vue est décrite Mlle de Chartres ? En quoi cela est-il significatif ?
- Précisez quelle figure de style est récurrente pour évoquer Mlle de Chartres. Définissez-la et donnez-en des exemples.

Le portrait de Mme de Chartres

- Précisez qui est le sujet de la plupart des verbes d'action dans ce passage.
- Observez les traits de caractère prêtés à Mme de Chartres.
- Résumez les grands traits de l'éducation que Mme de Chartres a donnée à sa fille. Relevez, dans son discours, les termes porteurs d'une connotation péjorative et les termes porteurs d'une connotation laudative. Que pouvez-vous en déduire ? En quoi ces principes doivent-ils constituer une sorte d'antidote aux dangers de la cour ?

Réflexion

Portrait physique, portrait moral

- Étudiez le portrait ici tracé de Mlle de Chartres. S'agit-il plutôt d'un portrait physique ? D'un portrait moral ? Discutez de sa précision.
- Analysez en quoi ce portrait a été préparé, et comme amplifié par avance, par la description de la cour donnée dans l'incipit.

D'un portrait à l'autre

- Comparez l'importance accordée ici à Mlle de Chartres et celle accordée à sa mère ; qu'observez-vous ? Comment les deux portraits s'entremêlent-ils ? Que peut en déduire le lecteur ?
- Observez quelles relations entretient Mme de Chartres avec la cour. En quoi sont-elles ambivalentes ?

Récit et maximes

- À quel moment la présence du narrateur s'affirme-t-elle plus nettement ?
- Observez à quels moments du texte apparaissent des maximes, explicites ou déguisées.
- Analysez le contenu de ces maximes. À quels courants de pensée très actifs au XVIIe siècle peut-on les rattacher ?
- Étudiez les marques formelles de ces maximes (temps verbaux, emploi des articles, types de sujet grammaticaux...) En quoi peut-on parler parfois de maximes enchâssées dans le récit ? Quelles sont les marques grammaticales de cet enchâssement ?

À retenir :

Le premier portrait donné de la future princesse de Clèves est à bien des égards déterminant : d'une part, il présente la jeune fille comme un objet d'admiration esthétique – et, de fait, la princesse ne parviendra au statut de véritable sujet que bien plus tard dans le roman ; d'autre part, il souligne l'éducation très particulière qui a été la sienne, toute de défiance envers les passions. Le rôle essentiel – et quelque peu trouble – joué par la mère de la princesse est ainsi d'emblée suggéré.

Coup de foudre au bal

Première partie

De « Elle passa tout le jour des fiançailles » (l. 666)
à « qu'ils ne se plussent infiniment » (l. 733)

p. 42 à 44

Compréhension

Amour et apparence

- Relevez les termes appartenant au champ lexical de la vue et de l'apparence. Relevez en particulier toutes les occurrences du verbe voir ; comment s'appelle cette figure de style ?
- Indiquez pourquoi la « parfaite beauté » de la reine dauphine est soulignée par le narrateur.
- Montrez que le narrateur sacrifie, en revanche, tous les détails visuels qui permettraient de se représenter précisément la scène.

La naissance du sentiment amoureux

- Observez à quels moments apparaît l'adjectif « surprise ». Définissez son sens au XVIIe siècle.
- Citez les passages qui montrent que les autres personnages semblent s'apercevoir de l'attirance éprouvée par la princesse plus clairement que la princesse elle-même. En est-il de même pour le duc de Nemours ?

Coup de foudre et fatalité

- Montrez comment l'arrivée au bal de la princesse, puis celle du duc, sont dramatisées.
- Précisez à quel moment du roman (et de la vie de la princesse) intervient cette rencontre.
- Relevez les termes appartenant au champ lexical du sort. À quel moment apparaissent-ils ? En quoi peuvent-ils créer une atmosphère tragique ?

Réflexion

Coup de foudre à la cour

- Précisez pourquoi Mme de Lafayette a choisi de faire se rencontrer ses héros lors d'un bal.
- Précisez quel est le rôle joué par le hasard dans cette rencontre ; quel est le rôle joué par la cour dans son ensemble ; quel est le rôle joué par certains courtisans ; quel est le rôle joué par le roi.

Conte de fées et retour au réel

- Interrogez-vous sur la présence ou l'absence du prince de Clèves dans cette scène.
- Montrez à partir de quel moment l'atmosphère de conte de fées se dissipe. Pourquoi ? Précisez, dès lors, la manière dont est construit ce passage, en vous appuyant notamment sur les variations de focalisation.

Symétrie et dissymétrie

- Montrez en quoi la princesse de Clèves et le duc de Nemours se correspondent. Indiquez quelle importance a, dans ce parallèle implicite, leur apparence physique.
- Dans le dialogue initié par la reine dauphine, montrez que les positions adoptées par la princesse d'une part, par le duc d'autre part, ne sont pas les mêmes. Indiquez-en les raisons. En quoi cette dissymétrie reflète-t-elle les différences de statut existant au XVIIe siècle entre l'homme et la femme ? En quoi va-t-elle perdurer dans le roman ?

À retenir :

C'est dans une atmosphère éminemment romanesque, voire féerique, qu'a lieu la rencontre des deux protagonistes. Malheureusement, cet amour mutuel mais interdit, catalysé par les encouragements de la cour, est d'emblée placé sous le signe de la fatalité, comme le suggère, après l'envoûtement initial, l'analyse des sentiments de la princesse menée, non par elle-même (elle en est encore incapable), mais par des tiers, dont l'inquiétude se communique au lecteur.

Le vol du portrait

Deuxième partie

De « La reine dauphine faisait faire » (l. 691)
à « quel parti prendre » (l. 771)

p. 79 à 82

Compréhension

Voir et être vu

- Précisez dans quel lieu se déroule cet épisode. En quoi ce lieu revêt-il une importance symbolique particulière ? En quoi revêt-il une importance dramatique particulière ?
- Relevez les termes appartenant au champ lexical de la vue. Précisez ce qu'essaie de dissimuler la princesse ; ce qu'essaie de dissimuler le duc. Précisez ce que voit (ou ne voit pas) chacun des personnages en présence.
- Précisez le rôle joué par la reine dauphine. À quel moment ce personnage a-t-il déjà joué un rôle déterminant dans la relation qui se noue entre la princesse et le duc ?

Trouble et hésitation

- Indiquez quels sont les sentiment de la princesse au cours de cet extrait.
  « Mme de Clèves n'était pas peu embarrassée » ; identifiez cette figure de style, et précisez-en l'effet. Expliquez ce qui cause le trouble de la princesse ; explicitez le dilemme moral devant lequel elle se trouve placée.
- Demandez-vous si l'« embarras » de la princesse est le même que celui du duc de Nemours.
- Examinez la syntaxe des phrases qui rendent compte des réflexions de la princesse à la suite de la plaisanterie de son époux. En quoi cette construction est-elle significative ?
- Précisez quels sont les temps verbaux employés dans ce dernier paragraphe, ainsi que les raisons de leur emploi.

- Quel est le rôle joué, dans cette réflexion finale, par les paroles d'autres personnages ? En quoi la princesse est-elle présentée comme un être sous influence ?

Réflexion

Le portrait, un objet symbolique

- Interrogez-vous sur l'importance accordée dans le roman aux objets : sont-ils fréquemment mentionnés ? Dans quelle mesure le tableau ici mis en scène constitue-t-il une exception ?
- Précisez en quoi le portrait peut être considéré comme un symbole ? Que symbolise-t-il ?

Un événement essentiel

- Examinez les voix qui s'affrontent dans l'esprit de la princesse, et les raisons qu'elle se donne d'agir comme elle le fait. Est-elle de bonne foi ?
- En quoi cet événement agit-il comme un révélateur ? Comme un catalyseur ?
- En quoi la plaisanterie de M. de Clèves résonne-t-elle de manière douloureusement ironique pour le lecteur ?

À retenir :

Le vol du portrait, objet symbolique par excellence, constitue une étape essentielle du drame qui est en train de se nouer. Il agit en effet à la fois comme un révélateur des sentiments des personnages et, dans l'esprit de la princesse, comme le catalyseur d'une prise de conscience douloureuse et horrifiée.

L'aveu

Troisième partie

De « Mme de Mercœur les reçut avec beaucoup de joie » (l. 422)
à « à Paris avec le vidame » (l. 628)

p. 107 à 114

Compréhension

L'aveu

- La princesse met ici à exécution un projet qu'elle mûrit depuis longtemps ; citez les passages où elle y songeait déjà. Pourquoi la princesse se décide-t-elle enfin à avouer ? Quel a été l'événement déclencheur ? Quel est son but en avouant cet amour ?
- Indiquez les expressions par lesquelles la princesse désigne l'aveu ; par lesquelles le prince de Clèves désigne l'aveu.
- Précisez ce que la princesse avoue effectivement, et ce qu'elle continue à taire. Pourquoi n'avoue-t-elle pas tout ?

Une fausse symétrie

- En quoi les scènes de retour réflexif sur soi qui clôturent l'extrait (Mme de Clèves d'un côté, le duc de Nemours de l'autre) peuvent-elles être considérées comme symétriques ? En quoi, pourtant, diffèrent-elles ?
- Relevez les expressions appartenant au champ lexical de la vue. Qui voit ? Qui est vu ?

Le dialogue entre les époux

- Précisez le rôle joué par la description du cadre de cet épisode ? En quoi peut-on l'interpréter comme un décor symbolique ?
- Relevez les verbes à l'impératif employés par la princesse : quelle valeur prennent-ils ici ?
- Imaginez une mise en scène de ce dialogue : sur quels éléments textuels pourriez-vous vous appuyer ? En quoi la scène est-elle théâtrale ? Connaissez-vous des exemples de scène analogue dans le théâtre classique ?

- Étudiez, dans le dialogue, les diverses modalités de phrase. Quels sentiments traduisent-elles ?

La réaction du prince de Clèves

- Quels traits de caractère le prince de Clèves révèle-t-il ici ?
- « J'ai tout ensemble la jalousie d'un mari et celle d'un amant » : précisez le sens de cette phrase.

Réflexion

Récit et maximes

- Montrez comment le discours des deux époux tend constamment vers la généralité.
- Décrivez les marques formelles de ces passages à valeur de vérité générale (temps verbaux, sujets, articles, etc.).
- Précisez les modalités selon lesquelles ces passages contenant des maximes morales sont intégrés dans le discours direct.

Un témoin caché

- La présence du duc de Nemours, caché mais assistant à la scène, a été jugée invraisemblable par de nombreux lecteurs. Discutez cette analyse.
- Expliquez en quoi la présence du duc est déterminante, en vous appuyant sur la suite du récit.

Un passage décisif

- Interrogez-vous sur le rôle que joue ici le hasard.
- Montrez en quoi la réaction du prince de Clèves apparaît tout d'abord sublime. En quoi la fin du dialogue suggère-t-elle cependant la jalousie morbide qui va ensuite s'emparer de lui ?
- Analysez les conséquences de cet aveu : sont-elles celles que la princesse prévoyait ? En quoi peut-on parler de fatalité ?

À retenir :

Destiné à lui permettre de lutter contre son inclination pour le duc, l'aveu de la princesse à son mari aura des conséquences tout opposées, et aboutira en définitive à la mort du prince de Clèves. Combinaison de hasard et de la culpabilité des protagonistes, le tragique est à l'œuvre.

La scène de « la canne des Indes »

Quatrième partie

De « Le gentilhomme, qui était très capable » (l. 263)
à « qui ne se trouve que dans l'amour » (l. 367)

p. 140 à 144

Compréhension

Le trouble et la maîtrise

- Relevez les expressions appartenant au champ lexical de l'émotion ; celles appartenant au champ lexical de la pensée ; celles appartenant au champ lexical de la volonté.
- Observez le rôle joué ici par le corps des deux personnages principaux. En quoi le corps fonctionne-t-il comme un révélateur de la passion, dans une scène par ailleurs muette ?

Le guetteur épié

- Précisez le jeu complexe de regards qui s'établit ici. Quel verbe revient avec insistance dans le passage ? S'agit-il cependant du même type de regard ? De quelle nature est le regard du gentilhomme ? De quelle nature est le regard du duc ? De quelle nature est le regard de la princesse ?
- Indiquez en quoi ce dispositif fait de la scène une étape décisive dans la progression du processus tragique.

Un érotisme diffus

- Observez la manière dont est décrite la princesse.
- Indiquez quels objets apparaissent ici. Lequel peut sembler particulièrement symbolique ? Quel autre objet symbolique était déjà apparu dans ce roman, dans lequel les objets tiennent pourtant si peu de place en général ?
- Relevez tous les éléments qui confèrent à cette scène une sensualité trouble. En quoi cette scène est-elle bien différente de celle de l'écriture commune de la lettre du vidame ?

Réflexion

La présence du narrateur

- Indiquez à quels moments la présence du narrateur se fait plus explicite.
- Précisez par quels traits formels se caractérisent ces interventions du narrateur.
- Interrogez-vous sur le caractère omniscient ou non du narrateur. Quels sont les éléments laissés dans l'ombre ? En quoi cela participe-t-il de la force suggestive du passage ?

Coulommiers

- Indiquez à quel moment la beauté du lieu est rappelée. Quel rôle joue-t-elle ?
- Précisez quelle autre scène capitale a déjà eu lieu à Coulommiers. En quoi peut-on établir, entre les deux scènes, un parallèle significatif ? Appuyez-vous en particulier sur les jeux de focalisation qui caractérisent chacune de ces deux scènes.
- Précisez quel rôle joue ici la lumière. Quelles sont les zones éclairées ? Quelles sont celles qui ne le sont pas ?

À retenir :

La scène de la « canne des Indes » doit sa célébrité à sa puissance de suggestion poétique tout autant qu'à son érotisme trouble, particulièrement remarquable en un siècle où prévaut une conception stricte de la bienséance et une méfiance fondamentale envers le corps. Elle n'en joue pas moins un rôle dramatique essentiel : c'est par elle que se noue le nœud tragique qui aboutira à la mort du prince de Clèves et à la séparation définitive des amants.

Genre, action, personnages

Le genre

Le genre romanesque au XVIIe siècle

Au XVIIe siècle, le genre romanesque est encore en gestation. Certes, il existe déjà une longue tradition romanesque, qui plonge ses racines jusqu'au XIIe siècle au moins, et le genre n'a, depuis ses origines, jamais cessé d'être pratiqué et apprécié. Cependant, faute d'une théorisation précise de ses lois, de son contenu et de ses visées morales et esthétiques, le genre romanesque demeure très imparfaitement défini. De ce flou théorique résulte un relatif discrédit, le roman apparaissant comme une forme bâtarde, donc bien moins prestigieuse que des genres plus précisément et plus anciennement codifiés tels que l'épopée et la tragédie, considérés comme les formes littéraires les plus nobles. En réalité, le genre romanesque semble alors obéir avant tout à un impératif de succès – impératif du reste souvent atteint, l'engouement massif du public aboutissant au XVIIe siècle à une abondante production de romans.

Le grand roman héroïque

Ces romans peuvent appartenir à plusieurs types principaux. Il s'agit d'abord du roman héroïque, qui connaît son apogée avec les œuvres monumentales de Mlle de Scudéry, *Le Grand Cyrus* et *La Clélie*. Fortement lié à la sensibilité précieuse, le roman héroïque constitue un ample récit en prose et en style élevé, un peu à la manière d'une épopée dont le sujet de prédilection ne serait toutefois pas le courage guerrier, mais l'amour et ses obstacles, et dont l'issue est toujours heureuse. À la fois archétypes et modèles, les héros en sont des personnages de haut rang, vivant dans un passé lointain une vie exemplaire. Obéissant à une unité de temps élargie, l'année et non plus la journée, l'intrigue principale est fortement unifiée, voire assez simple, mais souvent entrelacée de récits secondaires qui jettent sur elle des éclairages multiples, rappelant les événements antérieurs au récit principal, formant avec tel ou tel épisode un contrepoint ou un parallèle, etc. Extrêmement en vogue au début du XVIIe siècle au point de constituer de véritables best-sellers, ces romans connaissent cependant, après le triomphe de *La Clélie*, une brusque désaffection.

L'anti-roman

Un autre type de roman prend le contrepied du premier : celui que le romancier et théoricien Charles Sorel nomme anti-roman, ou roman comique. Comme la comédie, et contrairement à l'épopée, à la tragédie et au roman héroïque, l'anti-roman se caractérise par des héros de condition modeste ou moyenne ainsi que par un style moyen ; il se veut souvent parodique, tournant volontiers en dérision la grandeur et la majestueuse stylisation des genres considérés comme plus nobles.

La nouvelle historique

Mais, peu avant 1660, le public mondain se lasse de l'univers trop extraordinaire des romans de Scudéry, et souhaite s'identifier plus facilement à des personnages plus proches de lui. Il s'enthousiasme dès lors pour un nouveau type de récit, la nouvelle, dont Segrais fournit un exemple décisif, avec *Les Nouvelles françaises ou les Divertissements de la Princesse Aurélie* – pseudonyme transparent désignant la Grande Mademoiselle, proche de Segrais comme, du reste, de Mme de Lafayette. Segrais y oppose nettement le roman, mise en scène poétique d'un univers idéal, et la nouvelle, mettant en scène des héros plus complexes, voire plus ambigus, dans un cadre historique plus proche. Récit bref, linéaire et épuré, la nouvelle se distingue en outre du roman héroïque par la place beaucoup plus réduite qu'elle accorde aux dialogues, et par sa recherche de la vraisemblance : le cadre temporel est souvent choisi dans l'histoire récente, voire contemporaine ; les héros n'incarnent plus une humanité magnifiée, mais l'humanité commune. La nouvelle répond en cela aux reproches faits aux grands romans précieux par ceux-là mêmes qui en avaient d'abord assuré le succès ; elle correspond à une évolution décisive du goût et des attentes du public, qui aboutira à ce que l'on nommera plus tard le classicisme.

Mme de Lafayette et la naissance du roman moderne français

Une première nouvelle historique : La Princesse de Montpensier *(1662)*

C'est au cœur de cette évolution décisive que s'inscrit le parcours de Mme de Lafayette. En 1662, elle publie – mais pas sous son nom – une première nouvelle historique intitulée *La Princesse de Montpensier*. L'œuvre traduit un choix esthétique extrêmement clair et novateur, qui semble répondre à la critique que Segrais avait adressée aux romans de Scudéry, en s'étonnant de ce que « tant de gens d'esprit qui nous ont imaginé de si honnêtes Scythes et des Parthes si généreux, n'ont pris le même plaisir d'imaginer des chevaliers ou des princes français aussi accomplis, dont les aventures n'eussent pas été moins plaisantes ». Déjà centré sur la question de l'amour et sur son analyse psychologique, le récit, remarquablement dépouillé, se déroule sous le règne de Charles IX et présente bien des points communs avec la future *Princesse de Clèves* : mettant en scène une jeune fille mariée sans amour, il narre sa tragique passion pour un homme qui, après l'avoir compromise, finira par l'abandonner. Loin de l'idéalisme du roman héroïque, on y trouve donc déjà le pessimisme augustinien qui caractérisera *La Princesse de Clèves*, ainsi que l'intérêt pour la description des sentiments, qui se trouve toujours étroitement associée à l'action.

La Princesse de Clèves, *un roman sans auteur ?*

Après *Zaïde*, roman à la mode espagnole publié en 1669 et évoquant, déjà, l'enfer de la jalousie, c'est *La Princesse de Clèves*, publiée en 1678, qui constitue l'aboutissement de cette recherche esthétique. Le genre de l'œuvre est d'emblée présenté comme problématique, comme en témoigne le bref avis du libraire au lecteur, qui, dès l'édition originale, désigne l'œuvre comme « histoire » et non comme « roman ».

Les premiers lecteurs semblent tout aussi circonspects : Valincour lui applique le nom d'« histoire » ; Fontenelle désigne le plus souvent l'œuvre par le terme vague d'« ouvrage », même s'il s'aventure parfois à le nommer « nouvelle galante », ce qui le conduit à appeler le narrateur « historien » ; et lorsque Bussy-Rabutin reproche à l'œuvre de « sentir le roman », il souligne par là que, selon lui, elle ne prétendait pas en être un.

Ce flou générique se trouve confirmé par la lettre que Mme de Lafayette écrit, dès la parution de l'ouvrage, à son ami Lescheraine : « Un petit livre qui a couru il y a quinze ans *[La Princesse de Montpensier]*, et où il plut au public de me donner part, a fait qu'on me donne encore à *La Princesse de Clèves*. Mais je vous assure que je n'y en ai aucune et que M. de La Rochefoucauld, à qui on l'a voulu donner aussi, y est aussi peu que moi. Il en a fait tant de serments qu'il est impossible de ne le pas croire, surtout pour une chose qui peut être avouée sans honte. Pour moi, je suis flattée que l'on me soupçonne, et je crois que j'avouerais le livre si j'étais assurée que l'auteur ne vînt jamais me le redemander. Je le trouve très agréable, bien écrit sans être extrêmement châtié, plein de choses d'une délicatesse admirable et qu'il faut même relire plus d'une fois. Et surtout, ce que j'y trouve, c'est une parfaite imitation du monde de la cour et de la manière dont on y vit. Il n'y a rien de romanesque et de grimpé. Aussi n'est-ce pas un roman ; c'est proprement des mémoires, et c'était, à ce qu'on m'a dit, le titre du livre, mais on l'a changé. »

Si Mme de Lafayette ne revendique jamais l'ouvrage (car il était exceptionnel qu'une femme assumât ouvertement la publication d'écrits fictionnels, a fortiori dans le cas où ceux-ci ne s'inscrivaient pas dans un genre littéraire prestigieux et reconnu), de multiples études historiques et génériques ont permis avec certitude de la désigner comme son auteur principal, et peut-être unique. Certes, il est possible qu'elle ait intégré dans son œuvre des idées, voire des passages suggérés ou même rédigés par des amis lettrés tels que Segrais, Ménage ou La Rochefoucauld. Une telle collaboration avait déjà présidé à la rédaction de *Zaïde*, et sans doute à celle de *La Princesse de Montpensier*. Tous ces auteurs partageaient en effet le même intérêt pour le genre romanesque, auquel ils attribuaient la même visée esthétique et morale, et avaient élaboré une sorte de « cahier des charges » du roman tel qu'ils l'envisageaient : ancrage historique suffisamment proche pour intéresser les lecteurs et ne pas trop les dépayser ; mission édifiante ; transposition, dans la mesure du possible, de la règle des trois unités (action, temps, lieu) régissant le théâtre. Mais, en dépit de ces évidentes convergences et de cette probable collaboration, le maître d'œuvre de l'ouvrage fut incontestablement Mme de Lafayette – et ses dénégations ne doivent pas tromper.

La Princesse de Clèves (1678), *roman ou nouvelle ?*

Un genre problématique : l'héritage de la nouvelle historique, ou histoire

En revanche, l'interrogation sur l'appartenance générique de l'œuvre est à prendre avec le plus grand sérieux, mais aussi avec quelque précaution : refus du romanesque et attachement, au contraire, à « une parfaite imitation du monde de la cour et de la manière dont on y vit » ; revendication de l'appartenance aux « mémoires », c'est-à-dire d'une proximité maximale avec l'histoire telle qu'elle peut être vécue par un ou une contemporain(e), par un témoin qui ne se contente pas de rapporter des faits, mais tente de les expliquer de l'intérieur, à partir des intentions, du caractère et des passions prêtés à leurs auteurs.

Cependant, un terme essentiel n'apparaît pas : celui de « nouvelle », à laquelle *La Princesse de Clèves* appartient par bien des aspects : intrigue simple, récit linéaire et strictement chronologique, remarquable concentration de l'action et de ses protagonistes (cinq personnages principaux seulement), recherche de la vraisemblance psychologique, au prix d'un certain pessimisme et d'un dénouement pour le moins ambigu.

L'héritage du roman précieux

Mme de Lafayette enrichit cependant son œuvre par plusieurs techniques narratives empruntées au grand roman héroïque, au premier rang desquelles l'insertion de récits enchâssés, qui viennent rompre la continuité linéaire du récit premier. Les quatre récits enchâssés principaux apparaissent relativement autonomes, même s'ils apportent sur l'intrigue principale des éclairages révélateurs, par complémentarité, par similitude ou par contraste. Ces récits sont le plus souvent racontés par l'un des personnages, conférant ainsi au livre un caractère polyphonique qui contraste avec la nouvelle historique habituelle. Ils participent en outre à l'importance réservée dans l'œuvre au discours ; certes, *La Princesse de Clèves* comporte plus de narration que de discours, mais la parole des personnages (dialogues, monologues, portraits et descriptions, etc.), tout autant que l'analyse détaillée des multiples formes du sentiment amoureux, y tient tout de même une place importante. Cela distingue *La Princesse de Clèves* de la nouvelle historique, souvent presque exclusivement narrative, mais ne la rapproche qu'en apparence du grand roman précieux. En effet, alors que dans ce dernier alternaient les moments d'action et les moments de conversation et de commentaire, Mme de Lafayette fond ces deux dimensions en une, dans la mesure où l'action se confond pratiquement avec l'évolution des sentiments des personnages, que ces sentiments soient observés par le personnage lui-même, par un autre personnage ou par le narrateur. Autrement dit, pour la première fois dans *La Princesse de Clèves*, l'action et le sentiment ne font qu'un ; l'action est soit l'occasion du sentiment, soit sa cause, soit sa conséquence : elle ne vaut qu'en tant que déclencheur, catalyseur, révélateur du sentiment. Il s'agit bien d'un récit, mais un récit avant tout intérieur. *La Princesse de Clèves* semble ainsi réaliser une synthèse novatrice de la nouvelle historique et du roman précieux.

La Princesse de Clèves, *une tragédie en prose ?*

Prévoir titre niveau 4

Mais il est un troisième genre dont l'influence se fait également sentir sur ce roman novateur : la tragédie. À l'époque de *La Princesse de Clèves*, celle-ci n'est plus l'effusion lyrique et volontiers statique qu'elle était souvent à l'âge baroque ; elle devient la mise en scène linéaire d'une action progressant inéluctablement vers un dénouement malheureux. De cette tragédie classique alors en plein essor, *La Princesse de Clèves* emprunte en effet la concentration de l'intrigue, qui s'articule autour de moments décisifs et qui s'accélère à la suite d'une péripétie centrale (en l'occurrence l'aveu) ; la mobilisation des passions tragiques par excellence que sont la peur (causée par l'anarchie et la violence des passions) et la pitié (causée par le sort malheureux de personnages ni tout à fait innocents, ni tout à fait coupables) ; la prédilection pour les lieux clos ; l'omniprésence, enfin, de la mort, qui plane au-dessus de tous et apparaît comme l'inéluctable issue.

Or en rapprochant son œuvre d'une tragédie en prose, Mme de Lafayette ne la baignait pas seulement dans une atmosphère de fatalité mortifère propre à renforcer le caractère pathétique du récit tout autant que l'ambivalence de son dénouement. Elle lui conférait également une respectabilité inédite, la tragédie, genre noble par excellence, partageant désormais avec ce roman d'un nouveau genre sa gravité respectable.

L'exposition et la double faute initiale

La structure d'ensemble du récit principal présente elle aussi avec l'intrigue tragique plus d'un point commun. L'évocation inaugurale de la cour des Valois, lieu de déchaînement des passions les plus violentes, règne de l'apparence et de la dissimulation, fait de toute évidence fonction d'exposition. Le bal, avec le coup de foudre qui s'y joue, constitue le nœud tragique. Le destin est à l'œuvre, immédiatement reconnu par le chevalier de Guise, amoureux transi de la princesse, qui voit dans cette rencontre « comme un présage que la fortune destinait M. de Nemours à être amoureux de Mme de Clèves ».

Mais, en ce début de roman comme ailleurs, le destin se trouve aussi « incarné » par tel ou tel personnage : madame de Chartres, qui « ne craignit point de donner à sa fille un mari qu'elle ne pût aimer » ; la cour, et en particulier le roi, les reines et la dauphine, qui poussent la princesse et le duc l'un vers l'autre. Double faute tragique : engager la princesse dans un lien matrimonial qu'elle ne pourra vivre qu'en surface ; lui présenter l'homme le plus séduisant de la cour alors qu'elle vient tout juste d'épouser un homme qu'elle ne connaît pas, et pour lequel elle n'éprouve que respect.

Les péripéties et les forces tragiques à l'œuvre

Les péripéties qui suivront découlent de cette double faute, le piège tragique se refermant de plus en plus nettement sur tous les personnages principaux, en dépit de leurs valeurs morales et de leur relative lucidité. Les forces tragiques à l'œuvre sont multiples.

Ce sont tout d'abord certains personnages. On ne s'étonnera guère que le duc, figure de la passion par excellence, n'accélère par ses imprudences (vol du portrait, voyages à Coulommiers, indiscrétion qu'il commet en racontant la scène de l'aveu au vidame) l'enchaînement tragique. On ne s'étonnera guère plus du rôle joué par certains courtisans, qui incarnent eux aussi un monde de passion et d'amoralité. Mais il est plus surprenant que Mme de Chartres et le prince de Clèves, c'est-à-dire les deux personnages qui auraient dû soutenir le plus efficacement la princesse dans sa lutte contre son désir adultère, favorisent en fait ce dernier. D'une part, par un concours de circonstances malheureux, la mère de la princesse meurt au moment où celle-ci aurait eu le plus besoin de son aide et de ses conseils. D'autre part, le prince de Clèves lui-même favorise à son insu l'amour naissant de son épouse, en insistant pour que celle-ci ne reste pas trop longtemps éloignée de la cour puis en introduisant le duc auprès d'elle.

Le hasard – ou ce qui paraît tel – semble lui aussi jouer son rôle : ne parvenant plus à maîtriser ni ses paroles ni ses gestes, la princesse en est réduite à des actions désespérées (aveu et fuite à la campagne) qui, en raison de la présence fortuite de Nemours sur les lieux, s'avèrent lourdes de conséquences, puisqu'elles signalent, plus clairement que toute attitude et que toute parole, l'amour adultère de la jeune fille. Autre hasard tragique : la formulation maladroitement lacunaire du gentilhomme envoyé par le prince pour espionner son épouse provoque la maladie du prince puis sa mort.

Le dénouement

Le dénouement, dès lors, ne pourra plus être qu'entièrement intériorisé, dans la mesure où la mort du prince de Clèves, certes tragique, aurait pu rendre possible l'union, légitime cette fois, de la princesse et du duc. Mais on ne s'affranchit pas si facilement de la mort, et de la parole des morts – et la princesse, par fidélité à sa mère et à son époux, mais aussi, sans doute, par fidélité à elle-même, renoncera pour toujours au duc.

Un tragique intériorisé

Ainsi, le tragique qui sous-tend l'œuvre est celui du combat désespéré que livrent à des passions souveraines une volonté et une raison défaillantes. Car c'est bien dans cet affrontement qu'apparaît inéluctablement la toute-puissance mortifère de la passion. Non seulement la princesse se débat en vain contre son amour naissant, mais plus elle se débat, plus elle se trahit, et plus elle encourage, sans le vouloir, les visées de Nemours. Espérant se fortifier en invoquant le soutien de son époux, elle aggrave le malaise qui règne au sein du couple et déclenche un processus fatal qui mènera le prince de Clèves à la mort. Croyant trouver refuge à la campagne, loin de la cour, c'est là que, par deux fois (l'aveu et la scène de la canne des Indes), elle révèle à son insu son amour à Nemours. Quoi qu'elle fasse pour lutter contre son attirance pour Nemours, son combat se révèle non seulement vain, mais contre-productif : il sert la passion même qu'il voulait dompter.

Dès lors, dans la mesure même où l'engrenage tragique se confond avec la puissance de la passion, c'est dans le cœur même de l'héroïne qu'il gît et agit : le tragique naît, non des situations, mais de l'intériorité même des personnages, et en premier lieu de l'héroïne éponyme. De fait, la princesse ne peut que constater elle-même toutes sortes de concessions que, comme malgré elle, elle fait à la passion qu'elle croit détester ; son constant effort de lucidité et d'analyse ne peut redoubler qu'imparfaitement celui de la narratrice, tant l'amour brouille l'expression de son intelligence, de sa liberté et de sa volonté. La princesse sait fort bien que le désir qu'elle éprouve pour Nemours est exactement celui que son époux légitime attend d'elle, celui qu'il mérite plus que tout autre – et plus que Nemours en particulier. Mais on ne justifie pas le désir – et la raison ne peut rien contre l'arbitraire foncier de la passion.

La Princesse de Clèves, *premier roman d'analyse*

Héritière à la fois du grand roman précieux, de la nouvelle historique et de la tragédie, *La Princesse de Clèves* inaugure également un nouveau genre, qu'on nommera plus tard le roman d'analyse. Certes, les grands romans de Scudéry accordaient déjà une large place à l'examen des différentes passions, de leur mode d'expression et de développement et des liens qui les unissaient entre elles. Mais, loin d'être intégrés dans l'action, ces moments d'analyse, le plus souvent sous forme de conversations entre les personnages, constituaient bien plutôt des pauses réflexives. Dans *La Princesse de Clèves*, action et paroles sont beaucoup plus étroitement mêlées. Les monologues interviennent souvent aux moments de trouble ; par cette parole solitaire, le personnage tente de réduire tout autant que de comprendre l'agitation qui l'habite. Les dialogues au cours desquels les personnages font retour sur leur expérience propre ou sur ce qu'ils savent de l'expérience des autres accompagnent eux aussi des passages de crise. Ainsi, la parole n'est jamais théorisation gratuite et distanciée, comme ce pouvait être le cas dans le roman précieux : la discussion rapportant les propos de Nemours concernant les sentiments de l'amant dont la maîtresse se rend au bal (ennui qu'elle soit distraite de lui dans le cas où elle l'aime, tristesse de la voir si belle dans le cas où elle ne l'aime pas) n'est que faussement générale – et la princesse comprend intuitivement le rapport étroit qu'elle entretient avec sa situation présente, puisqu'elle abandonne soudain toute envie de se rendre au bal organisé par le maréchal de Saint-André.

Genre, action, personnages

Récit principal et récits enchâssés

Le récit principal

Dans la plupart des éditions modernes, le récit principal est structuré en quatre parties, qui n'ont cependant pas été voulues par Mme de Lafayette ; celle-ci, en effet, avait présenté son récit d'un seul tenant. Pourtant, la division proposée par les éditeurs peut éclairer, dans une certaine mesure, la progression de l'œuvre.

La première partie introduit le cadre et les personnages principaux, et narre « l'événement perturbateur » initial, à savoir la rencontre de la princesse et du duc. Le roman s'ouvre sur une très longue description de la cour d'Henri II, à la fin de l'année 1558. Cette cour est présentée comme un milieu à la fois d'excellence et d'exception mais où règnent un culte immodéré de l'apparence, une tolérance totale envers toutes les passions amoureuses ainsi que d'âpres rivalités opposant, notamment, le parti des Guises à celui des princes de sang. C'est dans ce monde brillant mais redoutable que fait irruption Mlle de Chartres, une jeune fille de seize ans que sa mère, veuve, présente à la cour pour lui trouver un parti digne d'elle. C'est finalement le prince de Chartres, tombé amoureux de la princesse dès le premier regard, qui l'épouse en décembre 1558 – même si cette dernière n'éprouve pour lui que respect.

C'est alors que le duc de Nemours revient à la cour pour assister aux fiançailles de la seconde fille du roi ; célèbre par son pouvoir de séduction, cet homme s'apprête à épouser la reine d'Angleterre elle-même. Invités par le roi à danser ensemble lors du bal des fiançailles, le duc et la princesse tombent amoureux l'un de l'autre. La princesse, ignorant tout de l'amour, ne comprend qu'imparfaitement ses propres émotions ; sa mère en devine la raison et tente de l'éloigner du duc, en lui laissant entendre que ce dernier entretient une liaison avec la reine dauphine. Elle tombe ensuite malade et finit par mourir au printemps 1559, non sans avoir donné à sa fille un ultime avertissement contre les liaisons adultérines.

La deuxième partie voit la princesse découvrir les souffrances de l'amour. Celle-ci se retire à la campagne pour y pleurer sa mère.

Son époux lui raconte l'histoire de la trahison amoureuse vécue par Mme de Tournon. La princesse rentre à Paris et, toujours habitée par sa passion, décide de la dissimuler. Le duc de Nemours, quant à lui, est toujours aussi violemment épris d'elle, et parvient à voler son portrait lors d'une réunion qui se tient dans sa chambre. La princesse le voit faire mais ne le dénonce pas. Elle comprend de plus en plus nettement la force de son amour, douloureusement confirmée par la brûlante jalousie ressentie lorsqu'elle apprend l'existence d'une lettre de femme, en réalité perdue par le vidame de Chartres, mais attribuée publiquement à Nemours. Celui-ci, comprenant la souffrance de la princesse et ses raisons, entreprend de se disculper en aidant le vidame à récupérer la lettre.

Plus contrastée, la troisième partie s'ouvre sur un moment de plénitude partagée, mais voit aussi le drame s'accélérer. La princesse comprend que Nemours n'était pas en cause et accepte de l'aider à rédiger une fausse lettre qui, en brouillant les pistes, permettra de disculper le vidame gravement compromis, car il a trahi la reine pour une autre femme. Cette rédaction commune constitue un moment de complicité heureuse qui laisse la princesse plus désemparée que jamais. Elle se réfugie dans sa maison de campagne à Coulommiers et, ne sachant plus comment affronter sa passion, prend le parti de l'avouer à son époux, en gardant toutefois secret le nom de celui qu'elle aime – mais le prince de Clèves ne tardera pas à le deviner. Cet aveu a un témoin capital qui reste silencieux et invisible : Nemours lui-même, qui s'est égaré dans la forêt environnante. Au cours des fastueuses festivités organisées pour les mariages d'Élisabeth et de Madame à la fin du mois de juin, le roi Henri II est mortellement blessé lors d'un tournoi, comme on le lui avait prédit. François II s'apprête à monter sur le trône, signant ainsi le triomphe du parti des Guises.

La quatrième partie décrit le processus d'un isolement de plus en plus radical subi puis voulu par la princesse. Celle-ci s'éloigne de la cour, attisant par là sans le vouloir la jalousie de son époux ainsi que le désir de Nemours, qui cherche désespérément sa présence.

Genre, action, personnages

Ignorant qu'il est espionné par un gentilhomme missionné par le prince de Clèves, il se rend de nouveau près de la maison de campagne où elle s'est réfugiée et la voit avec délice s'adonner à une rêverie amoureuse dont il est manifestement le centre. Rapportant maladroitement ce qu'il a vu au prince, le gentilhomme déclenche chez ce dernier une crise de jalousie pathologique, dont il ne se remettra pas : il meurt peu après. Rongée par le remords, la princesse porte un deuil rigoureux et s'isole définitivement. Elle ne revoit Nemours qu'à l'hiver 1559 : elle lui avoue alors la passion qu'elle éprouve pour lui mais se refuse définitivement à lui, alors même que leur union pourrait désormais être légitimée. Le temps finit par apaiser la passion du duc et la princesse achève bientôt sa vie dans une communauté religieuse sise dans les Pyrénées.

Si l'on excepte l'extrême début et l'extrême fin du roman, qui peuvent être considérés respectivement comme un prologue et un épilogue, l'action dure exactement une année, de l'hiver 1558 à l'hiver 1559. L'unité de temps est certes plus étendue que celle qui s'applique au théâtre (un jour), mais elle est respectée de manière remarquablement rigoureuse. L'unité de lieu est un peu moins nette, dans la mesure où la princesse se retire parfois à la campagne, mais l'essentiel de l'intrigue se déroule néanmoins à la cour. Quant à l'unité d'action, elle est respectée, même si le récit principal, fortement unifié, accueille plusieurs récits enchâssés.

Les récits enchâssés

En effet, ces récits enchâssés ne menacent pas véritablement l'unité d'action, dans la mesure où ils entrent toujours avec elle dans un rapport étroit, qu'il relève du contraste et du contrepoint, ou au contraire de l'analogie et de la variation sur le même thème. Car il s'agit toujours d'amour, ou plutôt des divers types d'amour : amour intéressé, amour sincère, amour malheureux, etc.

La technique des récits enchâssés n'est nullement propre à *La Princesse de Clèves* ou à son auteur : elle est au contraire très répandue dans les romans du XVIIe siècle. Mme de Lafayette en fait même un usage plus modéré que la plupart des romanciers contemporains, et prend soin de justifier toute insertion d'un récit secondaire, le plus souvent par des motifs d'ordre didactique, le récit enchâssé s'adressant très souvent à la jeune princesse inexpérimentée, à laquelle il présente l'une des facettes – le plus souvent sombre – de la passion amoureuse. Ainsi, l'histoire de Diane de Poitiers racontée à la princesse par sa mère est censée lui enseigner la force noire, trompeuse et éphémère de la passion ainsi que le caractère à la fois dangereux et superficiel de la cour. De même, l'histoire de Sancerre et de Mme de Tournon, racontée par le prince de Clèves à sa jeune épouse, montre les ravages de la duplicité féminine. Certains de ces récits possèdent en outre une fonction anticipatrice : c'est ainsi que l'histoire de Sancerre annonce le questionnement qui sera proposé autour des notions d'aveu et de sincérité ; et que l'histoire d'Anne de Boulen, narrée par la dauphine à la princesse, annonce l'issue fatale de toute passion. Enfin, la plupart se trouvent pleinement intégrés dans l'action, tels l'histoire du vidame et de Mme de Thémines, qui non seulement rappelle les thèmes centraux de la duplicité et la souffrance amoureuse, mais joue également un rôle dramatique essentiel, puisqu'elle éveille à la fois le soupçon et la jalousie de la princesse, et commence à lui faire entrevoir la possibilité, voire la nécessité, d'un aveu à son époux. Loin de ne constituer que des digressions, loin même de se réduire à des variations sur le thème de la passion tragique, les récits enchâssés remplissent donc de multiples fonctions qui participent toutes à la progression du récit (enrichissement du savoir de l'héroïne, renforcement du tragique par des effets d'annonce, déclencheur d'une action). Il est cependant significatif que la scène de l'aveu, péripétie majeure, inaugure un second volet du roman dans lequel les récits enchâssés n'ont plus aucune place. L'attention se focalise dès lors exclusivement sur les trois personnages placés au cœur du piège tragique : la princesse, le prince de Clèves et le duc de Nemours.

Les personnages

Ces trois personnages sont jeunes et beaux. Jeunesse tout d'abord : la princesse est « dans sa seizième année » lors de son arrivée à la cour, ce qui signifie qu'elle a quinze ans. L'âge du prince de Clèves n'est pas précisé, mais si Mme de Chartres lui trouve « tant de sagesse pour son âge », c'est qu'il n'est pas encore adulte. Bien des personnages secondaires ne sont pas plus vieux : Élisabeth de France a quatorze ans, la dauphine seize, le dauphin quinze. Beauté ensuite : celle de la princesse est maintes fois rappelée ; le prince de Clèves est lui-même « parfaitement bien fait » ; le duc est « l'homme du monde le mieux fait et le plus beau ». Là encore, les personnages secondaires ne sont pas en reste : du maréchal de Saint-André, on loue « l'agrément de [la] personne », et le chevalier de Guise est lui aussi « bien fait ». Si la tonalité d'ensemble du roman est incontestablement sombre, l'humanité qu'il met en scène est une humanité d'exception, et sa souffrance est d'autant plus spectaculaire qu'elle se trouve, au départ, apparemment dotée de toutes les qualités qui auraient dû lui assurer le bonheur.

La princesse

Si le roman présente certains points communs avec le roman d'apprentissage, c'est que sa jeune héroïne y accède progressivement, non seulement à la lucidité, mais à la parole, ou du moins à une parole vraie, tournée vers soi et non plus vers l'autre, en prise avec l'être et non plus avec l'avoir ou le paraître. Cette parole, la princesse la formulera d'abord pour elle-même ; ce n'est qu'à la fin du roman qu'elle parviendra à l'adresser au duc, au-delà de toute fausse pudeur. Au début du roman, la toute jeune fille est avant tout présentée comme un objet d'admiration et de désir – et il n'est pas indifférent à cet égard que ce soit chez un joaillier, vendeur d'ornements précieux, que se fasse la rencontre avec son futur époux. Elle est aussi passive dans son mariage que lors du bal, au cours duquel le roi lui donne le duc pour cavalier. Elle écoute beaucoup plus qu'elle ne parle – et du reste elle comprend souvent mal.

Elle ne commence à prendre la parole qu'à partir de la mort de sa mère, mais ses répliques, qui visent avant tout à dissimuler sa passion, restent encore enfermées dans une – trompeuse – banalité, quand elle ne s'oblige pas elle-même, tout simplement, au silence, un silence qui vaut du reste pour le lecteur bien des paroles. C'est en définitive la passion (en l'occurrence la souffrance de la jalousie) qui libérera sa parole – même si, paradoxalement, sa pleine conquête du verbe, lors de l'entrevue finale avec le duc, coïncidera aussi avec sa victoire définitive sur la passion. En l'espace d'une seule année, confrontée à la fois à ce milieu emblématique qu'est la cour, archétype du monde, et à cette passion emblématique qu'est l'amour, elle apprend à la fois à se détacher des apparences et à voir clair en elle-même : affranchissement à l'égard de l'extériorité, initiation à l'intériorité. Le dénouement devient dès lors, plus encore qu'une « morale de l'histoire », l'aboutissement de ce cheminement mental et moral.

Le prince de Clèves

À la fois innocent et coupable, comme le héros de tragédie défini par Aristote, le prince connaît sans doute le sort le plus tragique de tous les personnages du roman – et c'est peut-être pour cette raison que Mme de Lafayette avait initialement intitulé son récit *Le Prince de Clèves*. À partir de son coup de foudre pour celle qui deviendra sa femme, il ne connaît qu'inquiétude et souffrance. En effet, il comprend dès l'origine que sa femme n'éprouve pour lui nul amour ; sa douleur demeure supportable tant qu'il attribue cette insensibilité à une sorte de vide affectif plus général – et peut-être du reste s'en persuade-t-il précisément pour atténuer sa souffrance. Quoi qu'il en soit, c'est précisément cette méprise qui le conduit d'abord à ne se méfier nullement de Nemours, jusqu'à le conduire lui-même dans la chambre de son épouse ; et c'est cette illusion que vient brutalement briser l'aveu de la princesse, qui le plonge dès lors dans une jalousie littéralement mortelle. Celle-ci atteint son paroxysme lorsque, imparfaitement renseigné par l'espion qu'il avait envoyé sur les traces de Nemours, il se croit trompé par son épouse. Sa mort ne tardera pas, plus prématurée encore que celle de sa jeune épouse, avec laquelle il partage finalement plus qu'un nom : l'expérience, jusqu'à la mort, d'un amour absolu et fatal.

Le duc de Nemours

Plus âgé que les autres personnages (il a une trentaine d'années), fort d'une riche expérience militaire et amoureuse, le duc apparaît comme une version masculine de la « femme fatale » – l'adjectif prenant ici tout son sens. Grand séducteur connu et reconnu comme tel, il s'avère profondément ambigu : sincèrement épris de la princesse pour laquelle il renonce à épouser la reine d'Angleterre elle-même, il ne s'en comporte pas moins comme une sorte de prédateur – comme en témoignent les deux scènes de Coulommiers. Échappant, semble-t-il, aux déchirements et aux dilemmes de la passion, il n'en connaît que la souffrance – une souffrance qu'il ne comprend pas, tant il demeure étranger à la dimension tragique que comportent les autres personnages principaux – et une souffrance qui finit par s'éteindre en même temps que son amour, comme le précise l'épilogue.

Mme de Chartres

Madame de Chartres est-elle la voix de la romancière ? Ce postulat, souvent implicitement ou explicitement adopté par les critiques, mérite d'être envisagé avec prudence. En effet, si la mère de la princesse semble relayer une vision du monde – et en particulier de la cour et de l'amour – éminemment pessimiste, qui rappelle à bien des égards celle d'un La Rochefoucauld, ami de Mme de Lafayette, voire celle de Port-Royal, dont l'auteur de *La Princesse de Clèves* semble se rapprocher à la fin de sa vie, le rôle qu'elle joue dans l'intrigue est pour le moins trouble. Quelles sont véritablement les valeurs qui guident l'action de cette femme à la fois si défiante envers les valeurs de la cour et « extrêmement glorieuse » ? Quel rôle joue-t-elle, cette mère qui ne cesse d'entretenir sa fille des dangers de l'adultère, mais qui la marie à un homme qu'elle n'aime pas ? C'est dans cette ambivalence même que réside tout l'intérêt du personnage, dont la mort apparemment exemplaire pèsera de manière décisive sur la suite du récit.

La cour

Par excellence lieu du faux amour ou de l'amour illégitime, la cour agit comme un véritable actant, tantôt encourageant la formation du couple adultère et favorisant ses retrouvailles, tantôt l'empêchant au contraire de se parler. Elle constitue en cela non seulement une version à la fois archétypale et concentrée du monde et de son immoralité, mais un personnage à part entière.

L'œuvre : origines et prolongements

L'utilisation des sources historiques

LE LECTEUR moderne aurait tort de voir un paradoxe dans l'importance que prend l'histoire dans ce roman d'analyse qu'est *La Princesse de Clèves*. Dans les mentalités du XVIIe siècle en effet, loin de s'opposer comme la vie publique à la vie privée, l'histoire et les passions entretiennent des liens étroits : d'une part, l'histoire est souvent conçue comme le théâtre des passions, les grands événements étant volontiers expliqués par les passions de leurs auteurs ; d'autre part, dans une perspective religieuse notamment, on établit souvent un parallèle entre les bouleversements historiques et les bouleversements passionnels, entre le caractère éphémère des plus grands empires et celui des plus violentes et des plus sincères passions. Pas étonnant, dès lors, que se noue entre l'histoire et la fiction – qu'elle soit romanesque ou dramatique – plus d'un lien. C'est dans cette lignée que s'inscrit Mme de Lafayette, comme en témoignent les premières lignes de *La Princesse de Montpensier* : « Pendant que la guerre civile déchirait la France sous le règne de Charles IX, l'amour ne laissait pas de trouver sa place parmi tant de désordres et d'en causer beaucoup dans son empire. »

EN OUTRE, leur inscription dans l'histoire participe à magnifier encore les personnages, déjà dotés de maintes qualités : tandis que le chevalier de Guise part conquérir Rhodes, le duc s'apprête à épouser la reine d'Angleterre, et la princesse elle-même fréquente de très près la famille royale – et le fait même qu'ils appartiennent au passé contribue à les grandir.

Le choix du moment historique

UNE QUESTION surgit d'emblée : pourquoi Mme de Lafayette a-t-elle choisi de situer son roman en 1558-1559, soit les derniers mois du règne d'Henri II et les premiers du règne de François II ? On l'a vu en effet, le choix de la durée (un an, si l'on excepte le prologue et l'épilogue) correspondait à une option théorique qui visait à donner au genre romanesque des règles comparables à celles qui régissaient alors le théâtre. Mais pourquoi avoir précisément situé cette année entre l'hiver 1558 et 1559 ?

PLUSIEURS hypothèses peuvent être formulées. Premièrement, étant encore peu éloigné, le XVIe siècle permettait à l'auteur de bénéficier d'une documentation abondante et maniable.

DEUXIÈMEMENT, cette période relativement sereine, comportant la conclusion d'une paix, s'avère particulièrement riche en mariages : trois cérémonies sont évoquées, qui associent les thèmes centraux de l'amour (souvent opposé à l'institution du mariage) et du faste trompeur (divertissement, mondanité, spectacle, etc.).

TROISIÈMEMENT, cette année 1558-1559, certes paisible au plan de la politique extérieure, n'en est pas moins animée de vives tensions relatives à la succession des Valois, décisive pour le royaume de France, qui opposent notamment les Guises (branche cadette de la maison de Lorraine) et les Bourbons (Navarre, Condé). La romancière tire parti de ce contexte de rivalités dans lequel se trouve plongée, bien malgré elle, l'héroïne éponyme, liée aux Bourbons par sa naissance comme par son mariage, mais fortement sollicitée par les Guises, et en particulier par la dauphine et le chevalier de Guise.

QUATRIÈMEMENT, la période choisie était à la fois suffisamment proche (et française) pour permettre au lecteur du XVIIe siècle – qui connaît encore les familles et les lieux évoqués – de se projeter aisément dans cet univers, et suffisamment éloignée pour permettre une certaine idéalisation, la cour des Valois étant restée fameuse pour son raffinement culturel et artistique.

CINQUIÈMEMENT, et peut-être surtout, l'année 1558-1559 était celle de l'accident fatal d'Henri II, événement aussi spectaculaire qu'imprévu, qui manifeste l'irruption de la mort au cœur même des réjouissances, ainsi que l'inexorabilité du destin. Et, de fait, le roman met en valeur cette mort exemplaire et tragique en la dramatisant de multiples manières : prédiction au roi, annonce solennelle du tournoi et faste de la fête, etc. La disparition d'Henri II constitue en outre un réel tournant dans le roman. Non seulement elle s'inscrit dans le climat de mort qui baigne tout le récit (rappel de la mort de Mme de Chartres, annonce de la mort du prince de Clèves, voire de la princesse elle-même), mais elle introduit à la cour un bouleversement décisif : c'est François II qui règne désormais – même si les intrigues seront de moins en moins évoquées, le piège tragique se refermant sur les principaux protagonistes.

Les sources utilisées

Fidélité…

QUELLES que soient les raisons du choix de cet ancrage historique, celui-ci se voit régulièrement rappelé, et de multiples faits historiquement attestés, plus ou moins discrètement mentionnés, viennent scander la progression temporelle rigoureuse du roman. Celui-ci s'ouvre au début des négociations de paix qui ont lieu en octobre 1558 ; suit la mort de Marie Tudor (17 novembre 1558) et l'avènement de la reine Élisabeth. Ici prend fin le prologue ; l'action débute véritablement lorsque le personnage éponyme arrive à la cour et est présenté au lecteur, c'est-à-dire fin novembre, au moment où les pourparlers cessent temporairement. Elle sera rythmée par divers événements : le mariage de Claude de France avec le duc de Lorraine (février 1559), la signature de la paix du Cateau-Cambrésis (3 avril 1559), le tournoi organisé en l'honneur du mariage d'Élisabeth avec le roi d'Espagne, au cours duquel le roi est grièvement blessé (30 juin 1559) ; la mort du roi (10 juillet 1559) et, consécutivement, le sacre de François II le 21 septembre 1559. L'action principale s'achève par la grande conversation entre la princesse et le duc, qui a lieu la veille du départ d'Élisabeth pour l'Espagne (novembre 1559). Elle est suivie d'un épilogue, qui fait pendant au prologue du roman.

L'INCIPIT du roman plante d'emblée le décor historique qui sera le sien : la cour du roi Henri II, passé récent à la fois familier et chargé d'enjeu pour les premiers lecteurs. Cet ancrage impliquait que Mme de Lafayette se documente avec une relative précision sur l'époque évoquée. Elle consulta principalement, outre les généalogistes, deux ouvrages : les *Mémoires* (posthumes, 1665) de Brantôme (1540-1614), bon connaisseur de la cour des Valois, conteur volontiers grivois des mœurs de la haute noblesse ; et l'*Histoire de France* de l'érudit et académicien Mézeray (1610-1683).

Elle n'emprunte pas seulement à l'histoire certains faits bien connus : mort du fils aîné de François Ier, mariages princiers, mort accidentelle d'Henri II, attaque des Turcs à Rhodes en 1557 par le chevalier de Guise, condamnation d'Anne de Boulen, etc. Elle va jusqu'à respecter le calendrier précis des événements publics évoqués, et en particulier les saisons auxquelles ils se déroulent. Des moments historiquement attestés scandent ainsi l'action principale. Nulle volonté d'exactitude réaliste pourtant ici : il s'agit bien plutôt de conférer à ce décor saisonnier une valeur symbolique. Le roman commence en hiver : c'est la froideur de l'amour non partagé du prince, de la non-vie qui est alors celle de la princesse. Au début du printemps, la chaleur qui baigne l'appartement de la reine dauphine est celle d'une passion naissante ; elle sera encore plus prononcée dans le véritable « songe d'une nuit d'été » qu'est la scène de la canne des Indes, chargée d'un érotisme trouble. Mais c'est en hiver, temps de la retraite, temps du renoncement, temps de la mort enfin, que s'achève le roman.

...et infidélités

POUR AUTANT, Mme de Lafayette ne s'asservit pas totalement à ces sources, et n'hésite pas à prendre des libertés avec le donné historique – ce qui lui fut du reste reproché, et d'abord par Valincour, l'un des premiers lecteurs – et critiques – de l'œuvre : « Pour moi, j'ai été surpris de trouver à la cour de Henri II une demoiselle de Chartres qui n'a jamais été au monde ; un Grand-Prieur de Malte qui la veut épouser [le chevalier de Guise] ; un duc de Clèves qui l'épouse effectivement, quoiqu'il n'ait point été marié. Enfin, tout y est faux ; et de la cour d'un roi de France, l'on est tout à coup jeté dans le royaume des *Amadis* [roman espagnol du XVIe siècle, racontant les aventures fabuleuses d'un chevalier idéal] » *(Lettres à la marquise *** sur le sujet de la Princesse de Clèves).*

De fait, il n'est pas difficile de relever des entorses faites dans le roman à la vérité historique : ainsi, si le prince de Clèves a bien existé, la vie qui lui est prêtée dans le roman est totalement inventée ; de même, si le duc de Nemours correspond à un personnage historique attesté (il s'agit de Jacques de Savoie, grand chef militaire catholique et, selon Brantôme, séducteur sans scrupules, né en 1531 et mort en 1585), s'il fut aimé d'Élisabeth d'Angleterre, il n'éprouva jamais d'amour pour une princesse de Clèves du reste totalement imaginaire, tout comme sa mère Mme de Chartres (même si la parenté qui leur est prêtée avec le vidame de Chartres leur assure tout de même un ancrage, fût-il fictionnel, dans la réalité historique).

En réalité, la romancière emprunte essentiellement à l'histoire un cadre, une atmosphère à la fois brillante et quelque peu désuète ; l'intrigue qui s'y déroule, elle, est imaginaire. Pour autant, l'effet de vraisemblance n'était pas rompu, y compris pour les contemporains, plus au fait que le lecteur moderne des événements du temps des Valois. En effet, les événements privés et fictionnels qui forment le cœur du roman auraient très bien pu advenir sans pour autant être enregistrés par les historiens : aussi le lecteur pouvait-il sans difficulté y accorder foi, d'autant que les étapes principales de l'intrigue sont régulièrement mises en rapport avec des événements historiques. C'est ainsi que le destin du personnage éponyme fictif qu'est la princesse, qui se retire dans « de grandes terres qu'elle avait vers les Pyrénées », entre en résonance avec le destin bien réel d'Élisabeth, dont le départ pour l'Espagne, où l'attend un destin cruel et tragique, est exploité sur le plan de l'intrigue principale (préparation du voyage, choix du prince chargé de la conduire, etc.). Les critiques des partisans d'un strict respect de la vérité historique pouvaient dès lors être évitées.

La première réception : vraisemblance, bienséance et débat

Mais d'autres oppositions n'allaient pas tarder à se faire entendre. Elles concernaient, cette fois, la vraisemblance de l'intrigue, ou plus exactement de certains de ses épisodes. Était surtout visée la scène de l'aveu, si problématique que la revue *Le Mercure galant* n'hésita pas à lancer une enquête auprès des premiers lecteurs de l'œuvre, pour qu'ils se prononcent sur sa vraisemblance. C'est ainsi que Bussy-Rabutin écrit à sa cousine Mme de Sévigné le 29 juin 1678 : « La première aventure des jardins de Coulommiers n'est pas vraisemblable, et sent le roman. C'est une grande justesse [= coïncidence], que la première fois que la princesse fait à son mari l'aveu de sa passion pour un autre, M. de Nemours soit, à point nommé, derrière une palissade, d'où il entend : je ne vois pas même de nécessité qu'il sût cela, et en tout cas il fallait le lui faire savoir par d'autres voies. Cela sent encore bien le roman, de faire parler les gens tout seuls ; car outre que ce n'est pas l'usage de se parler à soi-même, c'est qu'on ne pourrait savoir ce qu'une personne se serait dit, à moins qu'elle n'eût écrit son histoire ; encore dirait-elle seulement ce qu'elle aurait pensé. La lettre écrite au vidame de Chartres est encore du style des lettres de roman, obscure, trop longue, et point du tout naturelle. Cependant, dans ce second tome, tout y est aussi bien conté, et les expressions y sont aussi belles que dans le premier. » Et Fontenelle de renchérir : « Je suis ravi que M. de Nemours sache la conversation qu'elle a avec son mari, mais je suis au désespoir qu'il l'écoute. Cela sent un peu les traits de *L'Astrée* [grand roman précieux d'Honoré d'Urfé]. »

« **S**ENTIR le roman », et le roman précieux en particulier : voilà bien le reproche principal fait à *La Princesse de Clèves*, ce qui confirme au passage que son inscription dans le genre romanesque était loin d'être évidente. C'est que la vraisemblance est, avec la bienséance, l'une des exigences fondamentales de l'esthétique qui s'impose alors dans la littérature française et qu'on appellera plus tard « classique ». Il s'agit pour l'écrivain de respecter un double accord : accord des événements avec les valeurs morales alors admises (bienséance) ; accord des événements entre eux, de manière à former un enchaînement plausible (vraisemblance).

UNE AUTRE scène posait problème : le dénouement, et en particulier le refus apparemment injustifié opposé par une princesse désormais veuve, c'est-à-dire libre de prendre un nouvel époux, à un Nemours stupéfait. Dans un monde imprégné d'une éthique et d'une esthétique galantes, cet « unhappy ending » semblait à la fois inacceptable et invraisemblable, et Valincour ne manqua pas d'en dénoncer la « coquetterie » : « depuis la Sapho du Grand Cyrus, s'est-il rencontré une femme à qui cette vision soit tombée dans l'esprit ? » Mais, loin de regarder vers le roman précieux alors en déclin, cet excipit inattendu était bien plutôt en accord avec un autre modèle littéraire, théâtral celui-là : la tragédie classique. Ne rappelait-il pas, en effet, la *Bérénice* de Racine, dont son auteur écrivait dans sa Préface : « Ce n'est point une nécessité qu'il y ait du sang et des morts dans une tragédie ; il suffit que l'action en soit grande, que les acteurs en soient héroïques, que les passions y soient excitées, et que tout s'y ressente de cette tristesse majestueuse qui fait tout le plaisir de la tragédie ».

Trois variations cinématographiques

HÉRITIER du théâtre à bien des égards, le cinéma n'allait pas manquer de s'intéresser à *La Princesse de Clèves*. Nous retiendrons tout particulièrement trois adaptations : *La Princesse de Clèves*, du réalisateur franco-italien Jean Delannoy (1961), *La Lettre*, du réalisateur portugais Manuel de Oliveira (1999), et *La Belle Personne*, du réalisateur français Christophe Honoré (2008).

La Princesse de Clèves *(Jean Delannoy, 1961)*

L'ADAPTATION de Delannoy, élaborée en collaboration avec Jean Cocteau qui en fut le coscénariste, se focalisait sur l'histoire d'amour impossible entre la princesse et Nemours, laissant au second plan la réflexion corrosive du roman sur le monde de la cour, sa noirceur et ses dangers. En faisant du prince de Clèves (Jean Marais, alors âgé de quarante-huit ans) un époux vieillissant, opposé au couple des deux jeunes premiers formés par Marina Vlady (alors âgée de vingt-trois ans) et Jean-François Poron (alors âgé de vingt-cinq ans), Delannoy inscrivait l'intrigue, jouée en costumes d'époque, dans la longue lignée des histoires d'amour impossible mettant en scène un couple mal assorti et un amant séduisant. Sans doute en édulcorait-il ainsi l'originalité, mais cela n'empêcha nullement le film de connaître un grand succès populaire.

La Lettre (*Manoel de Oliveira, 1999*)

DANS le film d'Oliveira, Mme de Chartres (Chiara Mastroianni) se voit quittée par M. de Guise, qui du reste n'avait aucune intention de se lier durablement et exclusivement à elle. Un médecin renommé, Jacques de Clèves, la voit choisir un collier avec sa mère chez un grand bijoutier de la place Vendôme, et en tombe immédiatement amoureux. Il parvient à se faire présenter à elle, et la jeune fille accepte bientôt de l'épouser, alors même qu'elle n'en est nullement éprise. Peu après, elle tombe éperdument amoureuse d'un chanteur pop à la mode, Pedro Abrunhosa (joué par un chanteur portugais qui joue son propre rôle) ; sa mère, comprenant ce qui est en train de se passer, la met en garde, mais elle meurt peu après. Mme de Clèves tente de toutes ses forces de rester fidèle à son mari et trouve quelque réconfort dans les visites qu'elle rend à une ancienne amie de collège, devenue religieuse à Paris. Mais Pedro Abrunhosa la presse de laisser libre cours à sa passion, et Mme de Clèves décide alors de se confier à son mari afin qu'il l'aide à lui rester fidèle. Malheureusement, celui-ci ne peut supporter d'entendre la confirmation de ce qu'il pressentait et redoutait, et il est à son tour bientôt emporté par la maladie. Mme de Clèves pourrait désormais épouser Pedro ; mais elle préfère disparaître sans laisser de traces. Seule une lettre parviendra un jour au couvent parisien où vit son amie : Mme de Clèves, devenue missionnaire en Afrique, œuvre auprès d'organisations humanitaires. Si le film est porté de bout en bout par la musique de Schubert, c'est pourtant la musique pop de Pedro Abrunhosa qui le clôt, comme elle l'avait ouvert.

La Belle Personne (*Christophe Honoré, 2008*).

LA BELLE PERSONNE raconte l'histoire d'amour qui se noue, dans un lycée des beaux quartiers de Paris, entre un ténébreux professeur d'italien et l'une de ses élèves. Suite à la mort de sa mère, Junie (Léa Seydoux), seize ans, change de lycée en cours d'année. Très remarquée pour sa beauté, elle fait bientôt la connaissance du calme et doux Otto (Grégoire Leprince-Ringuet), dont elle devient la petite amie. Mais elle est de plus en plus attirée par son professeur d'italien, Nemours (Louis Garrel), qui, bien qu'il entretienne déjà plusieurs relations amoureuses en même temps, tombe sous le charme de la jeune lycéenne. Dans un lycée déjà bruissant de mille rumeurs d'amourettes désespérées, une nouvelle tragédie intime se met en place. Le lycée est situé dans le seizième arrondissement de Paris, mais la capitale est aussi grise et mélancolique que le destin des personnages... Comme dans le roman, les protagonistes sont jeunes, riches, beaux, presque uniquement préoccupés d'amour et de séduction. Comme dans le roman, ils souffrent, avec toute la violence de la passion adolescente. Comme dans le roman, les trois personnages principaux ne sont pas les seuls à souffrir ; d'autres petites tragédies sont furtivement évoquées – celle d'un jeune gay, celle d'une bibliothécaire... – car les souffrances de la passion n'épargnent personne.

Scène du film *La Princesse de Clèves* de Jean Delannoy (1961).
Avec Marina Vlady.

Scène du film *La Lettre* de Manoel de Oliveira (1999).
Avec Chiara Mastroianni et Antoine Chappey.

Scène du film *La Belle Personne,* de Christophe Honoré (2008). Avec Louis Garrel et Léa Seydoux.

L’œuvre : son courant, ses tendances

Un roman d’amour précieux ?

La Princesse de Clèves, archétype inaugural du roman d’analyse, s’inscrit dans la lignée des investigations précieuses sur le sentiment et le processus amoureux – mais renouvelle profondément cet héritage.

L’héritage précieux

L’amour tient dans *La Princesse de Clèves* un rôle aussi central que dans les grands romans précieux du début du siècle, et il se voit décrit de façon comparable, comme une passion toute-puissante, voire fatale, foncièrement irrationnelle. Comme chez Mlle de Scudéry, comme chez Honoré d’Urfé, les passions, conçues comme des entités quasi autonomes, meuvent les personnages et échappent à leur contrôle. Même les noms donnés à ces sentiments – estime, inclination, reconnaissance – sont ceux-là mêmes qu’utilisaient les précieuses, et auxquels elles ont accoutumés les lecteurs.

Des précieuses, Mme de Lafayette conserve également l’opposition entre la relation matrimoniale (qui relève du devoir, du respect, au mieux de l’affection) et la relation amoureuse, passion toute-puissante et le plus souvent dégradante et malheureuse. À une époque où les mariage forcés ou arrangés sont monnaie courante, les précieuses proclament en effet une profonde méfiance envers le mariage – jusqu’à revendiquer parfois le droit de divorcer. De même, dans la société dépeinte dans *La Princesse de Clèves*, le mariage est moins un engagement individuel qu’une affaire politique ou familiale. Ainsi, le mariage de Madame avec le duc de Savoie répond manifestement avant tout à l’ambition de la première, qui ne veut épouser qu’un prince ; quant à celui d’Élisabeth avec le roi d’Espagne, il n’est que déception et instrumentalisation : d’une part, Élisabeth s’attendait à épouser l’infant, et non le souverain (et elle connaîtra une fin tragique en Espagne, empoisonnée, selon la rumeur, par son époux) ; d’autre part, ce mariage est essentiellement un geste politique visant à assurer la paix entre la France et l’Espagne.

Un pessimisme accentué

Pour autant, on aurait tort de croire que seul le mariage constitue un dévoiement de l'amour. Dans le roman, bien rares – pour ne pas dire inexistants – sont les amours réels. Dans la plupart des relations amoureuses, même celles qui se nouent hors mariage, se mêle une passion étrangère (ambition, intérêt...), toujours liée, en dernière analyse, à l'amour-propre. La fausseté de ces relations amoureuses apparaît dans l'infidélité qui les caractérise. Ainsi, Anne de Boulen est avant tout motivée par « l'ambition » ; parlant de sa relation avec Catherine de Médicis, le vidame avoue lui-même : « ma vanité n'était pas peu flattée d'une liaison particulière avec une reine » – et il ne se prive pas de mener trois relations amoureuses en parallèle ; Mme de Tournon, infidèle au souvenir de son mari, n'est pas plus fidèle à son amant Sancerre, puisqu'elle se laisse séduire par Estouteville.

En définitive, seul l'amour inspiré par l'héroïne éponyme apparaît désintéressé : le prince de Clèves tombe amoureux d'elle avant même de connaître son rang, et Nemours n'hésite pas à renoncer pour elle à un mariage glorieux avec la reine d'Angleterre elle-même. Mais cela n'empêche pas cet amour d'être voué à l'échec : le roman s'achève tragiquement, là où les grands romans précieux se terminaient le plus souvent de manière heureuse.

Sentiment et sexualité

Autre prise de distance avec le roman précieux : la place réservée à la dimension physique de l'amour. Certes, bienséance oblige, l'érotisme demeure diffus, et voilé. Mais, contrairement aux précieuses qui prônaient volontiers un amour chaste et tendre, affranchi d'un corps considéré comme impur, et considéraient la sexualité comme une possession (pour le mari) et une aliénation (pour la femme), Mme de Lafayette semble considérer que l'amour ne peut s'accomplir que dans une union des âmes et des corps : le prince de Clèves, qui peut posséder physiquement son épouse, n'en tire aucun bonheur, car il sait qu'il n'est pas aimé (« La qualité de mari lui donna de plus grands privilèges ; mais elle ne lui donna pas une autre place dans le cœur de sa femme ») ; le duc de Nemours, qui se sait aimé, n'est guère plus heureux, puisque la princesse se refuse à lui. En ce sens, pour l'auteur de *La Princesse de Clèves*, l'amour platonique ne saurait constituer une fin en soi ; en témoigne la deuxième scène de Coulommiers, dont la sensualité est évidente : moiteur de la nuit, jeune femme qui « n'avait rien sur sa tête et sur sa gorge que ses cheveux confusément rattachés », tout occupée à orner de rubans la « canne des Indes » du duc... Mme de Lafayette prend ainsi discrètement, mais nettement ses distances avec la conception précieuse d'un amour idéalisé, forme dérivée de l'amour courtois médiéval où la dame fait figure de divinité inaccessible pour le chevalier servant – même si elle conserve de cette tradition l'opposition entre l'époux, détenteur du pouvoir et du droit à la possession physique, et l'amant, aimé mais voué à voir son désir inassouvi.

L'écriture du roman, entre préciosité et classicisme

De la même façon, bien qu'il soit marqué par le legs précieux (en particulier sur le plan lexical), le style du roman s'éloigne de l'esthétique d'un d'Urfé ou d'une Mlle de Scudéry : à une époque qui voit la création des *Femmes savantes*, Mme de Lafayette s'éloigne sans doute délibérément du langage sophistiqué tant critiqué par Molière, pour inventer un style plus naturel et plus épuré. L'évocation du monde subtil et indéfinissable des sentiments se fait dans un style tout en retenue, où reviennent notamment des expressions disant l'approximation, le vague, le flou. Mais ce que dit le roman, c'est aussi l'effort de la princesse pour comprendre et formuler ce qui, par nature, échappe à l'intelligence – d'où des phrases aux constructions syntaxiques souvent élaborées, qui disent l'effort de l'esprit pour ressaisir le sentiment.

Un « style sublime »

La vision désenchantée de l'amour que propose le roman se dit dans une langue sévère, « écriture blanche » fascinante par son dépouillement même, au point que le critique Albert Béguin osera un paradoxe resté célèbre : « Le profond, dans *La Princesse de Clèves*, c'est la forme ». Car on ne doit pas s'y tromper : l'écriture de Mme de Lafayette n'est lisse que pour un lecteur inattentif, de même que la vie de ses héros n'est monotone qu'en apparence. Sobriété, ici, ne rime nullement avec pauvreté. Équivalent en prose de l'« effet de sourdine » que le stylisticien Leo Spitzer décelait chez Racine, le style de *La Princesse de Clèves* correspond bien à la définition souvent donnée au XVIIe siècle du style dit « sublime », tournant le dos à la sophistication baroque, à son emphase et à ses exagérations, alliant grandeur et dépouillement, échappant aux effets spectaculaires de la grande éloquence, de ses périodes travaillées, rythmées, symétriques, aux clausules brillantes. Sobre et grave, majestueux et poétique, il préfère la densité aux figures, et la précision aux effets rhétoriques.

Un univers stylisé

Refusant tout pittoresque, Mme de Lafayette recourt volontiers aux adjectifs porteurs d'un jugement de valeur affirmé (admirable, incomparable, extraordinaire, parfait...), aux intensifs (tant de, si, tel, tellement...) et aux superlatifs (le mieux..., le plus...).

Pourtant, dans cet univers stylisé et idéalisé jusqu'à en devenir presque abstrait – et le lexique abstrait est du reste très présent –, le concret, par moments, apparaît : ce sont les détails des parures, dont le luxe est souligné en passant, les saules de Coulommiers, furtivement évoqués, etc. Mais ces détails ne visent en rien à un quelconque réalisme : ils jouent bien plutôt une fonction symbolique (le luxe suggérant l'asservissement de la cour aux apparences trompeuses, les saules pleureurs renforçant la teneur pathétique de la scène de Coulommiers).

Les figures : hyperbole et litote

Si les images sont quasi absentes – ce qui n'a rien d'étonnant dans un roman dénonçant l'illusion trompeuse des apparences, deux figures apparaissent de manière récurrente : l'hyperbole et la litote. Le roman s'ouvre sur une évocation hautement hyperbolique de la cour d'Henri II, monde idéalisé qui semble au-dessus de l'humanité commune, par sa beauté et sa richesse comme par la violence des sentiments qui s'y déploie : « La magnificence et la galanterie n'ont jamais paru en France avec tant d'éclat que dans les dernières années du règne de Henri second. » L'amour et la souffrance qui y seront évoqués apparaîtront ainsi comme l'amour et la souffrance par excellence. Au contraire, le récit se clôt sur une litote caractéristique : « Il se passa un assez grand combat en elle-même, sa vie fut assez courte ». L'effet produit est celui d'un estompement pudique, mais éminemment suggestif, de la souffrance de la princesse.

Cependant, l'hyperbole et la litote ne sont opposées qu'en apparence, car elles constituent, là encore, deux manières de mettre en valeur la violence du sentiment : expression emphatique et intensive dans le cas de l'hyperbole, jeu sur l'indicible dans le cas de la litote.

Objets d'étude : le roman et ses personnages ; visions de l'homme et du monde (première, toutes sections)

À l'écrit

Corpus bac : la jalousie dans le roman

TEXTE 1

Mme de Lafayette, ***La Princesse de Clèves*** (1678), de « Mme de Clèves lut cette lettre » (l. 982) à « relire la lettre qu'elle avait entre les mains » (l. 1027), deuxième partie, p. 88-90.

TEXTE 2

Mme de Lafayette, ***La Princesse de Clèves*** (1678), de « Il alla d'abord dans la chambre de sa femme » (l. 111-112) à « il n'y a plus en moi ni de calme ni de raison » (l. 164-165), quatrième partie, p. 136-137.

TEXTE 3

Balzac, **Le Père Goriot** (1835), I, Une pension bourgeoise

Eugène de Rastignac, jeune noble déclassé mais ambitieux, est présenté lors d'un bal à la séduisante Anastasie de Restaud, l'une des filles du père Goriot, qui loge dans la même pension qu'Eugène. Le lendemain, celui-ci rend visite à la comtesse, mais l'amant en titre de celle-ci, Maxime de Trailles, est déjà là.

Maxime regardait alternativement Eugène et la comtesse d'une manière assez significative pour faire décamper l'intrus. « Ah çà, ma chère, j'espère que tu vas me mettre ce petit drôle à la porte ! » Cette phrase était une traduction claire et intelligible des regards du jeune homme impertinemment fier que la comtesse Anastasie avait nommé Maxime, et dont elle consultait le visage de cette intention soumise qui dit tous les secrets d'une femme sans qu'elle s'en doute. Rastignac se sentit une haine violente pour ce jeune homme.

D'abord les beaux cheveux blonds et bien frisés de Maxime lui apprirent combien les siens étaient horribles. Puis Maxime avait des bottes fines et propres, tandis que les siennes, malgré le soin qu'il avait pris en marchant, s'étaient empreintes d'une légère teinte de boue. Enfin Maxime portait une redingote qui lui serrait élégamment la taille et le faisait ressembler à une jolie femme, tandis qu'Eugène avait à deux heures et demie un habit noir. Le spirituel enfant de la Charente sentit la supériorité que la mise donnait à ce dandy, mince et grand, à l'œil clair, au teint pâle, un de ces hommes capables de ruiner des orphelins. Sans attendre la réponse d'Eugène, madame de Restaud se sauva comme à tire-d'aile dans l'autre salon, en laissant flotter les pans de son peignoir qui se roulaient et se déroulaient de manière à lui donner l'apparence d'un papillon ; et Maxime la suivit. Eugène furieux suivit Maxime et la comtesse. Ces trois personnages se trouvèrent donc en présence, à la hauteur de la cheminée, au milieu du grand salon. L'étudiant savait bien qu'il allait gêner cet odieux Maxime ; mais, au risque de déplaire à madame de Restaud, il voulut gêner le dandy. Tout à coup, en se souvenant d'avoir vu ce jeune homme au bal de madame de Beauséant, il devina ce qu'était Maxime pour madame de Restaud ; et avec cette audace juvénile qui fait commettre de grandes sottises ou obtenir de grands succès, il se dit : « Voilà mon rival, je veux triompher de lui. » L'imprudent ! il ignorait que le comte Maxime de Trailles se laissait insulter, tirait le premier et tuait son homme. Eugène était un adroit chasseur, mais il n'avait pas encore abattu vingt poupées sur vingt-deux dans un tir. Le jeune comte se jeta dans une bergère au coin du feu, prit les pincettes et fouilla le foyer par un mouvement si violent, si grimaud, que le beau visage d'Anastasie se chagrina soudain. La jeune femme se tourna vers Eugène, et lui lança un de ces regards froidement interrogatifs qui disent si bien : Pourquoi ne vous en allez-vous pas ? que les gens bien élevés savent aussitôt faire de ces phrases qu'il faudrait appeler des phrases de sortie.

TEXTE 4

Stendhal, **La Chartreuse de Parme** (1839), I, 7

Fabrice s'est rapproché de sa tante Gina, qui n'est pas insensible à son charme ; irrité par cette situation, le prince se venge en adressant à son

Premier ministre le comte Mosca, épris de Gina, une lettre lui indiquant qu'il a un rival en la personne de Fabrice.

Le comte se fit reconduire chez lui au galop ; il cria en passant qu'on ne laissât monter âme qui vive, fit dire à l'*auditeur* de service qu'il lui rendait la liberté (savoir un être humain à portée de sa voix lui était odieux), et courut s'enfermer dans la grande galerie de tableaux. Là enfin il put se livrer à toute sa fureur ; là il passa la soirée sans lumières à se promener au hasard, comme un homme hors de lui. Il cherchait à imposer silence à son cœur, pour concentrer toute la force de son attention dans la discussion du parti à prendre. Plongé dans des angoisses qui eussent fait pitié à son plus cruel ennemi, il se disait : L'homme que j'abhorre loge chez la duchesse, passe tous ses moments avec elle. Dois-je tenter de faire parler une de ses femmes ? Rien de plus dangereux ; elle est si bonne ; elle les paie bien ! elle en est adorée ! (Et de qui, grand Dieu, n'est-elle pas adorée !) Voici la question, reprenait-il avec rage :

Faut-il laisser deviner la jalousie qui me dévore, ou ne pas en parler ?

Si je me tais, on ne se cachera point de moi. Je connais Gina, c'est une femme toute de premier mouvement; sa conduite est imprévue même pour elle ; si elle veut se tracer un rôle d'avance, elle s'embrouille ; toujours, au moment de l'action, il lui vient une nouvelle idée qu'elle suit avec transport comme étant ce qu'il y a de mieux au monde, et qui gâte tout.

Ne disant mot de mon martyre, on ne se cache point de moi et je vois tout ce qui peut se passer…

Oui, mais en parlant, je fais naître d'autres circonstances ; je fais faire des réflexions ; je préviens beaucoup de ces choses horribles qui peuvent arriver… Peut-être on l'éloigne (le comte respira), alors j'ai presque partie gagnée ; quand même on aurait un peu d'humeur dans le moment, je la calmerai… et cette humeur quoi de plus naturel ?… elle l'aime comme un fils depuis quinze ans. Là gît tout mon espoir : *comme un fils*… mais elle a cessé de le voir depuis sa fuite pour Waterloo ; mais en revenant de Naples, surtout pour elle, c'est un autre homme. *Un autre homme*, répéta-t-il avec rage, et cet homme est charmant ; il a surtout cet air naïf et tendre et cet œil souriant qui promettent tant de bonheur ! et ces yeux-là la duchesse ne doit pas être accoutumée à les trouver à notre cour !… Ils y sont remplacés par le regard morne et sardonique. Moi-même, poursuivi par les affaires, ne régnant que par mon influence sur un homme qui voudrait me tourner en ridicule, quels regards dois-je avoir souvent ? Ah ! quelques soins que je prenne, c'est surtout mon regard qui doit être vieux en moi ! Ma gaieté n'est-elle pas toujours voisine de l'ironie ?... Je dirai plus, ici il faut être sincère, ma gaieté ne laisse-t-elle pas entrevoir, comme chose toute proche, le pouvoir absolu... et la méchanceté ? Est-ce-que quelquefois je ne me dis pas à moi-même, surtout quand on m'irrite : Je puis ce que je veux ? et même j'ajoute une sottise : je dois être plus heureux qu'un autre, puisque je possède ce que les autres n'ont pas : le pouvoir souverain dans les trois quarts des choses. Eh bien ! soyons juste ; l'habitude de cette pensée doit gâter mon sourire... doit me donner un air d'égoïsme... content... Et, comme son sourire à lui est charmant ! il respire le bonheur facile de la première jeunesse, et il le fait naître.

TEXTE 5

Marcel Proust, ***À la Recherche du temps perdu***, Du côté de chez Swann

Swann vient d'apprendre qu'il n'est pas invité à la soirée donnée par les Verdurin à Chatou le lendemain. En outre, Odette a préféré rentrer en voiture non avec lui, mais avec les Verdurin.

De même que les propos, les sourires, les baisers d'Odette lui [= à Swann] devenaient aussi odieux qu'il les avait trouvés doux, s'ils étaient adressés à d'autres que lui, de même, le salon des Verdurin, qui tout à l'heure encore lui semblait amusant, respirant un goût vrai pour l'art et même une sorte de noblesse morale, maintenant que c'était un autre que lui qu'Odette allait y rencontrer, y aimer librement, lui exhibait ses ridicules, sa sottise, son ignominie.

Il se représentait avec dégoût la soirée du lendemain à Chatou. « D'abord cette idée d'aller à Chatou ! Comme des merciers qui viennent de fermer leur boutique ! Vraiment ces gens sont sublimes de bourgeoisisme, ils ne doivent pas exister réellement, ils doivent sortir du théâtre de Labiche ! » Il y aurait là les Cottard, peut-être Brichot. « Est-ce assez grotesque, cette vie de petites gens qui vivent les uns sur les autres, qui se croiraient perdus, ma parole, s'ils ne se retrouvaient pas tous demain à Chatou ! » Hélas ! Il y aurait aussi le peintre, le peintre qui aimait « à faire des mariages », qui inviterait

Forcheville à venir avec Odette à son atelier. Il voyait Odette avec une toilette trop habillée pour cette partie de campagne, « car elle est si vulgaire et surtout, la pauvre petite, elle est tellement bête ! ! ! » Il entendait les plaisanteries que ferait Mme Verdurin après dîner, les plaisanteries qui, quel que fût l'ennuyeux qu'elles eussent pour cible, l'avaient toujours amusé parce qu'il voyait Odette en rire, en rire avec lui, presque en lui.

Maintenant il sentait que c'était peut-être de lui qu'on allait faire rire Odette. « Quelle gaîté fétide !, disait-il en donnant à sa bouche une expression de dégoût si forte qu'il avait lui-même la sensation musculaire de sa grimace jusque dans son cou révulsé contre le col de sa chemise. Et comment une créature dont le visage est fait à l'image de Dieu peut-elle trouver matière à rire dans ces plaisanteries nauséabondes ? Toute narine un peu délicate se détournerait avec horreur pour ne pas se laisser offusquer par de tels relents. C'est vraiment incroyable de penser qu'un être humain peut ne pas comprendre qu'en se permettant un sourire à l'égard d'un semblable qui lui a tendu loyalement la main, il se dégrade jusqu'à une fange d'où il ne sera plus possible à la meilleure volonté du monde de jamais le relever. J'habite à trop de milliers de mètres d'altitude au-dessus des bas-fonds où clapotent et clabaudent de tels sales papotages, pour que je puisse être éclaboussé par les plaisanteries d'une Verdurin, s'écria-t-il en relevant la tête, en redressant fièrement son corps en arrière. Dieu m'est témoin que j'ai sincèrement voulu tirer Odette de là, et l'élever dans une atmosphère plus noble et plus pure. Mais la patience humaine a des bornes, et la mienne est à bout », se dit-il, comme si cette mission d'arracher Odette à une atmosphère de sarcasmes datait de plus longtemps que de quelques minutes et comme s'il ne se l'était pas donnée seulement depuis qu'il pensait que ces sarcasmes l'avaient peut-être lui-même pour objet et tentaient de détacher Odette de lui.

SUJET

a. Question préliminaire (sur 4 points)

En quoi les situations et les manifestations de jalousie évoquées par les textes du corpus sont-elles analogues ? En quoi diffèrent-elles ? Quels sont les procédés employés dans ces textes pour dire le trouble intérieur, l'agitation et les souffrances de la jalousie ?

b. Travaux d'écriture (sur 16 points) – au choix

Sujet 1. Commentaire.

Vous ferez le commentaire du texte 5. Vous mettrez en lumière les procédés utilisés par Proust pour traduire l'émotion du personnage et le flux de ses pensées.

Sujet 2. Dissertation.

Quel(s) rôle(s) peuvent jouer les passions dans le roman ? Dans quelle mesure le traitement qui leur est réservé est-il spécifique du genre romanesque (par opposition au théâtre, par exemple) ? Dans quelle mesure est-il, au contraire, analogue ? Vous vous appuierez, entre autres, sur les textes du corpus pour développer votre réflexion.

Sujet 3. Écriture d'invention.

Vous récrirez la scène évoquée dans le texte 3 du point de vue de Maxime, et non plus de Rastignac. Vous serez attentif à respecter les indications du texte de Balzac, tout en tenant compte de ce changement radical de perspective. Vous ferez suivre ce récit d'un monologue intérieur où Anastasie commente pour elle-même ce qui vient de se produire.

Documentation et compléments d'analyse sur :
www.petitsclassiqueslarousse.com

Vers le bac

Objets d'étude : le roman et ses personnages ; visions de l'homme et du monde (première, toutes sections)

À l'oral

Madame de Lafayette, *La Princesse de Clèves*. De « Madame de Clèves demeura seule » (l. 346) à : « ... et à moi-même aussi, de les lui apprendre » (l. 396), troisième partie, p. 105-107.

Sujet : Comment s'exprime ici la plongée dans la conscience de l'héroïne, entre impuissance et tentative de maîtrise ?

RAPPEL

Une lecture analytique peut suivre les étapes suivantes :

I. Mise en situation du passage, puis lecture à haute voix

II. Projet de lecture

III. Composition du passage

IV. Analyse précise du passage

V. Conclusion – remarques à regrouper un jour d'oral en fonction de la question posée.

I. Situation du passage

Apprenant qu'une lettre de femme compromettante a été perdue par Nemours (auquel toute la cour l'attribue à tort), la princesse a éprouvé toutes les douleurs de la jalousie, signe de la passion violente et irrépressible qu'elle éprouve pour le duc – et n'a pu tout à fait dissimuler son trouble. Or la lettre avait en réalité été égarée par le vidame de Chartres, et non par Nemours ; ce dernier, comprenant les soupçons qui agitent la princesse et soucieux de se disculper à ses yeux, aide le vidame à récupérer la lettre et parvient à convaincre la princesse qu'il n'en est pas le véritable auteur. Celle-ci accepte alors de l'aider à récrire une fausse lettre afin de brouiller les pistes et de sauver le vidame, gravement compromis. Ce moment de complicité fait éprouver aux deux protagonistes un bonheur sans mélange – le seul, sans doute, de tout l'ouvrage. Une fois Nemours parti, la princesse, bouleversée par cet instant de partage et de communion, est rendue à sa solitude et à sa mauvaise conscience.

II. Projet de lecture

Comme toujours dans *La Princesse de Clèves*, l'introspection succède à l'action, et elle se voit de plus en plus longuement et subtilement développée, accompagnant ainsi le mûrissement de la princesse et sa naissance à elle-même. Le passage proposé correspond donc à un monologue intérieur, qui vient faire contrepoint au « moment parfait » que viennent de connaître la princesse et le duc. Il constitue à bien des égards un moment initiatique, au cours duquel la jeune fille découvre, dans la souffrance, les affres de la passion amoureuse, qui lui apparaît comme inévitablement marquée par l'impureté et la jalousie.

Par cette plongée dans sa propre conscience, elle tente à la fois de comprendre et de maîtriser sa passion – mais, douloureux et solitaire, ce retour sur soi lui révèle au contraire son impuissance radicale, et participe en ce sens du tragique de l'œuvre, tragique d'une conscience se sachant soumise à l'esclavage d'un amour qui la saisit et la domine, mais refusant de se rendre tout entière à cette passion perçue comme immorale et avilissante.

En ce sens, le passage proposé tient à la fois de l'examen de conscience sans complaisance et du monologue tragique. À la fois désemparé et volontariste, il comporte en effet une double dimension, judiciaire (la princesse met en procès son comportement passé, fait le bilan de ce qu'elle vient de vivre) et délibérative (elle doit décider de la conduite qu'elle adoptera). À ce titre, il n'est pas sans rappeler certains moments éminemment pathétiques du théâtre de Racine, tels que les monologues de Phèdre.

III. Composition du passage

L'extrait s'organise en trois mouvements principaux :

1. Le retour sur soi

Du début à « comme d'un songe » : passage de transition entre l'évocation du sort malheureux du vidame (qui marque l'échec pratique de la lettre écrite conjointement par les deux héros) et le retour au récit principal et au personnage éponyme.

2. Stupeur et tremblement

De « elle regarda avec étonnement... » à « ... et qu'elle était trompée » : dressant un bilan de ce qu'elle vient de vivre, récapitulant les causes passées de son bouleversement présent, la princesse éprouve à la fois stupéfaction et honte, sentiments amers qui contrastent douloureusement avec la joie qu'elle vient d'éprouver aux côtés du duc.

3. La découverte de la jalousie

De « Elle avait ignoré... » à « ... de les lui apprendre. » : découvrant la jalousie, la princesse commence à comprendre que celle-ci pourrait bien empoisonner à tout jamais sa relation avec le duc. C'est en grande partie cette prise de conscience qui justifiera son renoncement final. Après le regard sur le passé et sur sa propre impuissance vient l'anticipation volontariste de l'avenir. Sur le plan énonciatif, la distance s'abolit progressivement entre le discours du narrateur omniscient et le monologue intérieur de l'héroïne : le lecteur plonge de plus en plus profondément et de plus en plus directement dans le fil des pensées de la princesse.

IV. Analyse précise du passage

1. Le retour sur soi

Il n'est pas indifférent que l'entrée dans l'introspection soit inaugurée par la proposition « Madame de Clèves demeura seule ». En effet, non seulement c'est cet isolement qui permettra le retour réflexif sur ce qui vient de se passer – alors que la jeune fille était jusque-là auprès de celui qu'elle aimait, plongée dans le présent et dans l'action –, mais cet isolement prend en outre une valeur symbolique. Car, loin de renvoyer à un simple isolement physique (il n'y a plus qu'elle dans la chambre), l'adjectif *seule* prend aussi une valeur morale, dans la mesure où la princesse a perdu peu de temps auparavant son principal soutien contre la force destructrice de la passion : sa mère. Cet isolement progressif de l'héroïne est un trait important du récit : c'est lui qui lui permettra de devenir adulte, et de s'affirmer, fût-ce au prix d'une grande souffrance, comme individu.

Dans le segment qui suit – « sitôt qu'elle ne fut plus soutenue par cette joie que donne la présence de ce que l'on aime, elle revint comme d'un songe » –, l'ordre des propositions reproduit la relation de cause à conséquence ; c'est parce que le duc est parti que la jeune fille revient à la réalité ; c'est parce qu'il s'est éloigné et que leur couple virtuel et éphémère s'est dissous qu'elle revient, littéralement, *à elle*, à elle-même.

On peut noter en outre l'insertion discrète d'une maxime sous-jacente, qui témoigne de l'héritage précieux réassumé par Mme de Lafayette dans *La Princesse de Clèves* : « cette joie que donne la présence de ce que l'on aime ». En effet, ce syntagme peut être lu comme la transposition d'une maxime précieuse, qui pourrait être « la présence de ce que l'on aime donne de la joie » ; en témoigne à la fois l'emploi remarquable, dans ce texte au passé, du présent gnomique (présent omnitemporel ou « de vérité générale ») ; et celui de la relative périphrastique à valeur générale « ce que l'on aime » désignant indirectement « l'être aimé », qui relève d'un langage précieux. Un tel procédé souligne bien qu'à ce stade, c'est le narrateur omniscient, bien plus expérimenté que la princesse, qui s'exprime seul.

2. Stupeur et tremblement

De la surprise à l'obsession

La princesse revit désormais la scène qui vient de se dérouler, comme si elle en était la spectatrice ; en témoigne le retour en anaphore de la structure « elle + verbe de vision (mentale) » : « elle regarda… elle se remit devant les yeux… ». Sa stupéfaction devant ce qu'elle vient de vivre, marque de sa jeunesse et de sa naïveté, se traduit par le nom *étonnement,* ainsi que par l'adjectif qualificatif à forte valeur intensive *prodigieuse* : « elle regarda avec étonnement la prodigieuse différence de l'état où elle était le soir d'avec celui où elle se trouvait alors ». De fait, l'objet de cette stupéfaction est le changement radical d'état psychologique qu'elle vient d'expérimenter en peu de temps : lorsqu'elle croyait que le duc avait une liaison, elle a vécu un tel calvaire qu'elle n'a pu le dissimuler, pas plus qu'elle n'a pu cacher sa joie lorsqu'elle a été détrompée. L'antithèse qui oppose « le soir » à « alors » se trouve redoublée par celle qui oppose, un peu plus loin, le couple *aigreur* et *froideur* au couple *calme* et *douceur*, puis par l'antithèse entre *sensibilité* (c'est-à-dire ici attachement, amour) et *aigreur* ; l'abondance des mots abstraits, appartenant au champ lexical du sentiment, est caractéristique du roman d'analyse qu'est *La Princesse de Clèves*, et se voit ici soulignée par la terminaison en *-eur* commune à plusieurs de ces mots. La répétition de la conjonction *sitôt que*, déjà employée plus haut, est également significative : la princesse réagit immédiatement, dans son intériorité, aux circonstances extérieures, et plus exactement aux actions du duc (lorsqu'il quitte la chambre comme lorsqu'il la persuade que la lettre ne lui appartient pas).

Le passage du passé simple à l'imparfait est significatif – et il caractérise du reste fréquemment les moments d'introspection de la princesse : l'imparfait prend ici une valeur itérative, c'est-à-dire qu'il marque la répétition d'une même action (*quand elle pensait* équivaut ainsi à *chaque fois qu'elle pensait*) et montre la jeune fille aux prises avec une préoccupation obsédante, dont elle ne parvient pas à se libérer. L'expression se trouve encore reprise, en anaphore, un peu plus loin : *quand elle pensait encore que...*

Or cette obsession ne concerne donc pas seulement le passage d'un état d'âme à son contraire, mais sa propre impuissance à dissimuler ces sentiments contradictoires éprouvés tour à tour ; en témoigne la récurrence des termes renvoyant aux traductions extérieures, physiques, de sentiments intérieurs : *donné des marques de, marques de sensibilité, fait paraître* (qui revient deux fois). Dans ce monde d'apparences qu'est la cour, la Princesse perçoit intuitivement l'importance de ces faux pas, qui n'ont pu manquer de révéler à Nemours l'amour qu'elle lui porte : en témoigne la répétition de l'expression *[Nemours] voyait bien que*.

L'appel à la raison et la naissance d'un sujet

La reprise litanique des mêmes termes ou expressions, parfois mise en valeur par l'anaphore, souligne ainsi sur le plan formel la pensée répétitive de la princesse, qui aboutit à un sentiment dominant : la honte (« elle était honteuse », « si peu digne d'estime »), qui n'est pas sans rappeler le caractère « glorieux » prêté à sa mère au début du roman. C'est avant tout en raison de l'idée qu'elle se fait d'elle-même, et à laquelle elle estime avoir dérogé, que la princesse ressent de « cuisantes douleurs ». Autrement dit, au moment même où elle découvre la scission du moi que provoque la passion (« elle ne se reconnaissait plus elle-même »), elle prend également conscience d'elle-même comme individu, comme sujet à la fois sensible et moral.

Cette prise de conscience passe par l'usage de sa raison, par la tentative de comprendre en profondeur ce qu'elle vient de vivre, comme le montre à la fois le champ lexical de la pensée (*penser*, qui revient deux fois, *trouver, le souvenir, la pensée*) et la longueur des phrases. Celles-ci constituent des périodes soigneusement structurées, à la syntaxe complexe et riche en subordonnées, qui suivent le mouvement complexe de la pensée : « Quand elle pensait encore que M. de Nemours voyait bien qu'elle connaissait son amour, qu'il voyait bien aussi que..., qu'au contraire..., qu'elle était cause... et qu'ils venaient de..., elle trouvait qu'elle..., qu'elle..., et elle... ». Il s'agit donc de ressaisir rationnellement l'irrationnel : dans le segment « elle trompait le mari du monde qui méritait le moins d'être trompé », la répétition du verbe *tromper*, d'abord à la voix active puis à la voix passive, traduit la manière dont la princesse prend conscience de l'irrationalité de son comportement – même si cette prise de conscience, en elle-même, est profondément rationnelle. Comme l'écrit Jean Rousset : « Si les soliloques de Mme de Clèves suivent avec souplesse les détours des mouvements passionnels, ils ne déroulent cependant que le discours d'une conscience organisée ; le trouble ne parle pas le langage du trouble, mais celui de la connaissance réflexive, de ce moment second où l'esprit fait effort pour voir clair dans son trouble » (*Forme et Signification*, Paris, Corti, 1962, p. 42).

Les détours d'une conscience

Mais c'est la fin de la phrase qui révèle toute la mauvaise foi de la princesse : en ajoutant « et elle était honteuse de paraître si peu digne d'estime aux yeux mêmes de son amant », le narrateur semble en effet révéler la vérité profonde du trouble qui saisit son héroïne : si celle-ci ressent une telle honte, c'est moins parce qu'elle a manqué à son mari que parce qu'elle craint d'avoir donné au duc une mauvaise image d'elle.

Enfin, la dernière phrase présente explicitement comme la raison principale de ce bouleversement, à savoir la souffrance sans précédent qu'elle vient de ressentir et qu'elle est décidée à ne jamais revivre : « Mais, ce qu'elle pouvait moins supporter que tout le reste, était le souvenir de l'état où elle avait passé la nuit, et les cuisantes douleurs que lui avait causées la pensée que M. de Nemours aimait ailleurs et qu'elle était trompée. » Nul remords, nul sentiment de culpabilité ici : seulement un mélange de souffrance amoureuse et d'orgueil blessé.

3. La découverte de la jalousie

L'expression « cuisantes douleurs » se voit reprise par la mention, à la fois plus précise et plus violente, des « inquiétudes mortelles de la défiance et de la jalousie ». *Jalousie* : le mot, qui apparaissait déjà dans le paragraphe précédent, se voit repris, et donne la clé de l'état de Mme de Clèves. Accompagné de l'indication « jusqu'alors », le plus-que-parfait qui ouvre ce second paragraphe *(avait ignoré, avait pensé, avait commencé)* souligne la position surplombante du narrateur omniscient et laisse prévoir que le moment présent sera celui de la rupture et d'une prise de conscience décisive.

Un questionnement tourmenté

Mais le narrateur abandonne bientôt cette position pour laisser progressivement la parole à son héroïne. Il passe en effet du discours indirect (« elle trouva que... ») au discours direct (introduit par l'incise « disait-elle »), et à l'irruption d'un je désemparé et souffrant, d'abord sujet de multiples questions : « Veux-je la souffrir ? Veux-je y répondre ? Veux-je m'engager dans une galanterie ? Veux-je manquer à M. de Clèves ? Veux-je me manquer à moi-même ? Et veux-je enfin m'exposer aux cruels repentirs et aux mortelles douleurs que donne l'amour ? » La brièveté haletante des questions qui se succèdent dit certes le trouble de la jeune fille, mais la reprise de *veux-je* en anaphore traduit la démarche volontariste de la princesse, qui entend bien décider, en conscience libre et autonome, de sa propre conduite. On notera du reste qu'il s'agit d'interrogations dites *totales*, c'est-à-dire appelant une réponse par *oui* ou par *non* : c'est devant un choix radical qu'est placée la princesse. Mais en réalité, sa décision est déjà prise, comme en témoigne la mise en œuvre de tout un lexique péjoratif traduisant une vision négative de la relation amoureuse : *défiance, trompée, légèreté, incapable, souffrir, galanterie.* Aussi les questions précédemment évoquées apparaissent-elles comme autant d'interrogations rhétoriques, dont la réponse est déjà connue : non.

L'heure du choix

Aux questions succèdent les assertions (avec notamment la reprise en anaphore de « il faut... »), mais celles-ci sont loin de signaler la maîtrise retrouvée de la princesse sur elle-même, puisqu'elles proclament au contraire son impuissance – une impuissance désormais pleinement consciente, comme le montre l'emploi de la voix passive : « Je suis vaincue et surmontée par une inclination qui m'entraîne malgré moi. Toutes mes résolutions sont inutiles ». Le terme d'*inclination* renvoie à la fois au vocabulaire précieux (dans lequel il désigne l'attraction exercée par l'être aimé) et au vocabulaire augustinien (dans lequel il désigne la tendance de l'homme déchu à s'abandonner au mal) ; en tant que tel, il associe étroitement amour humain et péché, désir et chute.

Le chiasme opposant *hier* à *aujourd'hui* manifeste la scission d'un moi qui se renie lui-même par ses actions, alors même que ses valeurs, elles, n'ont pas changé : « je pensai hier tout ce que je pense aujourd'hui et je fais aujourd'hui tout le contraire de ce que je résolus hier. »

La réflexion de la jeune fille s'achève sur un projet d'aveu à son époux – dont on sait l'importance capitale qu'il revêt pour la suite de l'intrigue : « si M. de Clèves s'opiniâtre à l'empêcher [son voyage] ou à en vouloir savoir les raisons, peut-être lui ferai-je le mal, et à moi-même aussi, de les lui apprendre. » Au-delà de cette valeur d'annonce, on peut même déceler une sorte d'ironie tragique dans cette prescience du « mal » qui découlera, pour son époux et pour elle-même, d'un tel aveu : la princesse ne croit pas si bien dire.

V. Conclusion

Manifestant à la fois l'impuissance de la princesse et sa volonté de maîtrise, l'empire du corps et la foi en la force de la volonté, un tel passage, empreint d'un pessimisme marqué par l'influence augustinienne, fait d'elle une véritable héroïne tragique : c'est sa lucidité qui la fait souffrir, car elle lui révèle à la fois sa finitude (l'impuissance de sa volonté) et celle de tout amour humain (voué à l'infidélité et incapable d'atteindre à l'absolu).

Documentation et compléments d'analyse sur :
www.petitsclassiqueslarousse.com

Outils de lecture

Action
Ensemble des événements qui ont lieu les uns après les autres et qui font avancer l'histoire.

Analepse
Une analepse est le fait de revenir en arrière, dans le déroulement d'un récit.

Antithèse
Figure destinée à faire valoir le contraste de deux éléments opposés.

Auteur
Personne réelle, historique, qui écrit le texte. L'auteur ne doit pas être confondu avec le narrateur, qui prend en charge le récit, et n'est qu'une instance virtuelle, créée par l'auteur.

Champ lexical
Ensemble de mots ou d'expressions renvoyant à la même notion.

Dénouement
Événement venant dénouer une intrigue et marquant ainsi la résolution de l'action.

Éponyme
Le personnage éponyme est celui qui donne son nom à l'ouvrage. Ex. : Eugénie Grandet.

Euphémisme
Manière de s'exprimer visant à adoucir ce qui est dit.

Focalisation
Point de vue depuis lequel est conduite la narration. On distingue la focalisation zéro (dans le cas d'un narrateur omniscient), la focalisation interne (dans le cas d'un narrateur ne disant jamais que ce que sait tel ou tel personnage) et la focalisation externe (dans le cas d'un narrateur évoquant le comportement d'un personnage dont il ne peut connaître les sentiments et les pensées).

Hyperbole
Figure de style consistant à mettre l'accent sur une idée ou sur une chose en l'exprimant de manière exagérée.

Incipit
Début d'un récit.

Litote
Figure de style consistant à mettre l'accent sur une idée ou sur une chose en atténuant délibérément son expression, faisant ainsi entendre plus en disant moins.

Mise en abîme
Système d'emboîtement narratif, consistant en l'enchâssement d'un récit pris en charge par un narrateur second, dans un récit-cadre pris en charge par le narrateur principal.

Narrateur
Personne ou personnage « racontant », c'est-à-dire assumant la responsabilité le récit. On distinguera le narrateur hétérodiégétique (qui n'est pas un personnage de l'action, le récit se faisant donc à la troisième personne du singulier) du narrateur

homodiégétique (qui est un témoin participant à l'action, le récit se faisant donc à la première personne du singulier). Le narrateur héros de l'action qu'il raconte est dit autodiégétique.

Niveau de langage
Manière de s'exprimer. On en distingue généralement trois : le niveau de langage familier ou populaire (ex. : « j'me suis pris une de ces claques ! »), le niveau de langage courant (ex. : « j'ai très mal pris mon échec »), et le niveau de langage soutenu (ex. : « j'ai essuyé un cruel revers »).

Nouvelle
Forme de roman abrégé au cadre réaliste (contrairement à celui du conte), et dont l'action resserrée suit le plus souvent le développement d'une situation de crise jusqu'à sa résolution.

Omniscient
Qui sait tout.

Pathos
Forme de débordement émotionnel souvent larmoyante, toujours poignante.

Péripétie
Événement imprévu et décisif, qui aboutit à un renversement de situation.

Portrait
Description physique et/ou morale d'un être animé. On appelle « prosopographie » une description physique et « éthopée », une description morale.

Préciosité
Forme de sociabilité mondaine s'accompagnant d'une réflexion intellectuelle et esthétique axée sur le raffinement des sentiments, de leur analyse et de leur expression.

Prolepse
Anticipation narrative. Dans le déroulement d'un récit, fait d'insérer une scène qui a pourtant eu lieu plus tard.

Protagoniste
Personnage qui agit au premier plan, personnage principal.

Quiproquo
Situation qui résulte d'un malentendu.

Sentence
Formulation frappante d'une assertion générale porteuse d'une vérité le plus souvent morale.

Tragique
Nature de ce qui semble dicté par la fatalité, et de ce dont la représentation suscite terreur et pitié.

Vraisemblance
Qualité de ce qui est plausible, de ce qui semble vrai (que cela soit vrai ou faux). L'exigence de vraisemblance est une composante fondamentale de l'esthétique classique ; elle est alors conçue comme une condition sine qua non du plaisir du lecteur (ou du spectateur).

Bibliographie et filmographie

Éditions

- Mme de Lafayette, *Romans et nouvelles,* éd. A. Niderst, Paris, Garnier, « Classiques Garnier », 1989.
- Mme de Lafayette, *La Princesse de Clèves et La Princesse de Montpensier,* éd. C. Biet et P. Ronzeaud, Paris, Magnard, « Textes et contextes », 1989.
- Mme de Lafayette, *La Princesse de Clèves,* éd. J. Mesnard, Paris, Imprimerie nationale, « Lettres françaises », 1980.

Ouvrages et articles généraux

Roger Francillon, *L'œuvre romanesque de Mme de Lafayette,* Paris, Corti, 1973.

Études sur *La Princesse de Clèves*

- Albert Béguin, Préface à *La Princesse de Clèves,* suivie de *La Princesse de Montpensier,* Lausanne, 1967.
- A. Camus, « L'intelligence et l'échafaud », *Théâtre, Récits, Nouvelles,* Gallimard, « Pléiade », 1962.
- Georges Forestier, « Mme de Chartres, personnage clé de *La Princesse de Clèves* », *Les Lettres romanes,* t. XXXIV, 1980.
- Marie-Madeleine Fragonard, Préface à *La Princesse de Clèves,* Paris, Presses Pocket, 1989.
- Pierre Malandain, *La Princesse de Clèves,* Paris, PUF, 1985.
- Jean Rousset, *« La Princesse de Clèves », Forme et signification,* Paris, Corti, 1962, p. 17-44.

Filmographie

- Jean Delannoy, *La Princesse de Clèves,* scénario de Jean Cocteau et Jean Delannoy, avec Marina Vlady, Jean Marais, Jean-François Poron, 1961.
- Manuel de Oliveira, *La Lettre,* scénario de Manuel de Oliveira, avec Chiara Mastroianni et Pedro Abrunhosa, 1999.
- Christophe Honoré, *La Belle Personne,* scénario de Christophe Honoré et Gilles Taurand, avec Léa Seydoux, Louis Garrel, Grégoire Leprince-Ringuet, 2008.

Crédits photographiques

Couverture	**Dessin Alain Boyer**
7	Bibliothèque nationale de France, Paris – Ph. Coll. Archives Larbor
11	Bibliothèque nationale de France, Paris – Ph. Coll. Archives Larbor
29	Bibliothèque nationale de France, Paris – Ph. Coll. Archives Larbor
81	Bibliothèque nationale de France, Paris – Ph. Coll. Archives Larbor
110	Bibliothèque nationale de France, Paris – Ph. Coll. Archives Larbor
141	Bibliothèque nationale de France, Paris – Ph. Coll. Archives Larbor
168	Bibliothèque nationale de France, Paris – Ph. Coll. Archives Larbor
169	Bibliothèque nationale de France, Paris – Ph. Coll. Archives Larbor
211	Prod. : Enalpa Film, PCM, Silver Films. Ph. Marcel Dole / Coll. Archives Larbor
212	Prod. Gemini Films. Ph. Coll. Archives Larousse – DR
213	Prod DB © Arte France – Scarlett Production / DR